住房城乡建设部土建类学科专业"十三五"规划教材
全国住房和城乡建设职业教育教学指导委员会规划推荐教材

市政工程施工项目管理
（第三版）

（市政工程技术专业适用）

本教材编审委员会组织编写

李昌春　林文剑　主　编

林于廉　副主编

郭良娟　主　审

中国建筑工业出版社

图书在版编目（CIP）数据

市政工程施工项目管理/李昌春，林文剑主编. —3版. —北京：中国建筑工业出版社，2019.6（2024.11重印）
住房城乡建设部土建类学科专业"十三五"规划教材. 全国住房和城乡建设职业教育教学指导委员会规划推荐教材（市政工程技术专业适用）
ISBN 978-7-112-23503-2

Ⅰ. ①市… Ⅱ. ①李… ②林… Ⅲ. ①市政工程-工程管理-高等职业教育-教材 Ⅳ. ①TU99

中国版本图书馆CIP数据核字（2019）第051665号

本书根据全国住房和城乡建设职业教育教学指导委员会制定的《高等职业教育市政工程技术专业教学基本要求》编写。全书共分为9个教学单元，由项目管理概论入手，重点论述了市政工程施工项目合同管理、质量控制、进度控制、成本管理、安全控制与现场管理、技术资料管理、材料管理以及施工组织设计。

本教材可作为高职高专院校的市政工程技术专业教材，也可供从事市政工程项目管理工作的技术人员学习参考。

为了更好地支持相应课程的教学，我们向采用本书作为教材的教师提供课件，有需要者可与出版社联系。建工书院：http://edu.cabplink.com，邮箱：jckj@cabp.com.cn，2917266507@qq.com，电话：(010) 58337285。

* * *

责任编辑：聂 伟 王美玲 朱首明
责任校对：张 颖

住房城乡建设部土建类学科专业"十三五"规划教材
全国住房和城乡建设职业教育教学指导委员会规划推荐教材

市政工程施工项目管理
（第三版）
（市政工程技术专业适用）
本教材编审委员会组织编写
李昌春 林文剑 主 编
林于廉 副主编
郭良娟 主 审

*

中国建筑工业出版社出版、发行（北京海淀三里河路9号）
各地新华书店、建筑书店经销
霸州市顺浩图文科技发展有限公司制版
建工社（河北）印刷有限公司印刷

*

开本：787×1092毫米 1/16 印张：19¾ 字数：441千字
2019年6月第三版 2024年11月第十六次印刷
定价：**39.00**元（赠教师课件）
ISBN 978-7-112-23503-2
(33800)

版权所有 翻印必究
如有印装质量问题，可寄本社退换
（邮政编码100037）

本套教材修订版编审委员会名单

主任委员：徐建平

副主任委员：韩培江　陈晓军　许　光　谭翠萍

委　　员：（按姓氏笔画为序）

马精凭　王陵茜　邓爱华　白建国　边喜龙

朱勇年　刘映翀　闫宏生　杨玉衡　杨转运

李　辉　李汉华　李永琴　李昌春　何　伟

邱琴忠　张　力　张　弘　张　怡　张　鹏

张玉杰　张志敏　张宝军　张银会　陈静玲

林乐胜　罗建华　季　强　胡晓娟　姚昱晨

袁建新　章劲松　庾汉成　游普元

本套教材编审委员会名单

主 任 委 员：李　辉
副主任委员：陈思平　戴安全
委　　　员：(按姓氏笔画为序)

王　芳	王云江	王陵茜	白建国	边喜龙
刘映翀	米彦蓉	李爱华	杨玉衡	杨时秀
谷　峡	张　力	张宝军	陈思仿	陈静芳
范柳先	林文剑	罗向荣	周美新	姜远文
姚昱晨	袁　萍	袁建新	郭卫琳	

修订版序言

2015年10月受教育部（教职成函〔2015〕9号）委托，住房城乡建设部（住建职委〔2015〕1号）组建了新一届全国住房和城乡建设职业教育教学指导委员会市政工程类专业指导委员会（以下简称"专业指导委员会"），它是住房城乡建设部聘任和管理的专家机构。其主要职责是在教育部、住房城乡建设部、全国住房和城乡建设职业教育教学指导委员会的领导下，研究高职高专市政工程类专业的教学和人才培养方案，按照以能力为本位的教学指导思想，围绕市政工程类专业的就业领域、就业岗位群组织制定并及时修订各专业培养目标、专业教育标准、专业培养方案、专业教学基本要求、实训基地建设标准等重要教学文件，以指导全国高职院校规范市政工程类专业办学，达到专业基本标准要求；研究市政工程类专业建设、教材建设，组织教材编审工作；组织开展教育教学改革研究，构建理论与实践紧密结合的教学体系，构筑校企合作、工学结合的人才培养模式，进一步促进高职高专院校市政工程类专业办出特色，全面提高高等职业教育质量，提升服务建设行业的能力。

专业指导委员会成立以来，在住房城乡建设部人事司和全国住房和城乡建设职业教育教学指导委员会的领导下，在专业建设上取得了多项成果。专业指导委员会制定了《高职高专教育市政工程技术专业顶岗实习标准》和《高职高专教育给排水工程技术专业顶岗实习标准》；组织了"市政工程技术专业"、"给排水工程技术专业"理论教材和实训教材编审工作。

在教材编审过程中，坚持了以就业为导向，走产学研结合发展道路的办学方针，以提高质量为核心，以增强专业特色为重点，创新教材体系，深化教育教学改革，围绕国家行业建设规划，系统培养高端技能型人才，为我国建设行业发展提供人才支撑和智力支持。

本套教材的编写坚持贯彻以素质为基础，以能力为本位，以实用为主导的指导思路，毕业的学生具备本专业必需的文化基础、专业理论知识和专业技能，能胜任市政工程类专业设计、施工、监理、运行及物业设施管理的高端技能型人才，专业指导委员会在总结近几年教育教学改革与实践的基础上，通过开发新课程，更新课程内容，增加实训教材，构建了新的课程体系。充分体现了其先进性、创新性、适用性，反映了国内外最新技术和研究成果，突出高等职业教育的特点。

"市政工程技术"、"给排水工程技术"两个专业教材的编写工作得到了教育部、住房城乡建设部人事司的支持，在全国住房和城乡建设职业教育教学指导委员会的领导下，专业指导委员会聘请全国各高职院校本专业多年从事"市政工程技术"、"给排水工程技术"专业教学、研究、设计、施工的副教授以上的专家担任主编和主审，同时吸收工程一线具有丰富实践经验的工程技术人员及优秀中青年教师参加编写。该系列教材的出版凝聚了全国各高职高专院校"市政工程技术"、"给排水工程技术"两个专业同行的心血，也是他们多年来教学工作的结晶。值此教材出版之际，专业指导委员会谨向全体主编、主审及参编人员致以崇高的敬意。对大力支持这套教材出版的中国建筑工业出版社表示衷心的感谢，向在编写、审稿、出版过程中给予关心和帮助的单位和同仁致以诚挚的谢意。本套教材全部获评住房城乡建设部土建类学科专业"十三五"规划教材，得到了业内人士的肯定。深信本套教材将会受到高职高专院校师生和专业工程技术人员的欢迎，将有力推动市政工程类专业的建设和发展。

全国住房和城乡建设职业教育教学指导委员会
市政工程类专业指导委员会

序　言

　　近年来，随着国家经济建设的迅速发展，市政工程建设已进入专业化的时代，而且市政工程建设发展规模不断扩大，建设速度不断加快，复杂性增加，因此，需要大批市政工程建设管理和技术人才。针对这一现状，近年来，不少高职高专院校开办市政工程技术专业，但适用的专业教材的匮乏，制约了市政工程技术专业的发展。

　　高职高专市政工程技术专业是以培养适应社会主义现代化建设需要，德、智、体、美全面发展，掌握本专业必备的基础理论知识，具备市政工程施工、管理、服务等岗位能力要求的高等技术应用性人才为目标，构建学生的知识、能力、素质结构和专业核心课程体系。全国高职高专教育土建类专业教学指导委员会是建设部受教育部委托聘任和管理的专家机构，该机构下设建筑类、土建施工类、建筑设备类、工程管理类、市政工程类五个专业指导分委员会，旨在为高等职业教育的各门学科的建设发展、专业人才的培养模式提供智力支持，因此，市政工程技术专业人才培养目标的定位、培养方案的确定、课程体系的设置、教学大纲的制订均是在市政工程类专业指导分委员会的各成员单位及相关院校的专家经广州会议、贵阳会议、成都会议反复研究制定的，具有科学性、权威性、针对性。为了满足该专业教学需要，市政工程类专业指导分委员会在全国范围内组织有关专业院校骨干教师编写了该专业与教学大纲配套的10门核心课程教材，包括：《市政工程识图与构造》、《市政工程材料》、《土力学与地基基础》、《市政工程力学与结构》、《市政工程测量》、《市政桥梁工程》、《市政道路工程》、《市政管道工程施工》、《市政工程计量与计价》、《市政工程施工项目管理》。这套教材体系相互衔接，整体性强；教材内容突出理论知识的应用和实践能力的培养，具有先进性、针对性、实用性。

　　本次推出的市政工程技术专业10门核心课程教材，必将对市政工程技术专业的教学建设、改革与发展产生深远的影响。但是加强内涵建设、提高教学质量是一个永恒主题，教学改革是一个与时俱进的过程，教材建设也是一个吐故纳新的过程，所以希望各用书学校及时反馈教材使用信息，并对教材建设提出宝贵意见；也希望全体编写人员及时总结各院校教学建设和改革的新经验，不断积累和吸收市政工程建设的新技术、新材料、新工艺、新方法，为本套教材的长远建设、修订完善做好充分准备。

全国高职高专教育土建类专业教学指导委员会
市政工程类专业指导分委员会
2007年2月

第三版前言

本教材是根据全国住房和城乡建设职业教育教学指导委员会制定的《高等职业教育市政工程技术专业教学基本要求》中对本课程的要求编写的。本教材可作为高等职业院校的市政工程专业教材，也可供从事市政工程项目管理工作的技术人员学习参考。

"市政工程施工项目管理"是高等职业院校市政工程技术专业重要的专业课，主要培养目标是掌握市政施工项目的理论和方法，及从事市政工程建设的项目管理知识，具有建筑企业项目管理的能力，具备从事施工项目管理的初步能力以及其他工程实践能力。

本教材编写团队，结合教学经验、工程实践及产学研合作过程中积累的宝贵经验，构建了以理论知识够用为度，主要传授专业所需技能为主的知识体系。全书共分为9个教学单元，由项目管理概论入手，重点论述了市政工程施工项目合同管理、质量控制、进度控制、成本管理、安全控制与现场管理、技术资料管理、材料管理以及施工组织设计。本次修订在第二版的基础上，将原来的建设工程项目管理概论、市政工程施工项目管理概论章节合并为概论一章，新增了市政工程施工项目材料管理和市政工程施工组织设计，对部分教学单元内容根据知识体系以及国家最新的法律、法规、条例及相关文件进行了补充和删减，与目前国内外最新标准相吻合，进一步突出了相关知识内容的实用性。

本教材主要特色：

1. 内容切合高等职业教育特点及要求，坚持"以能力为本位"的思想，突出其实践性、可操作性，通过直观认识帮助学生学会如何脚踏实地做好项目管理。

2. 教材的理论难度适当，以"必需够用"为度，详略适当，统筹兼顾其实用性及系统性。内容深入浅出，文字通俗易懂；教材全文力求短小精干，文字简练，基本概念准确，各部分内容既相对独立，又相互协调。

3. 编写内容在高等职业院校市政工程技术专业教学方面具有独创性，同时又体现出积淀性和传承性。基于第二版开展比较、筛选、总结和提炼后，知识内容体系具有层次分明、详略得当的特点。

4. 以工程实践内容为主导，与建造师制度相适应，能够与未来建造师的培养目标实现有效衔接。

本教材修订版由四川建筑职业技术学院李昌春、林文剑、候涛、肖川和重庆水利电力职业技术学院林于廉编写。本教材由李昌春、林文剑任主编，林于廉任副主编，具体为：李昌春编写教学单元1、4、9；林文剑编写教学单元6、7；林于廉编写教学单元2、3；候涛编写教学单元8；肖川编写教学单元5。本书由浙江建设职业技术学院郭良娟任主审。

本教材修订过程中，参考了许多图书文献，在此一并向各位作者表示衷心感谢。

由于水平有限，本教材难免存在疏漏和不足之处，恳请读者批评指正。

第二版前言

本教材是根据全国高职高专教育土建类专业教学指导委员会制定的市政工程技术专业的教育标准、培养方案的教学要求编写的。本教材主要是为了满足高等职业教育市政工程技术专业的教学需要，也可作为市政施工的工程技术人员的参考书籍。

《市政工程施工项目管理》是市政工程技术专业的一门重要的专业课，主要培养学生掌握市政施工项目管理的理论和方法，具有从事市政工程建设的项目管理知识，具有进行建筑业企业项目管理的能力，具有从事施工项目管理的初步能力，以及具有其他工程实践的能力。

本教材介绍了市政工程施工项目管理的相关概念与理论，并重点介绍了市政工程施工项目管理的主要内容：合同管理、质量、进度、成本、安全控制，以及施工现场与施工技术资料管理。其主要特色：采用了建设工程项目管理的基本框架，突出市政工程施工项目管理的特点；突出了实践应用与可操作性，突出以能力为本位的思想；注重紧密结合市政工程施工实际，努力做到深入浅出，文字通俗易懂，内容精练；注意教材与建造师、监理工程师执业资格考试要求相结合，培养学生执业资格考试能力。

本次修订主要以国家最新的法律、法规、条例及相关文件为依据，对第一版教材中部分过期和不适用于内容进行删减、修改，使本教材内容与目前国际及国内最新标准相吻合。

本教材修订版由四川建筑职业技术学院林文剑、李涛和新疆建设职业技术学院刘惠茹、余晓林编写。林文剑任主编，并编写了第四、七、八章；刘惠茹任副主编，并编写了第一、二、三章；李涛编写了第五章；余晓林编写了第六章。本书由浙江建设职业技术学院郭良娟任主审。

本书的修订过中，参考了许多图书文献，在此一并向各位作者表示衷心的感谢。

由于水平有限，本书难免存在疏漏和不足之处，恳请读者批评指正。

第一版前言

本教材是根据全国高职高专教育土建类专业教学指导委员会制定的市政工程技术专业的教育标准、培养方案的教学要求并结合了项目管理相关的最新规范、标准编写的。本教材主要是为了满足高等职业教育工程市政工程技术专业的教学需要，也可作为市政施工的工程技术人员的参考书籍。

《市政工程施工项目管理》是市政工程技术专业的一门重要的专业课，本书介绍了市政工程施工项目管理的相关概念与理论，并重点介绍了市政工程施工项目管理的主要内容：合同管理、质量、进度、成本、安全控制，以及施工现场与施工技术资料管理。

本教材的主要特色：采用了建设工程项目管理的基本框架，突出市政工程施工项目管理的特点；大胆降低理论难度，以"必需够用"为原则，坚持为市政工程技术专业高职高专教育服务；突出了实践应用与可操作性，突出以能力为本位的思想；注重紧密结合市政工程施工实际，努力做到深入浅出，文字通俗易懂，内容精炼；注意教材与建造师、监理工程师执业资格考试要求相结合，培养学生执业资格考试能力；与现行工程建设标准相结合，与现行法律、法规相结合；注重科学性与政策性。

本书由四川建筑职业技术学院林文剑、李涛和新疆建设职业技术学院刘惠茹、余晓林编写。林文剑任主编，并编写了第四、七、八章与附录；刘惠茹任副主编，并编写了第一、二、三章；李涛编写了第五章；余晓林编写了第六章。

浙江建设职业技术学院陈静芳担任本书主审。对本书进行了认真细致的审阅，并提出了不少建设性意见，对保证本书质量大有裨益，编者谨此表示衷心的感谢。

本书在编写过程中，主要参考了现行采用的全国一级建造师执业资格考试用书和全国监理工程师培训考试教材，以及大量公开出版发行的有关项目管理的书籍等参考文献，在此对其作者一并致谢。

由于水平有限，本书难免存在疏漏和不足之处，恳请读者批评指正。

目　录

教学单元 1　概论 ·· 1
　　教学目标 ··· 1
　　1.1　市政工程基本建设 ··· 1
　　1.2　建设工程项目管理概论 ·· 7
　　1.3　市政工程施工项目管理概论 ··· 14
　　本教学单元小结 ··· 27
　　思考题与习题 ··· 28
教学单元 2　市政工程施工项目合同管理 ··· 29
　　教学目标 ··· 29
　　2.1　市政工程施工招标与投标 ·· 29
　　2.2　市政工程施工项目合同管理的主要内容 ································· 46
　　2.3　市政工程施工合同管理 ·· 68
　　2.4　市政工程施工项目索赔管理 ··· 72
　　本教学单元小结 ··· 79
　　思考题与习题 ··· 80
教学单元 3　市政工程施工项目质量控制 ··· 81
　　教学目标 ··· 81
　　3.1　市政工程施工项目质量控制的内涵 ·· 81
　　3.2　市政工程施工项目质量控制的内容与方法 ····························· 89
　　3.3　市政工程施工质量的验收 ·· 110
　　3.4　质量体系的建立和运行 ·· 126
　　本教学单元小结 ··· 128
　　思考题与习题 ··· 128
教学单元 4　市政工程施工项目进度控制 ··· 130
　　教学目标 ··· 130
　　4.1　市政工程施工项目进度控制概论 ··· 130
　　4.2　市政工程项目施工流水施工 ··· 133
　　4.3　网络计划技术 ·· 149
　　4.4　市政工程项目施工进度控制的方法和措施 ····························· 163
　　本教学单元小结 ··· 165
　　思考题与习题 ··· 166
教学单元 5　市政工程施工项目成本管理 ··· 168
　　教学目标 ··· 168

5.1 市政工程施工项目成本管理概述 …… 168
5.2 市政工程施工项目成本目标的制定 …… 172
5.3 市政工程施工项目成本的过程控制 …… 181
5.4 市政工程施工项目成本的分析评价 …… 191
本教学单元小结 …… 198
思考题与习题 …… 198

教学单元6 市政工程施工项目安全控制与现场管理 …… 200
教学目标 …… 200
6.1 市政工程施工项目安全控制概述 …… 200
6.2 市政工程施工项目安全控制的方法 …… 205
6.3 市政工程施工项目安全事故的处理 …… 214
6.4 市政工程施工项目现场管理 …… 218
本教学单元小结 …… 223
思考题与习题 …… 224

教学单元7 市政工程施工项目技术资料管理 …… 225
教学目标 …… 225
7.1 市政工程施工项目技术资料管理概述 …… 225
7.2 市政工程施工项目主要技术资料的编制要求 …… 231
本教学单元小结 …… 245
思考题与习题 …… 245

教学单元8 市政工程施工项目材料管理 …… 246
教学目标 …… 246
8.1 市政工程材料管理概述 …… 246
8.2 市政工程材料定额 …… 248
8.3 材料计划的编制 …… 252
8.4 材料管理的主要工作 …… 257
8.5 市政工程材料的分类管理 …… 267
本教学单元小结 …… 270
思考题与习题 …… 270

教学单元9 市政工程施工组织设计 …… 271
教学目标 …… 271
9.1 市政工程施工组织设计概论 …… 271
9.2 市政工程施工组织设计的编制方法 …… 275
本教学单元小结 …… 299
思考题与习题 …… 300

主要参考文献 …… 301

教学单元 1　概　　论

【教学目标】　了解市政工程基本建设内容、特点及程序；熟悉建设工程管理的含义以及项目经理的工作性质、任务和责任；掌握建设工程管理类型及建设工程项目管理规划的内容和编制方法；掌握施工项目管理程序、内容以及组织结构模式。

1.1　市政工程基本建设

1.1.1　市政工程建设的内容

市政工程是裸露于自然界，供各种车辆或行人通行的工程设施。市政建设的内容按任务与分工不同，主要包括以下三个方面。

1. 市政工程的小修、保养

市政工程是无遮盖而裸露于大自然的构造物，除了承受频繁的车辆荷载作用外，还要承受各种自然因素的综合作用。因此，为了保证市政工程构造物的正常使用，必须对现有的市政构造物进行定期或不定期的维修保养。

2. 市政工程大、中修与技术改造

市政工程构造物在使用过程中尽管不断地进行小修、保养，但达到一定年限后，会受到材料、结构、设备等功能方面制约，如沥青材料的老化，局部改线，提高路面等级等。因此，必须对现有市政构造物进行较大的更新或技术改造，以提高市政工程使用质量。

3. 市政工程基本建设

市政基本建设是指新建、扩建、改建和重建的工程，其中新建和改建是最主要的形式。

综上所述，市政建设是通过固定资产维修、固定资产更新改造和基本建设这三条途径来实现固定资产的简单再生产和扩大再生产。市政基本建设是从事新建、改建、扩建和重建工程，不仅涉及面广，而且耗资巨大。因此，市政基本建设的管理必须慎重，投资的测算必须严谨。

1.1.2　市政工程基本建设内容及特点

1. 市政工程基本建设内容

基本建设是指国民经济各部门为发展生产而进行的固定资产的扩大再生产，即国民经济各部门为增加固定资产而进行的建筑、购置和安装工作的总称。按照投资额的构成和工作性质市政工程基本建设内容分为：建筑安装工程；设备、工具、器具的购置；其他基本建设工作。

（1）建筑安装工程

① 建筑工程：城市道路、城市桥梁、城市轨道交通、城市管道、城市给水排

水等的建设。

②设备安装工程：所需机械、设备、仪器的安装及测试等工作。

（2）设备、工具、器具的购置

设备、工具、器具购置指为运营、服务管理、养护等需要所购置的设备、工具、器具，为保证新建、改建市政工程初期正常生产、使用和管理所需办公和生活用家具的采购或自制。

（3）其他基本建设工作

其他基本建设工作，指不属于上述各项的基本建设工作，如市政工程筹建阶段和建设阶段的管理工作、勘察设计、科研试验、征用土地、青苗补偿、拆迁补偿等。

2. 市政工程基本建设的特点

市政工程包括城市给水、排水、道路、桥涵、隧道、燃气、供热、防洪等工程项目，是城市的重要基础设施，是城市不可缺少的物质技术基础，是城市经济发展的基本条件。

市政工程与其他建筑工程相比，具有投资大，工期要求紧的特点，由于城市人口的增长，基础设施项目都具有一定的规模效应，大部分基础设施项目如供水、燃气等不能因需求的少量增加而随之做出相应的扩建，只能进行阶段性发展。市政工程中有相当一部分基础设施项目如道路、管线等建成后如需拓宽和增容，由于受客观条件限制，项目实施难度大，费用高，而且要影响其他设施的正常运行，这些都要求市政工程在时序上要超前，设计容量上要留有余地，以保证城市建设的协调发展。市政工程建设概括起来有以下特点：

（1）产品的固定性及作业的流动性

市政工程不论规模大小，其建设地点和设计方案确定后，项目的位置即使固定了，也使其项目作业表现出流动性的特点，施工人员、机械设备、材料等围绕着项目产品进行运动，一旦项目完工，施工单位即把项目产品原地移交给投资方。

（2）产品的多样性及项目作业的单件性

市政工程根据建设单位的要求，在特定条件下单独设计，每个项目都有其不同的结构、造型、规模等，即使同一类工程，由于地质环境、施工方法、气候及交通条件等不同，在进行建造时也需要对每一项目做出独特的设计及有针对性的解决方案。

（3）规模大，建设周期长，占用资金多

市政工程体积庞大，所消耗的材料量非常惊人，从而占用大量的流动资金，由于市政工程建设周期短则一两年，长则几十年，资金的回收期也较长。

（4）受自然环境影响大

市政工程大都在露天作业，受自然因素影响非常大，特别是冬期和雨期进行项目施工要采取相应的防冻保暖、防雨措施，避开雨天作业，调整施工方案等以确保项目质量。

1.1.3 市政工程基本建设基层单位

直接参与基本建设工作的基层单位共有4个，分别为建设单位、勘察设计单位、施工单位和监理单位。

1. 建设单位

凡是负责执行国家基本建设计划的基层单位，称为基本建设单位（即业主或甲方）。它在行政上有独立的组织形式，在经济上独立进行核算。建设单位是基本建设投资的支配人，也是本建设的组织者、监督者，它对国家负有一定的政治和经济责任。

2. 勘察设计单位

设计院、设计室等（持有上级主管发证机关颁发的设计许可证）统称为设计单位。勘察设计单位受建设单位或主管部门的委托，负责编制设计文件。

3. 施工单位

它是通过投标，被建设单位选定的承担建筑安装工程施工的企业（即承包商或工方）。

4. 监理单位

监理单位是指承担市政工程施工监理任务的单位。它依据建设单位和施工单位签订的合同文件以及监理单位与业主建设单位签订的监理合同内容，对基本建设工程实施"三控制"，即质量、进度、资金的控制；"二管理"，即合同管理、信息管理；"一协调"，即协调业主与承包商（施工单位）以及各方矛盾和关系。它能维护业主的利益，又不损害承包商（施工单位）的合法权益，按照合同文件规定的职责、权限，独立公正地为工程建设服务。

1.1.4 市政工程基本建设周期与建设程序

1. 市政工程项目周期

市政工程项目周期是指从项目的提出，到整个项目建成竣工验收，交付生产使用为止所经历的时间，市政工程项目经历由产生到消亡的这一全过程，即市政工程项目的全寿命周期。

市政工程项目的周期包括项目的决策阶段、实施阶段和项目后评价阶段。这些阶段的划分是基于各阶段的工作内容、性质和作用不同，但各阶段之间承前启后、相互制约，有其内在的规律性。建设者应根据项目的特点及制约条件，考虑项目周期所处的阶段，有效地组织建设项目。

（1）决策阶段

决策阶段是市政工程项目管理的重要工作，也是首要的管理工作。项目决策者应根据发展愿景，社会需求及自身实力，对拟建的建设项目进行全面分析研究，从而选择对社会、企业发展均有利的建设项目。决策阶段的主要工作有编制项目建议书和编制可行性研究报告。

（2）实施阶段

实施阶段包括：

1）设计前的准备阶段，其主要工作是编制设计任务书；

2）设计阶段，其主要工作是进行初步设计、技术设计和施工图设计；

3）施工阶段，其主要工作是完成施工任务；

4）动用前准备和保修阶段，其主要工作是进行竣工验收，交付使用并由承包方承担保修义务。

(3) 项目后评价阶段

项目后评价是对已经完成的市政项目的目的、执行过程、实施效益及影响进行的系统而客观的分析，确定项目预期的目标是否实现、项目活动是否合理，总结经验教训，为以后新的项目决策和项目管理活动收集资料，提出改进建议，以提高项目决策水平和项目管理能力。

2. 我国市政工程基本建设程序

基本建设程序是指项目从设想、选择、评估、决策、设计、施工到竣工验收、投入生产整个建设过程中，各项工作必须遵循的先后顺序。建设程序是人们在认识客观规律的基础上制定出来的，是建设项目科学决策和顺利进行的重要保证。

(1) 编制项目建议书

项目建议书是要求建设某一具体项目的建议文件，是投资决策前对拟建项目的轮廓设想。项目建议书的主要作用是为了推荐一个拟进行建设的项目的初步说明，论述它建设的必要性、条件的可行性和获利的可能性，供基本建设管理部门选择并确定是否进行下一步工作。项目建议书经批准以后，可以进行可行性研究工作，项目建议书不是项目的最终决策，并不表明项目非上不可。

项目建议书的内容视项目的不同情况而有繁有简，但一般应包括以下几个方面：

① 项目提出的必要性和依据；
② 产品方案、拟建规模和建设地点的初步设想；
③ 资源情况、建设条件、协作关系等的初步分析；
④ 投资估算和资金筹措设想；
⑤ 经济效益和社会效益的估计。

(2) 可行性研究

可行性研究是确定建设项目前具有决定性意义的工作，是在投资决策之前，对拟建项目进行全面技术经济分析的科学论证。在投资管理中，可行性研究是指对拟建项目有关的自然、社会、经济、技术等进行调研、分析比较以及预测建成后的社会经济效益。在此基础上，综合论证项目建设的必要性，财务的盈利性，经济上的合理性，技术上的先进性和适应性以及建设条件的可能性和可行性，从而为投资决策提供科学依据。

(3) 设计阶段

设计是安排建设项目和组织工程施工的重要依据。根据建设项目的不同情况，设计过程一般划分为两个阶段，即初步设计和施工图设计，重大项目和技术复杂项目，可根据不同行业的特点和需要，增加技术设计（扩大初步设计）阶段。

1) 初步设计是根据批准的可行性研究报告和设计基础资料，对项目进行系统研究和估算，做出总体安排。初步设计的目的是在指定的时间、空间限制条件下，在投资控制额度内和质量要求下，做出技术上可行、经济上合理的设计和规定，并编制项目总概算。当初步设计提出的总概算超过可行性研究报告确定的总体投资估算10%以上或其他主要指标需要变更时,要重新报批可行性研究报告。技术设计是为了进一步确定初步设计中所采用的工艺流程和建筑、结构上的主要技术问题,校正设备选择、建设规模及一些技术经济指标而对一些技术复杂或有特殊要求的建设项目所增加的一个设计阶段。

2)技术设计应根据批准的初步设计文件编制。其内容视工程特点而定,深度应满足确定设计方案中重大技术问题,满足有关科学实验和设备制造等方面的要求。技术设计阶段应根据相关资料编制建设项目的修正概算。

3)施工图设计是把初步设计(或技术设计)中确定的设计原则和设计方案根据建筑安装工程或标准设备制作的需要,进一步具体化、明确化,把工程和设备构成部分的尺寸、布置和主要施工方法,以图样及文字形式加以确定的设计文件。施工图设计和预算,经审定后作为建设工程施工和工程结算的依据。

(4)建设准备

项目在开工建设之前要切实做好各项准备工作,其主要内容包括:

1)征地、拆迁和场地平整;

2)完成施工用水、电、路等工程;

3)组织设备、材料订货;

4)准备必要的施工图纸;

5)组织施工招投标,择优选定施工单位。

项目在报批开工前,必须由有资格的审计单位,对项目建设资金、支出等进行审计。新开工的项目具有能连续三个月施工的施工图纸,否则不能开工建设。

(5)编制年度建设投资计划

根据批准的总概算和建设工期,合理地编制建设项目的建设计划和年度建设投资计划。年度投资计划的内容应与投资、材料、设备和劳动力相适应,配套项目要合理安排、有序衔接。

(6)施工阶段

经批准新开工的建设项目进入了施工阶段,应按设计要求施工安装,建成工程实体。项目新开工时间,是指建设项目设计文件中规定的任何一项永久性工程第一次正式破土开槽开始施工的日期。铁路、公路、水库等需要进行大量土、石方的工程,以开始进行土方、石方工程作为正式开工。工程地质勘察、平整土地、旧建筑物的拆除、临时建筑、施工用临时道路和水电等施工不算正式开工。

(7)动用前准备

业主应根据建设项目或主要单项工程生产的技术特点,及时组成专业班子或机构,有计划地抓好工程项目动用前准备工作,保证项目建成后能及时投产,正常使用。

动用前准备工作,主要包括以下内容:

1)组建管理机构,编制管理制度和有关规定;

2)招聘、培训生产人员,组织生产人员参加设备的安装、调试和验收;

3)签订原料、材料、协作产品、燃料、水、电等供应及运输协议;

4)组织工具、器具、备品、备件等的供应工作;

5）其他必需的准备工作。

（8）竣工验收、交付使用

竣工验收是工程建设过程的最后一环，是全面考核建设成果、检验设计和建设项目质量的重要步骤，是建设项目转入投产使用的标志。通过竣工验收，可以检验设计和工程质量，保证项目按设计要求的技术经济指标正常生产，使有关部门和单位总结经验教训。建设单位对经验收合格的项目可及时移交固定资产，使其由基建系统转入生产系统或投入使用。

对于大中型项目应当首先经过自检初验，然后再进行最终的竣工验收。简单、小型项目可以一次性进行全部项目的竣工验收。

申请验收需要做好技术资料、绘制项目竣工图纸、编制项目决算等准备工作，竣工验收合格后才可以交付使用。

（9）保修阶段

承发包双方在工程保修期内应根据《建设工程质量管理条例》（2017年10月7日修正版），严格履行保修义务及相关款项结算的条款，承担各自的履约责任，确保建设工程项目的正常使用。

工程项目虽然千差万别，但它们都应遵循科学的建设程序，不能任意颠倒，每一位建设工作者必须严格遵守工程项目建设的内在规律和组织制度。项目管理者应熟悉建设过程各阶段的工作内容，严格按照建设程序开展活动，组织协调，做好建设项目的管理。

（10）项目后评价阶段

项目后评价阶段是建设程序的重要组成部分，建设单位应指定专人建立项目的跟踪管理系统和定期检查制度，并按规定逐步完善各阶段的管理机制，自建设项目立项（即项目建议书批准）开始即填写"建设项目管理卡"，建立各阶段的技术经济档案，为项目后评价工作积累完整的技术经济资料和数据。

建设单位应根据收集的资料编制"建设项目后评价报告"，对项目技术、财务和经济、环境和社会影响及项目管理活动进行评价。

1）项目技术评价，主要内容包括：工艺、技术和装备的先进性、适用性、经济性、安全性，建筑工程质量及安全，特别要关注资源、能源合理利用。

2）项目财务和经济评价，主要内容包括：项目总投资和负债状况；重新测算项目的财务评价指标、经济评价指标、偿债能力等。财务和经济评价应通过投资增量效益的分析，突出项目对企业效益的作用和影响。

3）项目环境和社会影响评价，主要内容包括：项目污染控制、地区环境生态影响、环境治理与保护；增加就业机会、征地拆迁补偿和移民安置、带动区域经济社会发展、推动产业技术进步等。如果建设单位认为有必要时，应进行项目的利益群体分析。

4）项目管理活动评价，主要内容包括：项目实施相关者管理、项目管理体制与机制、项目管理者水平；企业项目管理、投资监管状况、体制机制创新等。

1.2 建设工程项目管理概论

1.2.1 建设工程项目概述

1. 项目

（1）项目的定义

在 ISO10006：2017 中项目被定义为：具有独特的过程，有开始和结束日期，由一系列相互协调和受控的活动组成。过程的实施是为了达到规定的目标，包括满足时间、费用和资源等约束条件。

我们所见到的简单通俗的项目定义为：在一定的约束条件下（资源条件、时间条件），具有特定目标的有组织的一次性的工作或任务。

（2）项目的特征

无论如何描述项目的定义，项目与其他工作相比都具有如下特征：

1）一次性。每个项目都具有与其他项目不同的特点，没有完全相同的项目，即使有些项目有相同的目标，但他们的实施条件不同，完成其所采取的组织工作不同。只有认识到项目的一次性，才能有针对性地对项目进行有效的管理。

2）目标明确。项目的主要目标是满足客户的需求，都具有一定时间、质量的要求，包括建造一栋厂房、研制一项技术、实施一项营销活动、完成一项军事行动、拍摄一部电视剧、组织一台文娱节目等。项目的目标，包括成果性目标和约束性目标。成果性目标是项目最终要满足其功能方面的要求，即设计中规定的生产能力及其技术经济指标；约束性目标是指完成项目受一定条件的限制，如时间、投资额、质量、效益等。

3）受条件的制约。项目总是在一定的条件下实施的，特定的时间、成本和性能要求对项目构成了限制，对项目是根据完成什么、投入多少和花费多长时间来评价的，是在最终满足客户要求的情况下对时间、成本和性能进行的权衡。

4）整体性。项目是一个整体，在协调组织活动和配置生产要素时，必须考虑其整体需要，以提高项目整体效益为目标，做到数量、质量、结构的整体优化。

所有项目都必须同时具备以上特征，现实中重复的活动不能称为项目。

2. 建设工程项目管理

《建设工程项目管理规范》GB/T 50326—2017 对建设工程项目管理作了如下的解释：运用系统的理论和方法，对建设工程项目进行的计划、组织、指挥、协调和控制等专业化活动，简称为项目管理。

建设工程项目管理的内涵是：自项目开始至项目完成，通过项目策划（Project Planning）和项目控制（Project Control），以使项目的费用目标、进度目标和质量目标得以实现（参考英国皇家特许建造师关于建设工程项目管理的定义，此定义也是大部分国家建造师学会或协会一致认可的）。该定义的有关字段的含义如下：

（1）"自项目开始至项目完成"指的是项目的实施阶段。

（2）"项目策划"指的是目标控制前的一系列筹划和准备工作。

(3)"费用目标"对业主而言是投资目标,对施工方而言是成本目标。

根据工程项目管理主体的不同,建设工程项目可分为建设项目管理、设计项目管理、工程咨询项目管理、施工项目管理,他们的管理者分别为建设单位、设计单位、监理单位、施工单位。

1.2.2 建设工程项目管理的类型

按建设工程生产组织的特点,一个项目往往由许多参与单位承担不同的建设任务,而各参与单位的工作性质、工作任务和利益不同,因此就形成了不同类型的项目管理。

1. 建设工程项目管理的类型

按建设工程项目不同参与方的工作性质和组织特征划分,项目管理有如下类型:

(1)业主方的项目管理,其中包括投资方、开发方和由咨询公司提供的代表业主方利益的项目管理服务。由于业主方是建设工程项目生产过程的总集成者——人力资源、物质资源和知识的集成,业主方也是建设工程项目生产过程的总组织者,因此对于一个建设工程项目而言,虽然有代表不同利益方的项目管理,但是,业主方的项目管理是管理的核心。

(2)设计方的项目管理,主要指承担项目设计任务的设计承包方的项目管理。

(3)施工方的项目管理,其中包括施工总承包方和分包方的项目管理。

(4)供货方的项目管理,包括材料和设备供应方的项目管理。

(5)建设项目总承包方的项目管理,如设计和施工任务综合的承包,设计、采购和施工任务综合的承包(简称 EPC 承包)等项目管理。

2. 项目建设各方在建设周期各阶段的主要管理目标和任务

(1)项目建设各方在建设周期各阶段的主要管理目标

1)业主方项目管理的目标

业主方项目管理服务于业主的利益,其项目管理的目标包括项目的投资目标、进度目标和质量目标。投资目标是指项目的总投资目标。进度目标是指项目动用的时间目标,即项目交付使用的时间目标,如达到工厂开始投入生产、道路桥梁开始通车、房屋开始启用、排水设施开始使用的时间目标等。项目的质量目标包括满足相应的技术规范和技术标准的规定,以及满足业主相应的质量要求,它不仅涉及施工的质量,还包括设计质量、材料质量、设备质量和影响项目运行或运营的环境质量等。

项目的投资目标、进度目标和质量目标之间既有矛盾的一面,也有统一的一面,它们之间的关系是对立统一的关系。要加快进度往往需要增加投资,欲提高质量往往也需要增加投资,过度地缩短进度会影响质量目标的实现,这都表现了目标之间关系矛盾。通过有效的管理,在不增加投资的前提下,也可缩短工期和提高工程质量,这反映了诸目标关系的统一。

业主方的项目管理工作涉及项目实施阶段的全过程,即在设计前的准备阶段、设计阶段、施工阶段、动用前准备阶段和保修期。

2)设计方项目管理的目标

设计方的项目管理主要服务于项目的整体利益和设计方本身的利益,其项目管理的目标包括设计的成本目标、设计的进度目标和设计的质量目标,以及项目的投资目标。项目的投资目标能否实现与设计工作密切相关。

设计方的项目管理工作主要在设计阶段进行,也涉及设计前的准备阶段、施工阶段、动用前准备阶段和保修期。

3) 供货方项目管理的目标

供货方的项目管理主要服务于项目的整体利益和供货方本身的利益,其项目管理的目标包括供货方的成本目标、供货的进度目标和供货的质量目标。

供货方的项目管理工作主要在施工阶段进行,但根据项目建设的需要它会涉及设计准备阶段、设计阶段、动用前准备阶段和保修期。

4) 施工方项目管理的目标

施工方的项目管理主要服务于项目的整体利益和施工方本身的利益,其项目管理的目标包括施工的成本目标、施工的进度目标和施工的质量目标。

施工方的项目管理工作主要在施工阶段进行,但它也涉及设计准备阶段、设计阶段、动用前准备阶段和保修期。在工程实践中,设计工作只要能满足施工的需要,施工单位即可开始施工,因此设计阶段和施工阶段往往是有交叉的。

5) 建设工程项目总承包方项目管理的目标

建设工程项目总承包方,其项目管理主要服务于项目的整体利益和建设项目总承包方本身的利益,其项目管理的目标包括项目的总投资目标和总承包方的成本目标、项目的进度目标和项目的质量目标。

建设工程项目总承包方项目管理工作涉及项目实施阶段的全过程,即设计前的准备阶段、设计阶段、施工阶段、动用前准备阶段和保修期。

(2) 项目建设各方项目管理的主要任务(见表1-1)

项目建设各方项目管理的主要任务　　　　　　　表1-1

项目管理参与方	主 要 任 务
业主方	安全管理、投资控制、进度控制、质量控制、合同管理、信息管理、组织和协调
设计方	与设计工作有关的安全管理、设计成本控制和与设计工作有关的工程造价控制、设计进度控制、设计质量控制、设计合同管理、设计信息管理、与设计工作有关的组织和协调
供货方	供货的安全管理、供货方的成本控制、供货的进度控制、供货的质量控制、供货合同管理、供货信息管理、与供货有关的组织与协调
施工方	施工安全管理、施工成本控制、施工进度控制、施工质量控制、施工合同管理、施工信息管理、与施工有关的组织与协调
总承包方	安全管理、投资控制和总承包方的成本控制、进度控制、质量控制、合同管理、信息管理、与建设工程项目总承包方有关的组织和协调

1.2.3 建设工程项目管理规划的内容和编制方法

《建设工程项目管理规范》GB/T 50326—2017对项目管理策划作了如下的术语解释:"项目管理策划应由项目管理规划策划和项目管理配套策划组成。项目管理规划应包括项目管理规划大纲和项目管理实施规划。项目管理配套策划应包括项目管理规划策划以外的所有项目管理策划内容。"

1. 项目管理规划的内容
（1）项目概述。
（2）项目的目标分析和论证。
（3）项目管理的组织。
（4）项目采购和合同结构分析。
（5）投资控制的方法和手段。
（6）进度控制的方法和手段。
（7）质量控制的方法和手段。
（8）安全、健康与环境管理的策略。
（9）信息管理的方法和手段。
（10）技术路线和关键技术的分析。
（11）设计过程的管理。
（12）施工过程的管理。
（13）价值工程的应用。
（14）风险管理的策略等。

建设工程项目管理规划内容涉及的范围和深度，在理论上和工程实践中并没有统一的规定，应视项目的特点而定。由于项目实施过程中主客观条件的变化是绝对的，不变则是相对的；在项目进展过程中平衡是暂时的，不平衡则是永恒的，因此，建设工程项目管理规划必须随着情况的变化而进行动态调整。

2. 项目管理规划的编制方法
（1）项目管理规划大纲的编制
1）项目管理规划大纲的编制依据
① 项目文件、相关法律法规和标准。
② 类似项目经验资料。
③ 实施条件调查资料。
2）项目管理规划大纲的编制工作程序
① 明确项目需求和项目管理范围。
② 确定项目管理目标。
③ 分析项目实施条件，进行项目工作结构分解。
④ 确定项目管理组织模式、组织结构和职责分工。
⑤ 规定项目管理措施。
⑥ 编制项目资源计划。
⑦ 报送审批。
（2）项目管理实施规划的编制
1）项目管理实施规划的编制依据
① 适用的法律、法规和标准。
② 项目合同及相关要求。
③ 项目管理规划大纲。

④ 项目设计文件。
⑤ 工程情况与特点。
⑥ 项目资源和条件。
⑦ 有价值的历史数据。
⑧ 项目团队的能力和水平。
2）项目管理实施规划的编制工作程序
① 了解相关方的要求。
② 分析项目具体特点和环境条件。
③ 熟悉相关的法规和文件。
④ 实施编制活动。
⑤ 履行报批手续。
3. 项目管理规划大纲和项目管理实施规划内容的规定
（1）项目管理规划大纲的内容
1）项目概况。
2）项目范围管理。
3）项目管理目标。
4）项目管理组织。
5）项目采购与投标管理。
6）项目进度管理。
7）项目质量管理。
8）项目成本管理。
9）项目安全生产管理。
10）绿色建造与环境管理。
11）项目资源管理。
12）项目信息管理
13）项目沟通与相关方管理。
14）项目风险管理。
15）项目收尾管理。
（2）项目管理实施规划的内容
1）项目概况。
2）项目总体工作安排。
3）组织方案。
4）设计与技术措施。
5）进度计划。
6）质量计划。
7）成本计划。
8）安全生产计划。
9）绿色建造与环境管理计划。
10）资源需求与采购计划。

11) 信息管理计划。
12) 沟通管理计划。
13) 风险管理计划。
14) 项目收尾计划。
15) 项目现场平面布置图。
16) 项目目标控制计划。
17) 技术经济指标。

1.2.4 建设工程项目管理的国内外背景和发展趋势

随着人类社会的发展，社会对某些工程产生需要，同时当社会生产发展水平又能实现这些需要时，就出现了工程项目。

1. 建设工程项目管理背景

(1) 国外建设工程项目管理的背景

在 20 世纪 50 年代末期至 70 年代初期，发达国家最早将项目管理的方法应用于国防建设工程和航天工程领域，这一阶段最重要的是美国 1957 年北极星导弹计划和后来的登月计划。这一时期项目主要是规模大、技术复杂、参加单位多、又受到时间和资金严格限制的航天工程、核武器研究、导弹研制、大型水利工程和交通工程，例如北极星导弹计划，实施项目被分解为 6 万多项工作，有近 4000 个承包商参加。由于现代科学技术的发展，产生了系统论、信息论、控制论、计算机技术、运筹学、预测技术、决策技术，并日臻完善，这些理论和方法为项目管理提供了可能性。

20 世纪 70 年代中期以后，项目管理首先应用在业主方的工程管理中，而后逐步在承包商、设计方和供货方中得到推广。由于计算机得到了普及，项目管理理论和方法的应用走向了更广阔的领域，使项目管理工作大为简化、高效，使很多项目管理公司和中小企业在中小型项目中都可以使用现代化的项目管理方法和手段，并取得了成功，收到了显著的经济效益和社会效益。20 世纪 70 年代中期前后兴起了项目管理咨询服务，其主要服务对象是业主，但也为承包商、设计方和供货方提供服务。

国际咨询工程师协会（FIDIC）于 1980 年颁布了业主方与项目管理咨询公司的项目管理合同条件（FIDIC IGRA 80 PM）。该文本明确了代表业主方利益的项目管理方的地位、作用、任务和责任。这一阶段人们进一步扩大了项目管理的研究领域，包括合同管理、界面管理、项目风险管理、项目组织行为和沟通。在计算机的应用上则加强了决策支持系统、专家系统和互联网技术应用的研究。

在许多国家项目管理是由专业人士——建造师担任。建造师可以在业主方、承包商、设计方和供货方从事项目管理工作，也可以在教育、科研和政府等部门从事与项目管理有关的工作。建造师的业务范围并不限于在项目实施阶段的工程项目管理工作，还包括项目决策的管理和项目使用阶段的物业管理（设施管理）工作。

项目管理的普遍性和对社会发展的重要作用越来越受到许多国家的政府、企业和高等院校的重视。在许多国家的高校中，工科、理科、商学，甚至文科专业都设有项目管理课程，并有项目管理专业的学位教育，最高可达到博士学位。

（2）国内建设工程项目管理的背景

我国从20世纪80年代初期开始引进建设工程项目管理的概念，世界银行和一些国际金融机构要求接受贷款的业主方应用项目管理的思想、组织、方法和手段组织实施建设工程项目，鲁布革电站引水工程成为我国建设工程项目管理的里程碑。1983年由国家计划委员会提出推行项目前期项目经理负责制，于1988年开始推行建设工程监理制度。1995年建设部颁发了《建筑施工企业项目经理资质管理办法》，推行项目经理负责制。2003年建设部发出《关于建筑业企业项目经理资质管理制度向建造师执业资格制度过渡有关问题的通知》，鼓励具有工程勘察、设计、施工、监理资质的企业，通过建立与工程项目管理业务相适应的组织机构、项目管理体系，充实项目管理专业人员，按照有关资质管理规定在其资质等级许可的工程项目范围内开展相应的工程项目管理业务。

项目管理已引起人们广泛的重视，项目管理理论和方法在许多工程技术和工程管理领域中得到普及。我国在监理工程师、造价工程师、建造师相应的执业资格考试、培训和继续教育中都包括工程项目管理的内容。

随着社会的进步，市场经济的进一步完善，生产社会化程度的提高，人们对项目的需求也越来越多，项目管理理论和方法也会得到进一步发展。

2. 建设工程项目管理的发展趋势

项目管理活动在发展中促进了其理论和方法的完善，项目管理理论和方法又为项目科学化的管理提供了条件，两者相辅相成。建设工程项目管理活动在不断地发展，概括如下：

第一代是传统的项目管理（Project Management），第二代是项目全过程的管理（Program Management），第三代是组合管理（Portfolio Management），第四代是变化管理（Change Management）。

在建设工程项目管理的发展中形成将项目决策阶段的开发管理（DM——Development Management）、实施阶段的项目管理（PM——Project Management）和使用阶段的设施管理（FM——Facility Management）集成为项目全寿命管理（Lifecycle Management）的系统管理模式。

现在的项目管理中应用信息技术，包括项目管理信息系统（PMIS——Project Management Information System）和在互联网平台上的工程管理等。

在未来的建设工程项目管理中跨国、跨文化的项目将增多，综合性项目管理信息系统需要建立，项目审计将成为项目管理的有机组成部分，对项目的公关管理将显得更加重要，伙伴关系将成为管理跨组织项目的基本法则。

在今后的项目管理中还会存在大量的问题有待管理者去探讨研究，如在极不确定的情况下如何进行建设项目的管理等。能够肯定的是成功的建设工程项目管理必将成就一批优秀的项目管理者，造就一批优秀的项目管理团队，也必将极大地促进社会和经济快速发展。

1.3 市政工程施工项目管理概论

1.3.1 市政工程施工项目管理的内容

1. 施工项目管理的定义

（1）施工项目及其特征

施工项目是指施工企业自工程施工投标开始到保修期满为止的全过程项目，是一个建设项目或单项工程或单位工程的施工任务及成果。

施工项目在实施中由施工承包企业，根据施工合同界定的工程施工承包范围，完成建设项目或其中的一个单项工程或单位工程的施工任务。

（2）施工项目管理

1）施工项目管理定义

施工项目管理是以施工项目为管理对象，以项目经理责任制为中心，以合同为依据，按施工项目的内在规律，实现资源的优化配置和对各生产要素进行有效的计划、组织、监督、控制、协调，取得最佳的经济效益的全过程管理。

2）施工项目管理主要特点

施工项目管理的内容、范围与其他建设工程管理活动不同，构成施工项目管理活动的基本特征。

① 施工项目管理的对象是施工项目

这是施工项目管理与其他项目管理活动最根本的区别。施工项目管理是对特殊的商品、特殊的生产活动，在特殊的市场上，进行的特殊交易活动的管理。施工项目具有的多样性、固定性及庞大性的特点给施工项目管理带来了特殊性。在施工项目管理中生产活动与市场交易活动同时进行，生产活动和交易活动很难分开，其复杂性和艰难性都是其他生产管理所不能比拟的。

② 施工项目管理的主体是施工承包企业

建设单位和设计单位为施工提供项目、资金、服务、图纸资料等，监理单位把施工承包企业的施工活动作为监督对象，虽然这些活动都与施工项目有关，但不是直接从事施工项目的管理。

③ 施工项目管理必须遵循自身的管理程序

管理者根据施工项目管理时间的推移带来的施工内容的变化，必须做出设计、签订合同、提出措施、进行有针对性的动态管理，并使资源优化组合。管理者必须按建设程序、施工项目管理程序，对施工项目进行阶段性管理，以提高施工效率和施工效益。

④ 施工项目管理强调协调工作

由于施工项目的生产活动具有单件性特点，施工多在露天进行，工期长、需要资源多，人员流动性大，组织工作多，难度高。同时施工活动涉及复杂的经济关系、技术、法律、行政和人际关系，施工项目管理中的组织协调工作艰难、复杂、多变，必须采取强化组织协调的办法才能保证施工顺利进行。据统计项目经理要消耗70%的精力进行项目的协调和沟通。

施工项目管理与建设项目管理是两种平等的工程项目管理分支,虽然在管理对象上施工项目管理与建设项目管理部分重合,使两种项目管理关系密切,但它们在管理主体上、管理范围上、管理内容上、管理任务上存在差异,不能混为一谈,更不能以建设项目管理代替施工项目管理。

2. 施工项目管理程序

施工项目管理由始至终按照项目施工需要,以一个时间序列开展各项管理活动,并应遵循其客观规律。根据施工项目自身的特点,施工项目管理履行如下管理程序:

(1) 编制项目管理规划大纲,编制投标书并进行投标,签订施工合同;

(2) 选定项目经理,项目经理接受企业法定代表人的委托组建项目经理部,企业法定代表人与项目经理签订《项目管理目标责任书》;

(3) 项目经理部编制《项目管理实施规划》,进行项目开工前的准备,施工期间按《项目管理实施规划》进行管理;

(4) 在项目竣工验收阶段进行竣工结算、清理各种债权债务、移交资料和工程;

(5) 进行经济分析,做出项目管理总结报告并送企业管理层有关职能部门。企业管理层组织考核委员会对项目管理工作进行考核评价并兑现《项目管理目标责任书》中的奖惩承诺,项目经理部解体;

(6) 在保修期满前企业管理层根据《工程质量保修书》的约定进行项目回访保修。

3. 施工项目管理的阶段

施工项目管理的对象,是施工项目寿命周期各阶段的工作。广义的施工项目是指从投标、签约开始到工程施工完成后的服务为止的整个过程。狭义的施工项目管理是指从项目签约后开始到验收、结算、交工时为止的一段过程。这里所谈的施工项目是指广义的施工项目管理过程,经过投标签约阶段、施工准备阶段、施工阶段、验收交工与结算阶段和保修服务阶段。各阶段具体的工作内容如下:

(1) 投标签约阶段

施工单位参与招投标活动,在见到招标广告或邀请函后,从做出投标决策至中标签约,实质上就是在进行施工项目的前期工作,是施工单位的立项阶段,其最终管理目标是签订施工项目承包合同。

投标签约阶段的主要工作包括:按企业的经营战略,对工程项目做出是否投标及争取承包的决策;决定投标后,收集企业本身、相关单位、市场、现场及诸方面信息;编制《施工项目管理规划大纲》;编制既能使企业盈利又有竞争力的投标书,按规定参与投标活动;若中标,则与招标人谈判,依法签订承包合同。

(2) 施工准备阶段

签订了工程承包合同以后,施工承包单位应及时组建以项目经理为领导核心的项目经理部,与企业经营层和管理层、发包人单位进行配合,进行施工准备,使工程具备开工和连续施工的基本条件。

施工准备阶段的主要工作包括:企业正式委派资质合格的项目经理,组建项目经理部，并根据工程管理需要配备管理人员、划分职责；企业代表人与项目经理签订《项目管理目标责任书》；编制《施工项目管理实施规划》；做好各项施工准备工作以满足开工要求；编写开工申请报告，待批准后开工。

(3) 施工阶段

施工阶段是一个自开工至竣工的实施过程，目标是完成合同规定的全部施工任务，达到验收、交工的条件。在这一过程中，项目经理部既是决策机构，又是责任机构，经营管理层、发包人单位、监理单位的主要作用是支持、监督与协调。

施工阶段的主要工作包括：进行施工；做好动态控制工作，保证质量、进度、成本、安全等目标的全面实现；管理施工现场，实施文明施工；严格履行合同，协调好与建设单位、监理、设计及相关单位的关系；处理好合同变更及索赔；做好记录、检查、分析和改进工作。

(4) 验收交工与决算阶段

在验收交工与决算阶段，竣工验收交付使用与工程款决算工作相协调，同步进行，目标是对项目成果进行总结、评价，结清债权债务，结束工程主体的施工任务。

验收交工与决算阶段的主要工作包括：工程收尾试运行；组织正式验收；整理移交竣工资料，进行竣工结算；总结工作，编制竣工报告；办理工程交接手续，签订《工程质量保修书》。

(5) 回访维修服务阶段

回访维修服务阶段是施工项目管理的最后阶段，即在交工验收后，按合同规定的责任期进行用后服务、回访与保修，其目的是保证使用单位正常使用，发挥效益。

回访维修服务阶段的主要工作包括：根据《工程质量保修书》的约定做好保修工作；为保证正常使用提供必要的技术咨询和服务；按规定进行工程回访，听取用户意见，总结经验教训，发现问题及时修复；按规范要求进行沉降、抗震性能观测。

4. 施工项目管理的内容

施工项目管理是全方位的管理过程，要求项目管理者将施工项目的范围、生产进度、质量、安全、成本、人力资源、采购、信息等方面纳入正规化、标准化管理，体现计划、实施、检查、控制的持续改进过程，使施工项目各项工作有条不紊、顺利地进行。企业法定代表人应向项目经理下达《项目管理目标责任书》，确定项目经理部的管理内容，由项目经理负责组织实施。施工项目管理主要包括以下内容：

(1) 建立施工项目管理组织

项目管理组织是项目得以正常运行的基本条件，这一环节包括组织结构的确定、各项岗位责任确定及管理制度的建立、人员的选择和分工等。

1) 由企业法定代表人采用适当的方式选聘称职的施工项目经理；

2) 根据施工项目管理组织原则，结合工程规模、特点，选择合适的组织形式，建立施工项目管理组织机构，明确各部门、各岗位的责任、权限和利益；

3）在符合企业规章制度的前提下，根据施工项目管理的需要，制定施工项目经理部各类管理制度。

（2）制定施工项目管理规划

施工项目管理规划是指由企业管理层或项目经理主持编制的，作为编制投标书的依据或指导施工项目管理的规划文件。

（3）进行施工项目的目标控制

施工项目的目标有阶段性目标和最终目标，实现各项目标是施工项目管理的目的所在，施工项目的控制目标有：进度控制目标、质量控制目标、成本控制目标、安全控制目标、施工现场控制目标等。

（4）施工项目风险管理

施工项目风险管理是施工企业为了达到既定项目目标，对其所承担的各种风险进行管理的系统过程，在项目的实施中风险贯穿于项目的全过程。施工项目风险管理包括：

1）风险识别。分析施工过程中会出现哪些风险，如技术能力和管理能力不足，没有适合的技术和管理人员，就不能积极地履行合同；由于管理、技术方面的失误，就会造成工程中断等。

2）风险分析。对施工中风险起因进行分析；对各种施工过程中的风险进行衡量；对风险的可控性进行分析。

3）风险控制。制定风险管理方案，采取有效措施，降低风险发生规率，如采用抗风险力强的技术方案，不用不成熟的施工方案，对地理、地质情况进行详细勘察或鉴定，采用各种保护措施和安全保障措施等。

4）风险转移。如通过分包将风险较大的施工项目转移出去，或通过投保转移风险。

（5）施工项目生产要素的管理

施工项目生产要素主要包括：人力资源、材料、设备、技术和资金。

1）施工项目人力资源管理是指施工企业或项目经理部对项目形成过程的各个环节和各个方面的人员进行合同的计划、组织、指挥、协调、控制等工作。

2）施工项目材料管理是项目经理部为顺利完成工程项目施工任务，使用和节约材料，努力降低材料成本所进行的材料计划、订货采购、运输、库存保管、供应加工、使用、回收等一系列的组织和管理工作。

3）施工项目机械设备管理是指项目经理部根据所承担施工项目的具体情况，科学优化选择和配备施工机械，并在生产过程中合理使用，同时加强维修保养等各项管理工作。

4）施工项目技术管理是项目经理部在项目施工的过程中，对各项技术活动过程和技术工作的各种要素进行科学管理的总称。

5）施工项目资金管理是指施工项目经理部根据工程项目施工过程中资金运动的规律，进行资金收支预测、编制资金计划、筹集投入资金、资金使用、资金核算与分析等一系列资金管理工作。

（6）施工项目合同管理

合同管理的水平直接涉及项目管理及工程施工的技术组织效果和目标实现。因此，要从工程投标开始，加强工程承包合同的策划、签订、履行和管理。同时注意履行索赔程序，提供充分的证据，做好索赔。

(7) 施工项目信息管理

项目信息管理旨在适应项目管理的需要，为预测未来和正确决策提供依据，提高管理水平。项目经理部应建立项目信息管理系统，优化信息结构，实现项目管理信息化。项目信息包括项目经理部在项目管理过程中形成的各种数据、表格、图纸、文字、音像资料等。

(8) 项目现场管理

施工现场是指进行建筑、安装等施工活动，经批准占用的施工场地，它既包括红线以内占用的施工用地，也包括红线以外现场附近，经批准占用的临时施工用地。

施工项目现场管理是项目经理部按照《建设工程施工现场管理规定》和城市建设的有关法规，科学合理地安排、使用施工现场，协调各专业作业活动，保护环境，创造文明安全的施工环境和人、材、物、资金畅通的施工秩序所进行的一系列管理工作。

现场管理的主要内容如下：
1) 规划及报批施工用地；
2) 设计施工平面图；
3) 建立施工项目管理组织；
4) 建立文明施工现场；
5) 及时清场转移。

施工企业应对施工现场进行科学有效管理，以达到文明施工、保护环境、塑造良好企业形象、提高施工管理水平的目的。

(9) 组织协调

在整个施工项目中有着诸多的协调工作，包括：施工项目目标因素之间的协调；各专业技术方面的协调；项目实施过程的协调；管理方法和管理过程的协调；各种管理职能如成本、合同、工期、质量等的协调；施工项目内外参与者的协调等。

在施工项目实施过程中，应进行组织协调，沟通和处理好内部及外部的各种关系，排除干扰和障碍，保证计划目标的实现。

(10) 进行项目竣工验收

建设工程质量验收是对已完工程实体的外观质量及内在质量按规定程序检查后，确认其是否符合设计及各项验收标准的要求，是施工项目可交付使用的一个重要环节。

所有建设项目，按批准的设计文件所规定的内容建成，工业项目经负荷运转和试生产考核，能够生产合格产品；非工业项目符合设计要求，能够正常使用，都要及时组织验收，验收合格后，才能交付使用。因此，竣工验收是建设项目建设全过程的最后程序，是全面考核建设项目是否符合工程质量和设计的重要环节，是投资转入生产或使用的标志。

凡新建、扩建、改建的基本建设项目和技术改造项目必须依据设计文件规定的内容，按照验收标准的要求及时验收，同时办理固定资产移交手续。

施工项目的竣工验收应执行国家相关行政管理部门对工程项目的质量验收标准及规范，以保证工程验收的质量。房屋建筑工程及市政基础设施工程验收合格后，尚需在规定时间内，将验收文件报政府管理部门备案。

(11) 项目考核评价

应在项目完成时进行全面的考核，对实施的项目进行客观评价，以反映项目目标的完成情况，为今后建设工程项目积累宝贵的经验。为确保考核评价的结果真实，内容完整，在项目建设过程中必须及时收集评价指标中所需的数据，考核评价的方法应科学合理。项目的评价分为经济评价、社会评价和环境评价等方面，其中经济评价包括财务评价和国民经济评价。

(12) 项目回访保修

回访的目的是设计单位、施工单位、设备材料供应单位，在建设项目投入使用后的一定期限内，了解项目的使用情况和设计质量、施工质量、设备运行状态及用户对维修方面的要求。通过回访，根据回访用户的意见，针对需要处理的问题，责任单位在保修期内应履行保修义务。

1) 回访的主要内容

在保修期，施工单位、设备供应单位应向用户进行回访，听取用户对项目的使用情况和意见，查询或调查现场因自己的原因造成的问题，进行原因分析和确认，商讨返修事项，填写回访卡。

2) 回访的方式

回访包括季节性回访、技术性回访及保修期结束前的回访。季节性回访，通常在雨季回访屋面、墙面的防水情况，在冬季回访锅炉房及采暖系统的情况等；技术性回访，主要了解在工程施工过程中所采用的新材料、新技术、新工艺、新设备等技术性能和使用后的效果；保修期结束前的回访，可以促使用户注意项目的使用和维护。

3) 回访的方法

由施工单位的管理人员组织生产、技术、质量、水电、合同、预算等有关专业技术人员进行回访，也可以邀请本行业专家参加，届时将召开座谈会、听证会。回访时应做好回访记录，及时整理回访纪要。

1.3.2 市政工程施工项目管理组织

1. 项目管理组织概述

组织是人们为了实现某种既定目标，通过明确分工协作关系，建立不同层次的权利、责任、利益制度而构成的能够一体化运行的人的系统。

"组织"既可作为组织机构来认识，也可以理解为组织行为。作为组织机构，组织是为了实现某种既定目标而结合在一起的具有正式关系的一群人，这种关系是指正式的有意形成的职务或职位结构，这群人具有一定的专业技术、管理技能、处于明确的管理层次，具有相对稳定的职位，因此，一个组织是一系列角色和职位的组合。将组织理解为组织行为,即设计、建立并维持一种科学的、合理的组织结构,是一系列不断变化与调整的组织行为的序列。

项目组织主要是由负责完成项目结构图中的各项工作的人、单位、部门及项目利益相关者等组合起来的群体。项目组织由项目组织结构图表示,受项目系统结构限定,按项目工作流程进行工作,其成员各自完成规定的工作。

项目组织是为完成项目任务而建立起来的,从事项目具体工作的组织,该组织是在项目寿命期内临时组建的,是暂时的,其作用是为了完成特定的目标。项目组织对项目的最终成果负责,其生产过程和任务可以由不同部门甚至不同企业承担,通过综合、协调、激励,共同完成目标,项目组织成员的角色不是固定不变的静止状态,而是一系列活动的过程流。项目组织关系是合作、合资、伙伴、合同关系。

项目管理组织,是由完成项目管理工作的人、单位、部门组织起来的群体,一般按项目管理职能设置职位或部门,按项目管理流程完成属于各自管理职能的工作。

组织是按照一定目的和程序,进行分工协作的过程及由此组成的一种权责角色结构系统,既是一些职位和一些个人之间的关系网络式结构,又是一个创造结构、维持结构,并使结构发挥作用的过程。

不同的经济活动其需要的组织形式不同,组织特点也不尽相同,但它们都具备人、目标、组织规范这三大基本组织要素。

(1) 人。人是构成组织的第一要素,由于分工的不同,组织中出现了不同的工作岗位,这些工作岗位是由人来担任的。项目目标决定了工作任务,由工作任务确定工作岗位,由工作岗位选择承担者,而由承担者形成组织。

(2) 目标。组织目标是组织存在的依据,没有了组织的目标,组织也就失去了存在的必要。目标决定了组织中的工作内容和工作分工,从而决定了组织中的岗位设置及组织的具体结构形式。

(3) 组织规范。组织规范表现为组织的方针政策和规章制度等,每个组织都有约束组织中成员行为和组织行为的组织规范,通过组织规范使组织成员和组成整体的行为能有利于组织目标的实现。

2. 组织论的基本内容

(1) 组织论主要研究系统的组织结构模式和组织分工,以及工作流程组织,是与项目管理学相关的非常重要的基础理论学科。

(2) 组织结构模式,反映了一个组织系统中各子系统之间或各元素(各工作部门)之间的指令关系。常用的组织结构模式包括职能组织结构、线性组织结构和矩阵组织结构。

(3) 组织分工,反映了一个组织系统中各子系统或各元素的工作任务分工和管理职能分工。组织结构模式和组织分工都是一种相对静态的组织关系。

(4) 工作流程组织,反映一个组织系统中各项工作之间的逻辑关系,是一种动态关系。在一个建设工程项目实施过程中,其管理工作的流程、信息处理的流程,以及设计工作,物资采购和施工的流程组织都属于工作流程组织的范畴

(5) 组织工具，是组织论基本理论应用的手段，基本的组织工具有组织结构图、任务分工表、管理职能分工表和工作流程图等。

3. 项目组织机构设置的原则

组织机构设置的目的是为了充分发挥项目管理功能，提高项目整体管理水平，以达到项目管理的最终目标，因此，在项目管理中合理设置项目管理组织机构是一个至关重要的问题，高效的组织体系和组织机构的建立是施工项目管理成功的保证。

项目组织机构在设置时应遵循以下原则：

(1) 目的性原则

项目的实施始终应该围绕着项目的目标，项目组织设置的根本目的，是为了实现项目管理的总目标。从项目目标出发，组建项目组织机构、设置工作岗位、分配工作任务、选择组织成员，按机构定编制，按编制设岗位定人员，以职责定制度授权力，只有这样才能充分发挥组织作用，保证项目目标的实现。

(2) 精干高效原则

工程项目组织应尽量简化机构，做到精干高效，以能实现工作任务为原则。人员聘用要力求一专多能，一人多职，避免人浮于事，增加成本，同时要注意在岗培训和继续教育，提高项目管理组织成员的素质。

(3) 适用性与灵活性相结合原则

每个项目都具有其特点，应根据项目管理需要选择并建立适用的组织结构，发挥组织功能，保证项目管理需要。由于施工项目具有产品的单件性、施工的阶段性，人员的流动强，露天作业多，工程变更频繁等特点，必然带来工作量、质量等需求的变化，导致资源配置及管理细节的变化。由于变化是绝对的，这就要求管理方法和组织机构能随之进行调整，使其适应新的需要。

(4) 管理跨度和分层统一的原则

管理跨度也称管理幅度，是指一个主管人员直接管理的下属人员数量。跨度大，管理人员的接触关系增多，处理人与人之间关系的工作量随之增大。任何管理者的时间和精力都是有限的，其个人素质与管理能力因人而异，应针对不同的管理者设置与其管理能力相适宜的管理跨度。跨度大小与分层多少有关，层次多，跨度会小，层次少，跨度会大，这就要根据领导者的能力和工程项目的大小进行权衡。由于是按岗定编，不可能以个人的素质和能力为标准改变组织模式，在现实管理活动中，常因管理岗位的需要而聘用有能力胜任工作的管理者。

(5) 业务系统化管理原则

施工项目是一个开放的系统，这一系统由众多子系统组成，各子系统之间，子系统内部各专业之间，不同组织、工种、工序之间必须合作，共同完成施工项目。这就要求项目组织必须是高效灵活、运转自如的系统结构，以业务工作系统化原则作指导，周密考虑分层与跨度的关系、处理好部门划分、授权范围、人员配备及信息沟通等方面的工作，使组织机构有恰当的管理职责和职能分工，形成一个相互制约、相互联系的有机整体，避免产生职能权限和信息沟通相互矛盾、遗漏或重叠的问题。

施工项目组织机构管理与企业组织机构管理是局部与整体关系，项目组织是企业组织的有机组成部分，即项目组织是由企业组建的。因此在我国，组织机构的设置还具有项目组织与企业组织一体化的特点。

4. 组织与目标的关系

组织与目标两者相互依存，相互影响，两者之间的相互关系具体如下：

(1) 系统的目标决定了系统的组织，组织是目标能否实现的决定性因素。

系统的组织包括系统的组织结构模式和组织分工，以及工作流程组织。如果把一个建设工程的项目管理视作为一个系统，其目标决定了项目管理的组织，而项目管理的组织是项目管理目标能否实现的决定性因素。

(2) 组织措施影响项目目标。

控制项目目标的主要措施包括组织措施、管理措施、经济措施和技术措施，其中组织措施是最重要的措施。如果对一个建设工程的项目管理进行诊断，首先应分析其组织方面存在的问题。

(3) 项目目标的实现受多种因素的共同影响。

影响一个系统目标实现的主要因素除了组织以外，还有人的因素，以及生产和管理的方法与工具等诸多因素，组织因素并不能取代其他因素的作用。

5. 工程项目组织形式

组织形式也称组织结构的类型，是表现组织各个部分排列顺序、空间位置、聚集状态、联系方式以及各要素之间相互关系的一种模式，对任何一个项目来说，要对其进行项目管理必然要涉及该项目的组织结构问题。由于各工程建设项目的特点不同，项目的组织形式也不尽相同。

项目管理组织结构包括职能组织结构、线性组织结构、矩阵组织结构等。

(1) 职能组织结构（图 1-1）

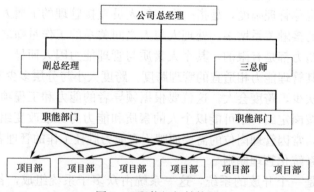

图 1-1 职能组织结构图

职能组织结构是一种传统的组织结构模式，每一个工作部门可能有多个矛盾的指令。

职能组织结构是按职能原则建立的项目组织。在不打乱企业现行建制的基础上，把项目委托给企业某一专业部门或委托给某一施工队，由被委托的部门领导，在本单位组织人员实施项目组织直到项目终止。

职能组织结构职责明确，职能专一，关系简单；由于组织成员彼此熟悉，所从事的工作也是日常熟悉的，便于充分发挥人才作用，人事关系容易协调；从接受任务到组织运转启动时间短、效率高；项目经理无须专业训练很容易进入状态。

但职能组织结构不利于精简机构，不利于固定建制进行调整，不能适应大型项目管理需要。

职能组织结构一般适用于不涉及众多部门配合的专业性较强的小型施工项目。

（2）线性组织结构（图1-2）

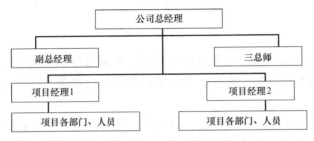

图1-2　线性组织结构图

在线性组织结构中，每个组织成员只接受一个指令源，指令的传递更快捷、更准确，避免了由于矛盾的指令而影响组织系统的运行，因此线性组织结构最早来自于军事组织系统。

线性组织结构中项目经理在企业内部聘用职能人员组成管理机构，项目组织成员在工程建设期间与原所在部门脱离关系，不受原单位负责人的干预。

线性组织结构的优点体现在由各职能部门的专家在项目管理中配合、协同工作，可以取长补短，有利于培养一专多能的人才并充分发挥其作用；集中办公，办事效率高；项目经理权力集中，干扰少，决策快，指挥灵活；项目组织与企业的职能部门关系弱化，减少了行政干预。

但由于项目成员来自不同部门，具有不同的专业背景，成员长期离开自己熟悉的环境和工作配合对象，容易影响其积极性的发挥，需要一定的磨合期；在同一时期内各类人员所担负的任务可能有很大差别，可能导致人员浪费，而对稀缺的专业人才，却难以在企业内调剂使用；无法发挥职能部门的优势作用，它对项目经理素质和指挥能力的要求较高。

线性组织结构适用于要求多工种多部门密切配合、工期紧迫的大型项目。

（3）矩阵组织结构（图1-3）

矩阵组织结构是现代大型工程项目广泛应用的一种新型组织形式，它是把职能原则和对象原则结合起来，形成一种纵向职能机构与横向项目机构相互交叉的"矩阵"形式。

从组织职能上看，以实施企业目标为宗旨的企业组织要求专业化分工并且长期稳定，而一次性项目组织则具有较强的综合性和临时性。项目经理将参与项目组织的职能人员在横向上有效地组织在一起，为实现项目目标协同工作。职能部

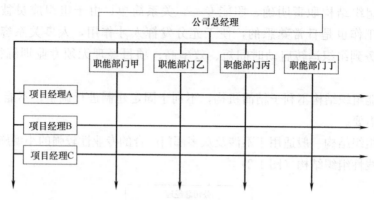

图 1-3 矩阵组织结构图

门负责人对参与项目组织的人员有组织调配、业务指导和管理考察的责任。矩阵中的每个成员或部门，接受来自于纵向的原职能部门负责人和横向工作部门项目经理的双重领导。

项目经理部的工作有多个职能部门支持，项目经理必须具备良好的信息沟通和协调能力，这种组织形式也对整个企业组织和项目组织的管理水平和组织渠道畅通提出了较高的要求。

矩阵组织结构解决了传统模式中企业组织和项目组织相互矛盾的状况，把职能原则与对象原则融为一体，取得了企业管理和项目管理的一致性。由于职能部门负责人有权根据不同项目的需要，在项目之间调配本部门人员，因此，一个专业人员可能同时为几个项目服务，有利于人才的全面培养，发挥了纵向专业优势的同时提高了人才利用率，实现管理的高效率，项目组织也因此具有弹性和应变力。

但由于人员来自职能部门，且仍受职能部门控制，使项目组织作用的发挥受到影响。管理人员如果身兼多职，管理多个项目，便往往难以确定管理项目的优先顺序，难免顾此失彼。项目组织中的成员既要接受项目经理的领导，还要接受企业中原职能部门的领导，当指令不一时当事人便无所适从。由于矩阵式组织的复杂性和结合部多，容易造成信息量膨胀，导致信息梗阻和失真。

矩阵组织结构适用于大型、复杂的、同时需要进行多个工程项目管理的企业。

6. 施工企业项目经理的工作性质、任务和责任

（1）施工企业项目经理的工作性质

大、中型工程项目施工的项目经理必须由取得建造师注册证书的人员担任，要坚持落实项目经理岗位责任制。

建筑施工企业项目经理（以下简称"项目经理"），是指受企业法定代表人委托对工程项目施工过程全面负责的项目管理者，是建筑施工企业法定代表人在工程项目上的代表人。项目经理岗位是保证工程项目建设质量、安全、工期的重要岗位。

（2）《建设工程施工合同（示范文本）》GF-2017-0201 中涉及项目经理的相关条款

1）项目经理应为合同当事人所确认的人选，并在专用合同条款中明确项目经

理的姓名、职称、注册执业证书编号、联系方式及授权范围等事项，项目经理经承包人授权后代表承包人负责履行合同。项目经理应是承包人正式聘用的员工，承包人应向发包人提交项目经理与承包人之间的劳动合同，以及承包人为项目经理缴纳社会保险的有效证明。承包人不提交上述文件的，项目经理无权履行职责，发包人有权要求更换项目经理，由此增加的费用和（或）延误的工期由承包人承担。项目经理应常驻施工现场，且每月在施工现场时间不得少于专用合同条款约定的天数。项目经理不得同时担任其他项目的项目经理。项目经理确需离开施工现场时，应事先通知监理人，并取得发包人的书面同意。项目经理的通知中应当载明临时代行其职责的人员的注册执业资格、管理经验等资料，该人员应具备履行相应职责的能力。承包人违反上述约定的，应按照专用合同条款的约定，承担违约责任。

2）项目经理按合同约定组织工程实施。在紧急情况下为确保施工安全和人员安全，在无法与发包人代表和总监理工程师及时取得联系时，项目经理有权采取必要的措施保证与工程有关的人身、财产和工程的安全，但应在48小时内向发包人代表和总监理工程师提交书面报告。

3）承包人需要更换项目经理的，应提前14天书面通知发包人和监理人，并征得发包人书面同意。通知中应当载明继任项目经理的注册执业资格、管理经验等资料。未经发包人书面同意，承包人不得擅自更换项目经理。承包人擅自更换项目经理的，应按照专用合同条款的约定承担违约责任。

4）发包人有权书面通知承包人更换其认为不称职的项目经理，通知中应当载明要求更换的理由。承包人应在接到更换通知后14天内向发包人提出书面的改进报告。发包人收到改进报告后仍要求更换的，承包人应在接到第二次更换通知的28天内进行更换，并将新任命的项目经理的注册执业资格、管理经验等资料书面通知发包人。承包人无正当理由拒绝更换项目经理的，应按照专用合同条款的约定承担违约责任。

5）项目经理因特殊情况授权其下属人员履行其某项工作职责的，该下属人员应具备行相应职责的能力，并应提前7天将上述人员的姓名和授权范围书面通知监理人，并征得发包人书面同意。

(3) 施工企业项目经理的任务

1）项目经理是施工项目的管理中心，是对施工项目管理全面负责的管理者，确立项目经理的地位是搞好施工项目管理的关键。项目经理在承担工程项目施工管理过程中，履行下列职责：

① 贯彻执行国家和工程所在地政府的有关法律、法规和政策，执行企业的各项管理制度；

② 严格财务制度，加强财经管理，正确处理国家、企业与个人的利益关系；

③ 执行项目承包合同中由项目经理负责履行的各项条款；

④ 对工程项目施工进行有效控制，执行有关技术规范和标准，积极推广应用新技术，确保工程质量和工期，实现安全、文明生产，努力提高经济效益。

2）项目经理在承担工程项目施工的管理过程中，应当按照建筑施工企业与建

设单位签订的工程承包合同,与本企业法定代表人签订项目承包合同,并在企业法定代表人授权范围内,行使以下管理权力:

① 组织项目管理班子;

② 以企业法定代表人的代表身份处理与所承担的工程项目有关的外部关系,受托签署有关合同;

③ 指挥工程项目建设的生产经营活动,调配并管理进入工程项目的人力、资金、物资、机械设备等生产要素;

④ 选择施工作业队伍;

⑤ 进行合理的经济分配;

⑥ 企业法定代表人授予的其他管理权力。

(4) 施工企业项目经理的责任

1) 项目管理目标责任书

项目管理目标责任书应在项目实施之前,由组织法定代表人或其授权人与项目管理机构负责人协商制定。项目管理目标责任书应属于组织内部明确责任的系统性管理文件,其内容应符合组织制度要求和项目自身特点。

① 编制项目管理目标责任书的依据

a. 项目合同文件。

b. 组织管理制度。

c. 项目管理规划大纲。

d. 组织经营方针和目标。

e. 项目特点和实施条件与环境。

② 项目管现目标责任书的内容

a. 项目管理实施目标。

b. 组织和项目管理机构职责、权限和利益的划分。

c. 项目现场质量、安全、环保、文明、职业健康和社会责任目标。

d. 项目设计、采购、施工、试运行管理的内容和要求。

e. 项目所需资源的获取和核算办法。

f. 法定代表人向项目管理机构负责人委托的相关事项。

g. 项目管理机构负责人和项目管理机构应承担的风险。

h. 项目应急事项和突发事件处理的原则和方法。

i. 项目管理效果和目标实现的评价原则、内容和方法。

j. 项目实施过程中相关责任和问题的认定和处理原则。

k. 项目完成后对项目管理机构负责人的奖惩依据、标准和办法。

l. 项目管理机构负责人解职和项目管理机构解体的条件及办法。

m. 缺陷责任期、质量保修期及之后对项目管理机构负责人的相关要求。

2) 项目管理机构负责人的职责及权限

① 项目管理机构负责人的职责

a. 项目管理目标责任书中规定的职责。

b. 工程质量安全责任承诺书中应履行的职责。

c. 组织或参与编制项目管理规划大纲、项目管理实施规划，对项目目标进行系统管理。

d. 主持制定并落实质量、安全技术措施和专项方案，负责相关的组织协调工作。

e. 对各类资源进行质量监控和动态管理。

f. 对进场的机械、设备、工器具的安全、质量和使用进行监控。

g. 建立各类专业管理制度并组织实施。

h. 制定有效的安全、文明和环境保护措施并组织实施。

i. 组织或参与评价项目管理绩效。

j. 进行授权范围内的任务分解和利益分配。

k. 按规定完善工程资料，规范工程档案文件，准备工程结算和工资料，参与工程工验收。

l. 接受审计，处理项目管理机构解体后的工作。

m. 协助和配合组织进行项目检查、鉴定和评奖申报。

n. 配合组织完善缺陷责任期的相关工作。

② 项目管理机构负责人的权限

a. 参与项目招标、投标和合同签订。

b. 参与组建项目管理机构。

c. 参与组织对项目各阶段的重大决策。

d. 主持项目管现机构工作。

e. 决定授权范围内的项目资源使用。

f. 在组织制度的框架下制定项目管理机构管理制度。

g. 参与选择并直接管理具有相应资质的分包人。

h. 参与选择大宗资源的供应单位。

i. 在授权范围内与项目相关方进行直接沟通。

j. 法定代表人和组织授予的其他权利。

工程项目施工应建立以项目经理为首的生产经营管理系统，实行项目经理负责制。项目经理在工程项目施工中处于中心地位，对工程项目施工负有全面管理的责任。要加强对建筑业企业项目经理市场行为的监督管理，对发生重大工程质量安全事故或市场违法违规行为的项目经理，必须依法予以严肃处理。

本教学单元小结

本教学单元阐述了市政工程基本建设内容、程序和建设工程项目管理含义、类型、目标、任务以及建设工程项目管理规划的内容、编制方法，并简单介绍了项目经理的工作性质、职责、责任等；重点介绍了市政工程施工项目管理的程序、内容以及组织结构模式。施工项目管理主要包括建立施工项目管理组织，制定项目管理规划，目标控制，风险管理，生产要素管理，合同管理，信息管理，现场管理，组织协调，竣工验收，考核评价及项目回访保修等内容。施工项目管理必须依照其自身规律，严格遵循项目管理程序。在施工项目管理中选择适合的项目管理组织形式，坚持落实项目经理岗位责任制，以实现项目管理的最终目标。

思考题与习题

1. 阐述建设工程项目管理的含义。
2. 建设项目管理规划大纲和项目管理实施规划分别包括哪些内容？
3. 简述施工项目管理的内容。
4. 工程项目组织形式主要有哪些？它们分别有何优点、缺点？
5. 施工企业项目经理的任务是什么？
6. 项目管理机构负责人的职责及权限包括哪些？

教学单元 2　市政工程施工项目合同管理

【教学目标】 了解市政工程施工项目合同的概念、分类以及合同法律基础；熟悉市政工程施工项目合同管理的概念、特点以及程序；掌握市政工程施工项目招标投标阶段合同的管理，如招标投标的程序、招标的条件、招标的范围以及投标文件的编制；掌握市政工程施工项目实施阶段关于索赔的合同管理。

合同管理是市政工程项目管理的重要内容之一。在市政工程项目的实施过程中，往往会涉及许多合同，比如设计合同、咨询合同、科研合同、施工承包合同、供货合同、总承包合同、分包合同等。所谓合同管理，不仅包括对每个合同的签订、履行、变更和解除等过程进行控制和管理，还包括对所有合同进行筹划的过程。因此，市政工程施工项目合同管理的主要工作内容有：根据项目的特点和要求确定施工任务承包模式（合同结构）、选择合同文本、确定合同计价方法和支付方法、合同履行过程的管理与控制、合同索赔等。本教学单元主要以施工合同为例进行讲述。

2.1　市政工程施工招标与投标

对建设工程的发包人来说，最重要的是找到理想的、有能力承担建设工程任务的合格单位，用经济合理的价格，获得满意的服务和产品。根据建设工程的通常做法，建设工程的发包人一般都通过招标或其他竞争方式选择建设工程任务的实施单位。当然，发包人也可以通过询价采购和直接委托等方式选择建设工程任务的实施单位。

2.1.1　市政工程招标的内容

市政工程施工招标是指招标人就市政工程施工任务发布招标广告吸引或直接邀请众多投标人参加投标，并按照规定程序从中选出技术能力强、管理水平高、信誉可靠且报价合理的承建单位，并以签订合同的方式约束双方在市政工程施工过程中行为的经济活动。

1. 市政工程施工招标条件

市政工程施工招标应该具备的条件包括以下两项：

（1）招标人进行工程施工招标应当具的条件

1）按照国家有关规定需要履行项目审批手续的，已经履行审批手续；

2）工程资金或者资金来源已经落实；

3）有满足施工招标需要的设计文件及其他技术资料；

4）法律、法规、规章规定的其他条件。

市政工程施工项目招标应提供以下资料：招标人法人资格证明；计划批文；施工图设计审查报告；银行出具的资金证明；规划用地许可证。

（2）招标人应具备的基本条件

1）招标人是法人或依法成立的其他组织；

2）有与招标工程相适应的经济技术管理人员；

3）有组织编制招标文件的能力；

4）有审查投标单位资质的能力；

5）有组织开标、评标、定标的能力。

招标人具有编制招标文件和组织评标能力的，可以自行办理招标事宜，任何单位和个人不得强制其委托招标代理机构办理招标事宜。

这些条件和要求，一方面是从法律上保证了项目和项目法人的合法化，另一方面，也从技术和经济上为项目的顺利实施提供了支持和保障，再一方面，利于各投标人编制的投标书在评标中易于横向对比。

2. 市政工程建设项目招标的范围

（1）强制招标的范围

从理论上讲，在市场经济条件下，建设工程项目是否采用招标的方式确定承包人，业主有着完全的决定权；采用何种方式进行招标，业主也有着完全的决定权。但是为了保证公共利益，各国的法律都规定了有政府资金投资的公共项目（包括部分投资的项目或全部投资的项目），涉及公共利益的其他资金投资项目，投资额在一定额度之上时，要采用招标的方式进行采购。对此我国也有详细的规定。

按照我国的《招标投标法》，以下项目宜采用招标的方式确定承包人：

1）大型基础设施、公用事业等关系社会公共利益、公众安全的项目。其中关系社会公共利益、公众安全的基础设施项目的范围包括：能源、交通运输、邮电通信、水利、城市设施、生态环境保护项目和其他基础设施项目。关系社会公共利益、公众安全的公用事业项目的范围包括：供水（电、气、热）等市政工程项目；科教文卫体等项目；商品住宅（包括经济适用住房）和其他公用事业项目。

2）全部或者部分使用国有资金投资或国家融资的项目。其中使用国有资金投资项目的范围包括：使用各级财政预算资金的项目；使用纳入财政管理的各种政府专项建设基金的项目；使用国有企业事业单位自有资金，并且国有资产投资者实际拥有控制权的项目。国家融资项目的范围包括：使用国家发行债券所筹资金的项目；使用国家对外借款或担保所筹资金的项目；使用国家政策性贷款的项目；国家授权投资主体融资的项目和国家特许的融资项目。

3）使用国际组织或者外国政府贷款、援助资金的项目。其范围包括：使用世界银行、亚洲开发银行等国际组织资金的项目；使用外国政府及其机构贷款资金的项目；使用国际组织或者外国政府援助资金的项目。

任何单位和个人不得将依法必须进行招标的项目化整为零或者以其他任何方式规避招标。

在规定范围内的各类工程建设项目，包括项目的勘察、设计、施工、监理以及与工程建设有关的重要设备、材料等的采购，达到下列标准之一的，必须进行招标：

① 施工单项合同估算价在 200 万元人民币以上的；

② 重要设备、材料等货物的采购，单项合同估算价在 100 万元人民币以上的；

③ 勘察、设计、监理等服务的采购，单项合同估算价在 50 万元人民币以上的；

④ 单项合同估算价低于以上规定的标准，但项目总投资额在 3000 万元人民币以上的。

省、自治区、直辖市人民政府建设行政主管部门报经同级人民政府批准，可以根据实际情况，规定本地区必须进行工程施工招标的具体范围和规模标准，但不得缩小必须进行施工招标的范围。依法必须进行招标的项目，其招标投标活动不受地区或者部门的限制。任何单位和个人不得违法限制或者排斥本地区、本系统以外的法人或者其他组织参加投标，不得以任何方式非法干涉招标投标活动。

（2）可以不进行招标的项目

《房屋建筑和市政基础设施工程施工招标投标管理办法》中规定工程有下列情形之一的，经县级以上地方人民政府建设行政主管部门批准，可以不进行施工招标：

1) 停建或者缓建后恢复建设的单位工程，且承包方未发生变更的；

2) 施工企业自建自用的工程，且该施工企业资质等级符合工程要求的；

3) 在建工程追加的附属小型工程或者主体加层工程，且承包方未发生变更的；

4) 法律、法规、规章规定的其他情形。

3. 招标的方式

《招标投标法》规定，我国市政工程的招标方式有公开招标和邀请招标两种方式。

（1）公开招标

公开招标也称无限竞争性招标，招标人在公共媒体上发布招标公告，提出招标项目和要求，符合条件的一切法人或者组织都可以参加投标竞争，都有同等竞争的机会。按规定应该招标的建设工程项目，一般应采用公开招标方式。

公开招标的优点是招标人有较大的选择范围，可在众多的投标人中选择报价合理、工期较短、技术可靠、资信良好的中标人。但是公开招标的资格审查和评标的工作量比较大，耗时长、费用高，且有可能因资格预审把关不严导致鱼目混珠的现象发生。

如果采用公开招标方式，招标人就不得以不合理的条件限制或排斥潜在的投标人。例如不得限制本地区以外或本系统以外的法人或组织参加投标等。

（2）邀请招标

邀请招标也称有限竞争性招标，招标人事先经过考察和筛选，将投标邀请书发给某些特定的法人或者组织，邀请其参加投标。

为了保护公共利益，避免邀请招标方式被滥用，各个国家和世界银行等金融组织都有相关规定：按规定应该招标的建设工程项目，一般应采用公开招标，如果要采用邀请招标，需经过批准。

对于有些特殊项目，采用邀请招标方式确实更加有利。根据《中华人民共和国招标投标法实施条例》（中华人民共和国国务院令第 613 号）第八条，国有资金占控股或者主导地位的依法必须进行招标的项目，应当公开招标；但有下列情形之一的，可以邀请招标：

1）技术复杂、有特殊要求或者受自然环境限制，只有少量潜在投标人可供选择；

2）采用公开招标方式的费用占项目合同金额的比例过大。

招标人采用邀请招标方式，应当向三个以上具备承担招标项目的能力、资信良好的特定的法人或者其他组织发出投标邀请书。

凡按照规定应该招标的工程不进行招标，应该公开招标的工程不公开招标的，招标人所确定的承包单位一律无效。建设行政主管部门按照《建筑法》第八条的规定，不予颁发施工许可证，对于违反规定擅自施工的，依据《建筑法》第六十四条的规定，追究其法律责任。

4. 市政工程的招标过程（图 2-1）

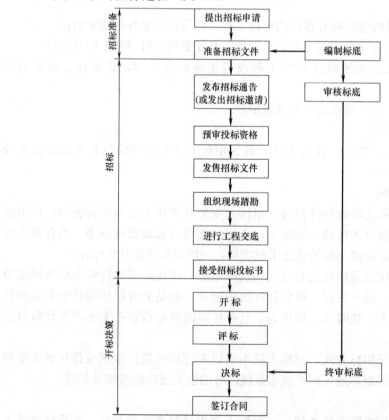

图 2-1 市政工程招标过程

（1）招标公告和投标邀请书的编制与发布

依法必须公开招标项目的招标人，应当发布招标公告。招标公告是指采用公开招标方式的招标人（包括招标代理机构）向所有潜在的投标人发出的一种广泛的通告。招标公告的目的是使所有潜在的投标人都具有公平竞争的投标机会。投标邀请书是指采用邀请招标方式的招标人，向三个以上具备承担招标项目能力、资信良好的特定法人或者其他组织发出的参加投标的邀请函。

1）招标公告的内容

按照《招标投标法》的规定，招标公告应当载明招标人的名称和地址，招标工程的性质、规模、地点以及获取招标文件的办法等事项。

2）招标公告的发布

为了规范招标公告发布行为，保证潜在投标人平等、便捷、准确地获取招标信息，国家发展计划委员会发布的自 2000 年 7 月 1 日起生效实施的《招标公告发布暂行办法》，对强制招标项目招标公告的发布做出了明确的规定。

（2）资格预审

资格预审是指招标人在招标开始之前或开始初期，由招标人对申请参加投标的潜在投标人的资质条件、业绩、信誉、技术、资金等多方面情况进行资格审查。只有在资格预审中被认定为合格的潜在投标人，才可以参加投标。资格预审的目的是为了排除那些不合格的投标人，进而降低招标人的采购成本，提高招标工作的效率。招标人不得以不合理的条件限制或者排斥潜在投标人，不得对潜在投标人实行歧视待遇。

资格预审文件一般应包括资格预审申请书格式、申请人须知，以及需要投标申请人提供的企业资质、业绩、技术装备、财务状况和拟派出的项目经理与主要技术人员的简历、业绩等证明材料。

1）投标人应具备的条件

投标人应当具备与投标项目相适应的技术力量、机械设备、人员、资金等方面的能力，具有承担该招标项目的能力。参加投标项目是投标人的营业执照中的经营范围所允许的，并且投标人要具备相应的资质等级。

招标人可以在招标文件中对投标人的资格条件做出规定，投标人应当符合招标文件规定的资格条件，如果国家对投标人的资格条件有规定的，则按照其规定执行。

2）共同投标的联合体的基本条件

两个以上法人或者其他组织可以组成一个联合体，联合体各方均应当具备承担招标项目的相应能力，并以一个投标人的身份共同投标。由同一专业的单位组成的联合体，按照资质等级较低的单位确定资质等级。联合体各方应当签订共同投标协议，明确约定各方拟承担的工作和责任，并将共同投标协议连同投标文件一并提交招标人。联合体中标的，联合体各方应当共同与招标人签订合同，就中标项目向招标人承担连带责任。

3）资格预审的程序

① 发布资格预审通告

资格预审通告是指招标人向潜在投标人发出的参加资格预审的告示。就建设项目招标而言,可以考虑由招标人在一家全国或者国际发行的报刊和国务院为此目的指定的这类刊物上发表邀请资格预审的公告。

② 发出资格预审文件

资格预审公告后,招标人向申请参加资格预审的申请人发放或者出售资格审查文件。资格预审的内容包括基本资格审查和专业资格审查两部分。基本资格审查是指对申请人的合法地位和信誉等进行审查,专业资格审查是对已经具备基本资格的申请人履行拟定招标项目能力审查。

③ 对潜在投标人资格的审查和评定

招标人在规定时间内,按照资格预审文件中规定的标准和方法,对提交资格预审申请书的潜在投标人资格进行审查。

④ 发出预审合格通知书

经资格预审后,招标人应当向资格预审合格的投标申请人发出资格预审合格通知书,告知获取招标文件的时间、地点和方法,并同时向资格预审不合格的投标申请人告知资格预审结果。

(3) 招标文件的编制和发售

1) 招标文件的编制

按照我国《招标投标法》的规定,建设工程招标文件由招标人或其委托的咨询机构编制发布,其中包括对招标项目的技术要求、对投标人资格审查的标准、投标报价要求和评标标准等所有实质性要求和条件以及拟签合同的主要条款。它既是投标人编制投标文件的依据,也是招标人与将来中标单位签订工程承包合同的基础。

按照《房屋建筑和市政基础设施工程施工招标投标管理办法》,工程施工招标应当具备下列条件:

① 按照国家有关规定需要履行项目审批手续的,已经履行审批手续;
② 工程资金或者资金来源已经落实;
③ 有满足施工招标需要的设计文件及其他技术资料;
④ 法律、法规、规章规定的其他条件。

招标人应当根据招标工程的特点和需要,自行或者委托工程招标代理机构编制招标文件。招标文件应当包括下列内容:

① 投标须知,包括工程概况,招标范围,资格审查条件,工程资金来源或者落实情况(包括银行出具的资金证明),标段划分,工期要求,质量标准,现场踏勘和答疑安排,投标文件编制、提交、修改、撤回的要求,投标报价要求,投标有效期,开标的时间和地点,评标的方法和标准等;
② 招标工程的技术要求和设计文件;
③ 采用工程量清单招标的,应当提供工程量清单;
④ 投标函的格式及附录;
⑤ 拟签订合同的主要条款;
⑥ 要求投标人提交的其他材料。

依法必须进行施工招标的工程，招标人应当在招标文件发出的同时，将招标文件报工程所在地的县级以上地方人民政府建设行政主管部门备案。

根据《招标投标法》有关规定，施工招标文件编制中应遵循如下规定：

① 说明评标原则和评标办法。

② 确定合同价格。投标价格中，一般结构不太复杂或工期在 12 个月以内的工程，可以采用固定价格，考虑一定的风险系数。结构较复杂或大型工程，工期在 12 个月以上的，应采用调整价格。

③ 明确投标价格计算依据。

④ 明确赶工措施费的计取及由于误工给建设单位带来的损失费用的计算方法。

⑤ 明确建设单位要求按合同工期提前竣工交付使用时提前工期奖的计取及计算。

⑥ 明确投标准备时间及投标有效期。

⑦ 明确投标保证金数额及支付方式。

⑧ 中标单位提交履约担保的形式及比率。

⑨ 明确材料或设备采购、运输、保管的责任。

⑩ 明确投标人投标报价的计算规则及依据；确定"招标文件合同协议条款"内容。

2）招标文件的发售

招标人将招标文件发售给通过资格预审、获得投标资格的投标人。投标人在收到招标文件后，应认真核对，核对无误后应以书面形式予以确认。

（4）招标文件的澄清与修改

投标人在收到招标文件后，若有问题需要澄清，应于收到招标文件后以书面形式向招标人提出，招标人将以书面形式或投标预备会的方式予以解答，答复将送给所有获得招标文件的投标人。

招标人对已发出的招标文件进行必要的澄清或者修改的，应当在招标文件要求提交投标文件截止时间至少 15 日前，以书面形式通知所有招标文件收受人。该澄清或者修改的内容为招标文件的组成部分，对双方均有约束作用。

（5）开标

市政工程建设项目招投标的最后阶段包括开标、评标和定标，是招标程序中极为重要的环节。只有做出客观、公正的评标、定标，才能选择最理想的承包商，从而保证市政工程建设项目的顺利实施。

投标文件出现下列情形之一的，应当视为无效，不得参与评标：

1）投标文件未按照招标文件的要求予以密封的；

2）投标文件中的投标函未加盖投标人及其法定代表人印章的，或者法定代表人委托代理人没有合法、有效的委托书（原件）及委托代理人印章的；

3）投标文件的关键内容字迹模糊、无法辨认的；

4）投标人未按照招标文件的要求提供投标保函或者投标保证金的；

5）组成联合体投标，投标文件未附联合体各方共同投标协议的。

（6）评标

评标活动应遵循公平、公正、科学、择优的原则，招标人应当采取必要的措施，保证评标在严格保密的情况下进行。

评标委员会由招标人或其委托的招标代理机构熟悉相关业务的代表，以及有关技术、经济等方面的专家组成，成员人数为5人以上的奇数，其中技术、经济等方面的专家不得少于成员总数的三分之二。一般项目，可以采取随机抽取的方式；技术特别复杂、专业性要求特别高或者国家有特殊要求的招标项目，可以由招标人直接确定。与投标人有利害关系的人不得进入相关工程的评标委员会。

评标程序分为初步评审和详细评审。

1）初步评审

初步评审主要是进行符合性审查，即重点审查投标书是否实质上响应了招标文件的要求。审查内容包括：投标资格审查、投标文件完整性审查、投标担保的有效性、与招标文件是否有显著的差异和保留等。如果投标文件实质上不响应招标文件的要求，将作无效标处理，不必进行下一阶段的评审。另外还要对报价计算的正确性进行审查，如果计算有误，通常的处理方法是：大小写不一致的以大写为准，单价与数量的乘积之和与所报的总价不一致的应以单价为准；标书正本和副本不一致的，则以正本为准。这些修改一般应由投标人代表签字确认。

【例2-1】 在某筑路工程项目评标过程中，评标委员会发现其中一投标人的混凝土工程单价明显偏低，评标委员会即招该投标人进行澄清。通过反复询问，评标人了解到是由于其采用了新工艺，投标单位提供了此项新工艺的技术资料作为证明。通过澄清，评标人判明了这项措施的可行性，对此报价给予了认可。

2）详细评审

详细评审是评标的核心，是对标书进行实质性审查，包括技术评审和商务评审。技术评审主要是对投标书的技术方案、技术措施、技术手段、技术装备、人员配备、组织结构、进度计划等的先进性、合理性、可靠性、安全性、经济性等进行分析评价。商务评审主要是对投标书的报价高低、报价构成、计价方式、计算方法、支付条件、取费标准、价格调整、税费、保险及优惠条件等进行评审。

评标委员会完成评标后，应当向招标人提出书面评标报告，并推荐合格的中标候选人。招标人根据评标委员会提出的书面评标报告和推荐的中标候选人确定中标人，招标人也可以授权评标委员会直接确定中标人。

评标方法包括综合评估法、经评审的最低投标价法或者法律、行政法规允许的其他评标方法。

① 综合评估法。采用综合评估法，应当对投标文件提出的工程质量、工期、投标价格、施工组织设计或者施工方案、投标人及项目经理业绩等，能否最大限度地满足招标文件中规定的各项要求和评价标准进行评审和比较。以评分方式进行评估的，对于各种评比奖项不得额外计分。

② 经评审的最低投标价法。即能够满足招标文件的实质性要求，并且经评审的投标价最低的投标人为中标候选人。这种评标方法是按照评审程序，经初审后，以合理低标价作为中标的主要条件。合理的低标价必须是经过终审，进行答辩，

证明是实现低标价的措施有力可行的报价。但不保证最低的投标价中标，因为这种评标方法在比较价格时必须考虑一些修正因素。世界银行、亚洲开发银行等都是以这种方法作为主要的评标方法。

最低投标价法一般适用于具有通用技术、性能标准或者招标人对其技术、性能没有特殊要求的招标项目。

③ 其他评标方法。在法律、行政法规允许的范围内，招标人也可以采用其他评标方法。

评标委员会经过对投标人的投标文件进行初审和终审以后，评标委员会要编制书面评标报告，并由评标委员会全体成员签字。

（7）定标

1）中标候选人的确定

评标委员会推荐的中标候选人应当限定在1~3人，并标明排列顺序。

中标人的投标应当符合下列条件之一：

① 能够最大限度地满足招标文件中规定的各项综合评价标准；

② 能够满足招标文件的实质性要求，并且经评审的投标价格最低；但是投标价格低于成本的除外。

对使用国有资金投资或者国家融资的项目，招标人应当确定排名第一的中标候选人为中标人。排名第一的中标候选人放弃中标、因不可抗力提出不能履行合同或者招标文件规定应当提交履约保证金而在规定的期限内未能提交的，招标人可以确定排名第二的中标候选人为中标人。

招标人可以授权评标委员会直接确定中标人。

在确定中标人之前，招标人不得与投标人就投标价格、投标方案等实质性内容进行谈判。有下列情形之一的，评标委员会可以要求投标人做出书面说明并提供相关材料：

① 设有标底的，投标报价低于标底合理幅度的；

② 不设标底的，投标报价明显低于其他投标报价，有可能低于其企业成本的。经评标委员会论证，认定该投标人的报价低于其企业成本的，不能推荐为中标候选人或者中标人。

招标人应当在投标有效期截止时限30日前确定中标人，建设行政主管部门自收到书面报告之日起5日内未通知招标人在招投标活动中有违法行为的，招标人可以向中标人发出中标通知书，并将中标结果同时通知所有未中标的投标人。

2）发出中标通知书并订立书面合同

招标人和中标人应当自中标通知书发出之日起30日内，按照招标文件和中标人的投标文件订立书面合同，并同时将中标结果通知所有未中标的投标人。招标人和中标人不得再行订立背离合同实质性内容的其他协议。招标人无正当理由不与中标人签订合同，给中标人造成损失的，招标人应当给予赔偿。招标文件要求中标人提交履约保证金的，中标人应当提交。招标人应当同时向中标人提供工程款支付担保。中标人不与招标人订立合同的，投标保证金不予退还并取消其中标资格，给招标人造成的损失超过投标保证金数额的，应当对超过部分予以赔偿；

没有提交投标保证金的,应当对招标人的损失承担赔偿责任。

【例 2-2】 中标通知书

致××市政工程有限公司:

××县城东污水处理厂永林油脂化工专线管网铺设招标大会已于 2013 年 11 月 29 日在××县城东污水处理厂大会议室召开。根据招标结果,你公司以人民币壹仟伍佰贰拾捌万元整(¥15280000)的总价中标,请贵公司在接到本通知之日起 30 天内来我单位对照招标文件及相关要求签订管网铺设承包合同,并按合同规定开工时间进场施工。

特此通知!

××县城东污水处理厂
2013 年 12 月 12 日

2.1.2 市政工程施工项目投标

1. 市政工程施工项目投标的概念

市政工程施工项目投标是市政工程施工项目招标的对称概念,指具有合法资格和能力的投标人,根据招标条件,在指定期限内填写标书,提出报价,并等候开标,决定能否中标的经济活动。

市政工程施工项目的投标人是响应施工招标、参与投标竞争的施工企业。投标人应当具备相应的施工企业资质,并在工程业绩、技术能力、项目经理资格条件、财务状况等方面满足招标文件提出的要求。投标人应当按照招标文件的要求编制投标文件,对招标文件提出的实质性要求和条件作出响应。

投标文件应当包括下列内容:

(1) 投标函;

(2) 施工组织设计或者施工方案;

(3) 投标报价;

(4) 招标文件要求提供的其他材料。

2. 投标程序

(1) 研究招标文件

投标单位取得投标资格,获得招标文件之后的首要工作就是认真仔细地研究招标文件,充分了解其内容和要求,以便有针对性地安排投标工作。

研究招标文件的重点应放在投标人须知、合同条款、设计图纸、工程范围及工程量表上,还要研究技术规范要求,看是否有特殊的要求。

投标人应该重点注意招标文件中的以下几个方面。

1) 投标人须知

"投标人须知"是招标人向投标人传递基础信息的文件,包括工程概况、招标内容、招标文件的组成、投标文件的组成、报价的原则、招标投标时间安排等关键的信息。

首先,投标人需要注意招标工程的详细内容和范围,避免遗漏或多报。

其次,还要特别注意投标文件的组成,避免因提供的资料不全而废标。例如,曾经有一资信良好的著名企业在投标时因为遗漏资产负债表而失去了本来非常有希望的中标机会。在工程实践中，这方面的案例不在少数。

还要注意招标答疑时间、投标截止时间等重要时间安排，避免因遗忘或迟到等原因而失去竞争机会。

2）投标书附录与合同条件

这是招标文件的重要组成部分，其中可能标明了招标人的特殊要求，即投标人在中标后应享受的权利、所要承担的义务和责任等，投标人在报价时需要考虑这些因素。

3）技术说明

要研究招标文件中的施工技术说明，熟悉所采用的技术规范，了解技术说明中有无特殊施工技术要求和有无特殊材料设备要求，以及有关选择代用材料、设备的规定，以便根据相应的定额和市场确定价格，计算有特殊要求项目的报价。

4）永久性工程之外的报价补充文件

永久性工程是指合同的标的物——建设工程项目及其附属设施，但是为了保证工程建设的顺利进行，不同的业主还会对承包商提出额外的要求。这些可能包括：对旧有建筑物和设施的拆除，工程师的现场办公室及其各项开支、模型、广告、工程照片和会议费用等。如果有，则需要将其列入工程总价中去，弄清一切费用纳入工程总报价的方式，以免产生遗漏导致损失。

(2) 进行各项调查研究

在研究招标文件的同时，投标人需要开展详细的调查研究，即对招标工程的自然、经济和社会条件进行调查，这些都是工程施工的制约因素，必然会影响到工程成本，是投标报价所必须考虑的，所以在报价前必须了解清楚。

1）市场宏观经济环境调查

应调查工程所在地的经济形势和经济状况，包括与投标工程实施有关的法律法规、劳动力与材料的供应状况、设备市场的租赁状况、专业施工公司的经营状况与价格水平等。

2）工程现场考察和工程所在地区的环境考察

要认真地考察施工现场，认真调查具体工程所在地区的环境，包括一般自然条件、施工条件及环境，如地质地貌、气候、交通、水电等的供应和其他资源情况等。

3）工程业主方和竞争对手公司的调查

业主、咨询工程师的情况，尤其是业主的项目资金落实情况、参加竞争的其他公司与工程所在地的工程公司的情况，与其他承包商或分包商的关系。参加现场踏勘与标前会议，可以获得更充分的信息。

(3) 复核工程量

有的招标文件中提供了工程量清单，尽管如此，投标者还是需要进行复核，因为这直接影响到投标报价以及中标的机会。例如，当投标人大体上确定了工程总报价以后，可适当采用报价技巧如不平衡报价法，对某些工程量可能增加的项目提高报价，而对某些工程量可能减少的可以降低报价。

对于单价合同，尽管是以实测工程量结算工程款，但投标人仍应根据图纸仔细核算工程量,当发现相差较大时,投标人应向招标人要求澄清。对于总价固定合同,更要特别引起重视,工程量估算的错误可能带来无法弥补的经济损失,因为总价合同是以总报价为基础进行结算的,如果工程量出现差异,可能对施工方极为不利。对于总价合同,如果业主在投标前对争议工程量不予更正,而且是对投标者不利的情况,投标者在投标时要附上声明:工程量表中某项工程量有错误,施工结算应按实际完成量计算。

承包商在核算工程量时,还要结合招标文件中的技术规范弄清工程量中每一细目的具体内容,避免出现在计算单位、工程量或价格方面的错误与遗漏。

(4) 选择施工方案

施工方案是报价的基础和前提,也是招标人评标时要考虑的重要因素之一。有什么样的方案,就有什么样的人工、机械与材料消耗,就会有相应的报价。因此,必须弄清分项工程的内容、工程量、所包含的相关工作、工程进度计划的各项要求、机械设备状态、劳动力与组织状况等关键环节,据此制定施工方案。

施工方案应由投标单位的技术负责人主持制定,主要考虑施工方法、主要施工机具的配置、各工种劳动力的安排及现场施工人员的平衡、施工进度及分批竣工的安排、安全措施等。施工方案的制定应在技术、工期和质量保证等方面对招标人有吸引力,同时又有利于降低施工成本。

1) 要根据分类汇总的工程数量和工程进度计划中该类工程的施工周期、合同技术规范要求以及施工条件和其他情况选择和确定每项工程的施工方法,应根据实际情况和自身的施工能力来确定各类工程的施工方法。对各种不同施工方法应当从保证完成计划目标、保证工程质量、节约设备费用、降低劳务成本等多方面综合比较,选定最适用的、经济的施工方案。

2) 要根据上述各类工程的施工方法选择相应的机具设备并计算所需数量和使用周期,研究确定采购新设备、租赁当地设备或调动企业现有设备。

3) 要研究确定工程分包计划。根据概略指标估算劳务数量,考虑其来源及进场时间安排。注意当地是否有限制外籍劳务的规定。另外,从所需劳务的数量,估算所需管理人员和生活性临时设施的数量和标准等。

4) 要用概略指标估算主要的和大宗的建筑材料的需用量,考虑其来源和分批进场的时间安排,从而可以估算现场用于存储、加工的临时设施(例如仓库、露天堆放场、加工场地或工棚等)。

5) 根据现场设备、高峰人数和一切生产和生活方面的需要,估算现场用水、用电量,确定临时供电和排水设施;考虑外部和内部材料供应的运输方式,估计运输和交通车辆的需要和来源;考虑其他临时工程的需要和建设方案;提出某些特殊条件下保证正常施工的措施,例如排除或降低地下水以保证地面以下工程施工的措施;冬期、雨期施工措施以及其他必需的临时设施安排,例如现场安全保卫设施,包括临时围墙、警卫设施、夜间照明等,现场临时通信联络设施等。

(5) 投标计算

投标计算是投标人对招标工程施工所要发生的各种费用的计算。在进行投标计算时,必须首先根据招标文件复核或计算工程量。作为投标计算的必要条件,应预先确定施工方案和施工进度。此外，投标计算还必须与采用的合同计价形式相协调。

（6）确定投标策略

正确的投标策略对提高中标率并获得较高的利润有重要作用。常用的投标策略又以信誉取胜、以低价取胜、以缩短工期取胜、以改进设计取胜或者以先进或特殊的施工方案取胜等。不同的投标策略要在不同投标阶段的工作（如制定施工方案、投标计算等）中体现和贯彻。

（7）正式投标

投标人按照招标人的要求完成标书的准备与填报之后，就可以向招标人正式提交投标文件。在投标时需要注意以下方面。

1）注意投标的截止日期

招标人所规定的投标截止日就是提交标书最后的期限。投标人在投标截止日之前所提交的投标是有效的，超过该日期之后就会被视为无效投标。在招标文件要求提交投标文件的截止时间后送达的投标文件，招标人可以拒收。

2）投标文件的完备性

投标人应当按照招标文件的要求编制投标文件。投标文件应当对招标文件提出的实质性要求和条件作出响应。投标文件不完备或投标没有达到招标人的要求，在招标范围以外提出新的要求，均被视为对于招标文件的否定，不会被招标人所接受。投标人必须为自己所投出的标书负责，如果中标，必须按照投标文件中所阐述的方案来完成工程，这其中包括质量标准、工期与进度计划、报价限额等基本指标以及招标人所提出的其他要求。

3）注意标书的标准

标书的提交要有固定标准的要求，基本内容是：签章、密封。如果不密封或密封不满足要求，投标是无效的。投标书还需要按照要求签章，投标书需要盖有投标企业公章以及企业法定代表人的名章（或签字）。如果项目所在地与企业距离较远，由当地项目经理部组织投标，需要提交企业法人对于投标项目经理的授权委托书。

4）注意投标的担保

通常投标需要提交投标担保。

3. 投标文件的编制内容与递交

（1）投标文件的编制内容

按照《房屋建筑和市政基础设施工程施工招标投标管理办法》，投标人应当按照招标文件的要求编制投标文件，对招标文件提出的实质性要求和条件做出响应。

1）投标文件应包括的内容

① 投标函；

② 施工组织设计或者施工方案；

③ 投标报价；

④ 招标文件要求提供的其他资料。

2）施工投标文件的编制要求

① 做好编制投标文件准备工作。投标人领取招标文件、图纸和有关技术资料后，应仔细阅读"投标人须知"，投标人须知是投标人投标时应注意和遵守的事项。另外，还须认真阅读合同条件、规定格式、技术规范、工程量清单和图纸。实质上不响应招标文件要求的投标文件将被拒绝。

投标人应根据图纸核对招标人在招标文件中提供的工程量清单中的工程项目和工程量；如发现项目或数量有误时应在收到招标文件7日内以书面形式向招标人提出。

② 投标文件编制中，投标人应依据招标文件和工程技术规范要求，并根据施工现场情况编制施工方案或施工组织设计，根据招标文件要求编制投标文件和计算投标报价。投标报价应按招标文件中规定的各种因素和依据进行计算，仔细核对，以保证投标报价的准确无误。

按招标文件要求投标人提交的投标保证金，应随投标文件一并提交招标人。

投标文件编制完成后应仔细整理、核对，按招标文件的规定进行密封和标志，并提供足够份数的投标文件副本。

③ 投标人必须使用招标文件中提供的表格格式，但表格可以按同样格式扩展。

④ 投标文件在"前附表"所列的投标有效期日历日内有效。

⑤ 投标人应提供不少于"前附表"规定数额的投标保证金，此投标保证金是投标文件的一个组成部分。对于未能按要求提交投标保证金的投标，招标人将视为不响应投标而予以拒绝。

未中标的投标人的投标保证金应尽快退还，最迟不超过规定的投标有效期期满后的14天。

中标单位的投标保证金，按要求提交履约保证金并签署合同协议后，予以无息退还。

如投标人有下列情况，将被没收投标保证金：投标人在投标有效期内撤回其投标文件；中标单位未能在规定期内提交履约保证金或签署合同协议。

⑥ 投标文件的份数和签署。投标人按招标文件所提供的表格格式，编制一份投标文件"正本"和"前附表"所述份数的"副本"，并由投标人法定代表人亲自签署并加盖法人单位公章和法定代表人印鉴。

（2）投标文件的递交

我国《招标投标法》规定，投标人应当在招标文件要求提交投标文件的截止时间前，将投标文件送达投标地点。招标人收到招标文件后，应当签收保存不得开启。在招标文件要求提交投标文件的截止日期后送达的投标文件，招标人应当拒收。投标人在招标文件要求提交投标文件的截止时间前，可以补充、修改或者撤回已提交的投标文件，并书面通知招标人。补充、修改的内容为投标文件的组成部分。

4. 投标报价的编制程序与方法

投标报价是投标人在向招标人递交的投标文件中关键的组成部分。投标人根据招标文件及有关计算工程造价的计价依据，计算出投标报价，并在此基础上研究投标策略，提出更有竞争力的投标报价，这对投标人投标的成败和今后承包盈亏与否起决定性的作用。本书以工程量清单计价模式编制投标报价为例，说明投标报价的编制程序。

（1）投标报价的编制程序

1）复核或计算工程量。工程招标文件中若提供有工程量清单，标价计算之前，要对工程量进行校核。若招标文件中没有提供工程量清单，则必须根据图纸计算全部工程量。如招标文件对工程量的计算方法有规定，应按照规定的方法进行计算。

2）确定综合单价。在投标报价中，复核或计算各个分部分项工程的实物工程量以后，就需要确定每一个分部分项工程的单价，并按照招标文件中工程量表的格式填写报价，一般是按照分部分项工程量内容和项目名称填写单价与合价。

3）确定分包工程费。在编制投标价格时需要有一个合适的价格来衡量分包人的价格，需要熟悉分包工程的范围，对分包人的能力进行评估。

4）确定利润。利润指的是承包方的预期利润，确定利润取值的目标是考虑既可以获得最大的可能利润，又要保证投标价格具有一定的竞争性，投标报价时承包方应根据市场竞争情况确定该工程的利润率。

5）确定风险费。风险费对承包商来说是一个未知数，在投标时应该根据该工程规模及工程所在地的实际情况，由有经验的专业人员对可能的风险因素进行逐项分析后确定一个比较合理的费用比率。

6）确定投标价格。将所有的分部分项工程的合价汇总后就可以得到工程的总价，但是这样计算的工程总价还不能作为投标价格，因为计算出来的价格可能有重复、漏算，也可能某些费用的预估有偏差等，因而必须对计算出来的工程总价作必要的调整。

（2）投标报价的编制方法

投标报价的编制主要是投标人对承建招标工程所要发生的各种费用的计算。在进行投标计算时，必须首先根据招标文件进一步复核工程量。作为投标计算的必要条件，应预先确定施工方案和施工进度，此外，投标计算还必须与采用的合同形式相协调。报价是投标的关键性工作，报价是否合理直接关系到投标的成败。

采取工程量清单计价模式投标报价时，投标人填入工程量清单中的单价是综合单价，应包括人工费、材料费、机械费、管理费、利润以及风险金等全部费用，将工程量与该单价相乘得出合价，将全部合价汇总后即得出投标总报价。分部分项工程费、措施项目费和其他项目费用均采用综合单价计价。

5．确定投标报价的技巧

投标技巧是指投标人在投标竞争中采用一定的手段使业主可以接受的同时，中标后又能获得更多的利润。常用的投标技巧主要有：

（1）灵活报价法

投标报价时，既要考虑自身的优势和劣势，也要分析招标项目的特点。即遇到如下情况报价可高一些：施工条件差的工程；专业要求高的技术密集型工程，而本公司在这方面又有专长，声望也较高；特殊的工程，如地下开挖工程等；工期要求急的工程；投标对手少的工程；支付条件不理想的工程。

(2) 不平衡报价法

不平衡报价法是指一个工程项目总报价基本确定后，通过调整内部各个项目的报价，以期既不提高总报价、不影响中标，又能在结算时得到更理想的经济效益。

采用不平衡报价法一定要建立在对工程量表中工程量仔细核对分析的基础上，特别是对报低单价的项目，如工程量执行时增多将造成承包商的重大损失；不平衡报价过多和过于明显，可能会引起业主反对，甚至导致废标。

(3) 多方案报价法

在一些招标文件中，如果发现工程范围不很明确，条款不清楚或很不公正，或技术规范要求过于苛刻时，则要在充分估计投标风险的基础上，按多方案报价法处理。

(4) 增加建议法

如果招标文件中规定，可以提一个建议方案，即可以修改原设计方案，提出投标者的建议，投标者就应抓住机会，组织一批有经验的专家，对原招标文件的设计和施工方案仔细研究，提出更为合理的方案以吸引业主，促成自己的方案中标。建议方案应可以降低总造价，或缩短工期，或使工程运用更为合理。

(5) 暂定工程量的报价

暂定工程量有三种：

第一种情况：暂定总价款是固定的，对各投标人的总报价没有任何影响，投标时应当将单价适当提高。

第二种情况：招标人列出了暂定工程量的项目和数量，当将来结算付款时可按实际完成的工程量和所报单价支付。这种情况投标人必须慎重考虑，如果单价定高了，同其他工程量计价一样，将会增大总报价，影响投标报价的竞争力；如果单价定低了，一旦这类工程量增大，将会影响收益，因此可考虑采用正常价格。

第三种情况：只有暂定工程的一笔固定总金额，将来这笔金额做什么用，由业主确定。这种情况对投标竞争没有实际意义，按招标文件要求将规定的暂定款列入总报价即可。

(6) 计日工单价的报价

如果是单纯报计日工单价，而且不计入总价中，可以报高些，以便在业主额外用工或使用施工机械时可多盈利。但如果计日工单价要计入总报价时，则需具体分析是否报高价，以免抬高总报价。总之，要分析业主在开工后可能使用的计日工数量，再来确定报价方针。

(7) 可供选择项目的报价

有些工程项目的分项工程，业主可能要求按某一方案报价，而后再提供几种可供选择方案的比较报价。但是这并非由投标人任意选择，而是由投标人提出方案由对方进行选择，一旦方案被选用，投标人即可得到加价部分的利益。

(8) 突然降价法

投标报价是一件保密工作，因而在报价时可以采取迷惑竞争对手的方法，即先按一般情况报价或表现出自己对该工程兴趣不大,临近投标截止时再突然降价。采用这种方法时,一定要在准备投标报价的过程中考虑好降价的幅度,在临近投标截止日期前,根据信息分析与判断做最后决策。

【例 2-3】 日本大成公司的鲁布革水电站引水系统工程招标时,知道其主要竞争对手前田公司的报价范围,因而在临近开标前把总报价突然降低 8.04%,取得最低标,为最后的中标打下基础。

由于现代工程的综合性和复杂性,总承包商不可能将全部工程内容完全独家包揽,特别是有些专业性较强的工程内容,需分包给其他专业工程公司施工,还有些招标项目,业主规定某些工程内容必须由他指定的几家分包商承担。因此,总承包商通常应在投标前先取得分包商的报价,并增加总承包商摊入的一定管理费,而后作为自己投标总价的一个组成部分一并列入报价中。

在竞争过度的市场条件下,无利润算标被很多承包商当作一条出路,但有实力的承包商不应盲目放弃利润,而应充分张扬自身的优势,避免恶性竞争,否则必然导致行业的无序发展。

2.1.3 施工项目招标投标的有关法律责任

1. 有关投标人的法律禁止性规定

(1) 禁止投标人之间串通投标

1) 投标人之间相互约定抬高或压低投标报价;

2) 投标人之间相互约定,在招标项目中分别以高、中、低价位报价;

3) 投标人之间先进行内部竞价,内定中标人,然后再参加投标;

4) 投标人之间其他串通投标报价的行为。

(2) 禁止投标人与招标人之间串通投标

1) 招标人在开标前开启投标文件,并将投标情况告知其他投标人,或者协助投标人撤换投标文件,更改报价;

2) 招标人向投标人泄露标底;

3) 招标人与投标人商定投标时压低或抬高标价,中标后再给投标人或招标人额外补偿;

4) 招标人预先内定中标人。

(3) 其他串通投标行为

1) 投标人不得以行贿的手段谋取中标;

2) 投标人不得以低于成本的报价竞标;

3) 投标人不得以非法手段骗取中标。

(4) 其他禁止行为

1) 非法挂靠或借用其他企业的资质证书参加投标;

2) 投标文件中故意在商务上和技术上采用模糊的语言骗取中标;中标后提供低档劣质货物、工程或服务;

3) 投标时递交假业绩证明、资格文件;假冒法定代表人签名,私刻公章,递交虚假委托书等。

2. 有关施工项目招标投标的法规责任

在招标投标过程中有违反《招标投标法》行为的单位及个人，县级以上地方人民政府建设行政主管部门应当按照《招标投标法》的规定予以处罚。

招标投标活动中有《招标投标法》规定中标无效情形的，由县级以上地方人民政府建设行政主管部门宣布中标无效，责令重新组织招标，并依法追究有关责任人责任。

应当招标的项目未招标的，应当公开招标的项目未公开招标的，县级以上地方人民政府建设行政主管部门应当责令改正，拒不改正的，不得颁发施工许可证。

招标人不具备自行办理施工招标事宜条件而自行招标的，县级以上地方人民政府建设行政主管部门应当责令改正，处1万元以下的罚款。

评标委员会的组成不符合法律、法规规定的，县级以上地方人民政府建设行政主管部门应当责令招标人重新组织评标委员会。招标人拒不改正的，不得颁发施工许可证。

招标人未向建设行政主管部门提交施工招标投标情况书面报告的，县级以上地方人民政府建设行政主管部门应当责令改正；在未提交施工招标投标情况书面报告前，建设行政主管部门不予颁发施工许可证。

2.2 市政工程施工项目合同管理的主要内容

建设工程施工合同有施工总承包合同和施工分包合同之分。施工总承包合同的发包人是建设工程的建设单位或取得建设项目总承包资格的项目总承包单位，在合同中一般称为业主或发包人。施工总承包合同的承包人是承包单位，在合同中一般称为承包人。

施工分包合同又有专业工程分包合同和劳务作业分包合同之分。分包合同的发包人一般是取得施工总承包合同的承包单位，在分包合同中一般仍沿用施工总承包合同中的名称，即仍称为承包人。而分包合同的承包人一般是专业化的专业工程施工单位或劳务作业单位，在分包合同中一般称为分包人或劳务分包人。

在国际工程合同中，业主可以根据施工承包合同的约定，选择某个单位作为指定分包商，指定分包商一般应与承包人签订分包合同，接受承包人的管理和协调。

2.2.1 合同与合同法

1. 合同与合同法

合同是平等主体的自然人、法人、其他组织之间设立、变更、终止民事权利义务关系的协议。

合同的法律特征可以概括为以下几个方面：

(1) 合同是一种民事法律行为。
(2) 合同是平等主体之间的协议，即合同当事人的法律地位平等。
(3) 合同是以设立、变更、终止民事权利义务为内容和目的的民事行为。
(4) 合同是两个以上的人意思表示一致的协议。

合同法调整的合同主要是指财产关系的合同。并不是所有财产关系都由合同法调整。如有关婚姻、收养、监护身份关系的协议，不适用合同法；政府对经济的管理活动，属于行政管理关系，不适用合同法。例如贷款、租赁、买卖等民事合同关系，适用合同法；而财政拨款、征用、征购等，是政府行使行政管理职权，属于行政关系，适用有关行政法，不适用合同法；企业、单位内部的管理关系，是管理与被管理的关系，不是平等主体之间的关系，也不适用合同法。例如加工承揽是民事关系，适用合同法；而工厂车间内的生产责任制，是企业的一种管理措施，不适用合同法。

2.《合同法》的主要原则

（1）平等原则。合同当事人的法律地位平等，一方不得将自己的意志强加给另一方。

（2）自愿原则。当事人依法享有自愿订立合同的权利，任何单位和个人不得非法干预。

（3）公平原则。当事人应当遵循公平原则确定各方的权利和义务。

（4）诚实信用原则。当事人行使权利、履行义务应当遵循诚实信用原则。

（5）遵守法律法规，尊重社会公德原则。当事人订立、履行合同，应当遵守法律、行政法规，尊重社会公德，不得扰乱社会经济秩序，损害社会公共利益。

2.2.2 合同的实施

1. 合同订立

（1）合同订立的概念

合同订立是指两个或两个以上的当事人，依法就合同的主要条款经过协商一致，达成协议的法律行为。合同当事人可以是自然人，也可以是法人或者其他组织，但都应当具有与订立合同相应的民事权利能力和民事行为能力。当事人也可以依法委托代理人订立合同。

（2）合同订立的形式和主要条款

1) 合同订立的形式

《合同法》规定，当事人订立合同，有书面形式、口头形式和其他形式。法律、行政法规规定采用书面形式的，应当采用书面形式。当事人约定采用书面形式的，应当采用书面形式。

2) 合同的主要条款

① 当事人的名称或者姓名和住所；

② 标的。合同标的的种类有：有形财产、无形财产、劳务、工作成果；

③ 数量；

④ 质量；

⑤ 价款或者报酬；

⑥ 履行期限、地点和方式；

⑦ 违约责任；

⑧ 解决争议的方法，主要有协商和解；调解；仲裁；诉讼。

当事人可以参照种类合同的示范文本订立合同。

（3）合同订立的方式

合同订立的方式包括要约和承诺两个阶段。

1）要约

要约是希望和他人订立合同的意思表示。是一方当事人以缔结合同为目的，向对方当事人所作的意思表示。发出要约的人称为要约人，接受要约的人则称为受要约人。依据《合同法》第13条的规定，要约是订立合同的必经阶段，不经过要约的阶段，合同是不可能成立的。在实际生活中，寄送的价目表、拍卖公告、招标公告、招股说明书、商业广告等都不具备要约的确认条件，应视为要约邀请。

2）承诺

承诺是受要约人同意要约的意思表示。承诺的法律效力在于一经承诺并送达于要约人，合同便告成立。然而受要约人必须完全同意要约人提出的主要条件，如果对要约人提出的主要条件并没有表示接受，则意味着拒绝了要约人的要约，并形成了一项新的要约。

承诺生效时，合同成立，当事人之间产生合同权利和义务。因此，承诺的生效时间至关重要。《合同法》规定，承诺通知到达要约人时生效。

在建设工程招投标过程中，招标是要约邀请，投标是要约，中标签订合同是承诺。

(4) 合同的效力

1）有效合同

《合同法》第44条规定："依法成立的合同，自成立时生效。法律、行政法规规定应当办理批准、登记等手续生效的，依照其规定。"

已经成立的合同，必须具备一定的生效要件，才能产生法律拘束力。合同生效要件是判断合同是否具有法律效力标准。

① 主体合法，即行为人具有相应的民事行为能力。

② 意思表示真实。

③ 合同的内容合法。

④ 合同的内容确定、可能。

2）效力待定合同

所谓效力待定合同，是指合同虽然已经成立，但因其不完全符合有关生效要件的规定，因此其效力能否发生，尚未确定，一般须经有权人表示承认才能生效。《合同法》规定了以下三种情况为效力待定合同：

① 合同的主体不合格；

② 因无权代理而订立的合同；

③ 无处分权的人处分他人财产的合同。

效力选定合同必须在规定的时间内在法律程序上、形式上等达到有效合同的确认条件，或得到权力人的认可后方可确定为有效合同。

3）无效合同

所谓无效合同，是相对于有效合同而言的，它是指合同虽然已经成立，但因其在内容和形式上违反了法律、行政法规的强制性规定和社会公共利益，因此应确认为无效。例如，当事人订立的非法买卖枪支弹药的合同、订立进口"洋垃圾"

的合同等属于违法的无效合同。

由于无效合同从本质上违反了法律规定，因此国家不承认此类合同的法律效力。合同一旦确认无效，就将产生溯及力，使合同自订立之时起就不具有法律效力，以后也不能转化为有效合同。

4）可变更、可撤销的合同

可变更、可撤销合同是指当事人订立合同时，因意思表示不真实，法律允许撤销权人通过行使撤销权而使已经生效的合同归于无效。

可撤销的合同一旦撤销自始无效。经撤销权人提出申请，可撤销的合同一旦被人民法院或仲裁机构予以撤销，该合同的效力自成立时起灭失。

2. 合同的履行

合同的履行，是指债务人全面地、适当地完成其合同义务，债权人的合同债权得到完全实现，如交付约定的标的物，完成约定的工作成果并交付工作成果，提供约定的服务等。

合同的履行遵循"全面适当、诚实信用"原则。

全面适当原则：是指当事人按照合同规定的标的及其质量、数量，由适当原主体在适当的履行期限、履行地点以适当的履行方式，全面完成义务的履行原则。

诚实信用原则：是指当事人讲诚实、守信用，遵守商业道德，以善意的心理履行合同。当事人不仅要保证自己全面履行合同约定的义务，并应顾及对方的经济利益，为对方履行创造条件，发现问题及时协商解决。以较小的履约成本，取得最佳的合同效益。还应根据合同的性质、目的和交易习惯履行通知、协助、保密等义务。

3. 合同的变更和转让

（1）合同的变更

合同的变更是指合同依法成立后尚未履行或尚未完全履行时，由于客观情况发生了变化，使原合同已不能履行或不应履行，经双方当事人同意，依照法律规定的条件和程序，对原合同条款进行的修改或补充。

合同的变更有广义和狭义之分。从广义上讲，是指合同内容和主体发生变化；从狭义上讲，仅指合同内容的变更。从我国《合同法》的规定来看，合同的变更是指狭义的合同变更，即仅指合同内容的变更。而合同主体的变更则称为合同转让。

当事人协商一致是变更合同的一般条件和必要前提。因为合同是在双方当事人协商一致的基础上订立的，是双方当事人意思表示一致的体现。对合同进行变更将使双方当事人权利义务关系发生变化，任何一方均不能将自己的意志强加给对方。未经对方同意而擅自变更合同，不仅不能对合同的另一方产生约束力，而且还可能构成违约。这里所讨论的合同变更，仅指当事人之间的协议变更，不包括人民法院或者仲裁机构根据当事人的请求，变更或撤销因欺诈、胁迫或者乘人之危、重大误解、显失公平而订立的合同的法定变更。

（2）合同的转让

合同转让即合同主体的变更，是指在不改变合同内容的情况下，变更合同的债权人或合同的债务人。

合同权利转让由债权让与人与债权受让人达成协议并通知债务人即可；合同义务转让由债务让与人与债务受让人达成协议，并取得债权人同意即可；合同权利义务的一并转让与合同义务转让相同。法律、法规规定合同转让应当办理批准、登记手续的，应当办理批准登记手续。

合同的权利和义务终止并不影响合同中结算和清理条款的效力。

4. 合同的终止

双方当事人在合同订立完成并生效后由于各种原因会导致合同的终止。

（1）合同终止的原因

1）债务已按照约定履行；

2）合同解除；

3）债务相互抵销；

4）债务人依法将标的物提存；

5）债权人免除债务；

6）债权债务同归于一人。

（2）合同解除

合同解除，是指合同有效成立之后，根据法律规定或因当事人一方的意思表示或者双方的协议，使基于合同发生的民事权利义务关系归于消灭的一种法律行为。

依法成立的合同对当事人产生约束力，订约双方必须按合同的约定行使权利履行义务。合同解除适用于有效成立的合同有两方面的含义：其一，是指合同成立之后履行完毕之前，才存在合同解除的问题；其二，对于无效和可撤销的合同，不存在合同解除的问题，此类合同应由合同无效或撤销制度来调整。

合同解除的条件有法定和约定两种形式。所谓法定的解除条件，是指当事人一方在法定解除合同的条件成立时，直接行使解除权而事先不必征得对方当事人的同意。所谓约定解除条件是指在合同成立后，履行完毕前，当事人可以通过协商，双方达成协议而解除合同。

合同解除时，如果该合同尚未履行，则解除具有溯及力，基于合同发生的权利义务关系全部消灭，当事人双方终止合同的履行即可。如果合同已部分履行，权利人有权要求义务人采取其他补救措施。合同解除后，致使原合同中双方当事人之间所形成的法律关系归于消灭，当事人不必再履行合同所约定的债权债务。

5. 违约责任

违约责任是指当事人一方不履行合同债务或其履行不符合合同约定时，对另一方当事人所应承担的继续履行、采取补救措施或者赔偿损失等民事责任。

《合同法》规定："当事人一方不履行合同义务或者履行合同义务不符合约定的，应当承担继续履行、采取补救措施或者赔偿损失等违约责任"。同时还对违约金、定金等做了规定。根据合同法律关系的特点，承担违反合同的责任方式主要是：

（1）继续履行合同；

（2）采取补救措施；

(3) 赔偿损失；
(4) 支付违约金；
(5) 执行定金罚则的规定。

承担违约责任的原则是补偿性，但有些也同时具有一定的惩罚性，以利于促使当事人认真全面履行合同约定的义务。

6. 合同争议的解决

合同争议的解决方式有四种：和解、调解、仲裁、诉讼。

(1) 和解

当事人通过和解解决争议，是由当事人在自愿互谅的基础上，遵循公平和诚实信用的原则，按照法律、法规的规定，对争议的纠纷通过协商达成一致意见，从而解决争议的方法。

(2) 调解

调解是指合同当事人对合同所约定的权利、义务发生争议，经过协商后，不能达成和解协议时，在经济合同管理机关或有关机关、团体等的主持下，通过对当事人进行说服教育，促使双方互相做出适当的让步，平息争端，自愿达成协议，以求解决经济合同纠纷的方法。

(3) 仲裁

仲裁也称"公断"，是当事人双方在争议发生前或争议发生后达成协议，自愿将争议交给第三者做出裁决，并负有自动履行义务的一种解决争议的方式。

仲裁制度具有自愿、公平合理、独立仲裁、一裁终局等原则。

仲裁委员会的裁决做出后，当事人应当履行。当一方当事人不履行仲裁裁决时，另一方当事人可以依照民事诉讼法的有关规定向人民法院申请执行，接受申请的人民法院应当执行。

(4) 诉讼

诉讼是指合同当事人依法请求人民法院行使审判权，审理双方之间发生的合同争议，做出国家强制保证实现其合法权益，从而解决纠纷的审判活动。合同双方当事人如果未约定仲裁协议，则只能以诉讼作为解决争议的最终方式。

2.2.3 建设工程施工合同

1. 建设工程施工合同的概念

建设工程施工合同是发包方和承包方为完成商定的建筑安装工程，明确相互权利、义务关系的合同。依照建设工程施工合同，承包方应完成一定的建筑、安装工程任务，发包方应提供必要的施工条件并支付工程价款。施工合同与其他建设工程合同一样是一种双务合同，在订立时也应遵守自愿、公平、诚实、信用等原则。

建设工程施工合同是工程建设的主要合同，是工程质量控制、进度控制、投资控制的主要依据。在市场经济条件下，建设市场主体之间相互的权利义务关系主要是通过合同确立的，因此，加强对施工合同的管理具有十分重要的意义。

建设工程施工合同的当事人是发包方和承包方，双方是平等的民事主体。对合同范围内的工程实施建设时，发包方必须具备组织协调能力；承包方必须具备有关部门核定的资质等级并持有营业执照等证明文件。发包方既可以是建设单位，也可以是取得建设项目总承包资格的项目总承包单位。

《建设工程施工合同（示范文本）》等有关文件规定，合同双方应依据招标文件、投标文件签订施工合同。

2. 施工承包合同文件

（1）各种施工合同示范文本一般都由以下3部分组成：

1）协议书；

2）通用条款；

3）专用条款。

（2）构成施工合同文件的组成部分，除了协议书、通用条款和专用条款以外，一般还应该包括：中标通知书、投标书及其附件、有关的标准、规范及技术文件、图纸、工程量清单、工程报价单或预算书等。

（3）作为施工合同文件组成部分的上述各个文件，其优先顺序是不同的，解释合同文件优先顺序的规定一般在合同通用条款内，可以根据项目的具体情况在专用条款内进行调整。原则上应把文件签署日期在后的和内容重要的排在前面，即更加优先。以下是《建设工程施工合同（示范文本）》GF-2017-0201通用条款规定的优先顺序：

1）合同协议书；

2）中标通知书（如果有）；

3）投标函及其附录（如果有）；

4）专用合同条款及其附件；

5）通用合同条款；

6）技术标准和要求；

7）图纸；

8）已标价工程量清单或预算书；

9）其他合同文件。

（4）各种施工合同示范文本的内容

1）词语定义与解释；

2）合同双方的一般权利和义务，包括代表业主利益进行监督管理的监理人员的权力和职责；

3）工程施工的进度控制；

4）工程施工的质量控制；

5）工程施工的费用控制；

6）施工合同的监督与管理；

7）工程施工的信息管理；

8）工程施工的组织与协调；

9）施工安全管理与风险管理等。

（5）主要的词语定义与解释

在《建设工程施工合同（示范文本）》GF-2017-0201的词语定义与解释中，

对"工程和设备"做出如下定义：

1）工程：是指与合同协议书中工程承包范围对应的永久工程和（或）临时工程。

2）永久工程：是指按合同约定建造并移交给发包人的工程，包括工程设备。

3）临时工程：是指为完成合同约定的永久工程所修建的各类临时性工程，不包括施工设备。

4）单位工程：是指在合同协议书中指明的，具备独立施工条件并能形成独立使用功能的永久工程。

5）工程设备：是指构成永久工程的机电设备、金属结构设备、仪器及其他类似的设备和装置。

6）施工设备：是指为完成合同约定的各项工作所需的设备、器具和其他物品，但不包括工程设备、临时工程和材料。

对"日期和期限"的定义如下：

1）开工日期：包括计划开工日期和实际开工日期。计划开工日期是指合同协议书约定的开工日期；实际开工日期是指监理人按照《建设工程施工合同（示范文本）》第7.3.2项（开工通知）约定发出的符合法律规定的开工通知中载明的开工日期。

2）竣工日期：包括计划竣工日期和实际竣工日期。计划竣工日期是指合同协议书约定的竣工日期；实际竣工日期按照《建设工程施工合同（示范文本）》第13.2.3项（竣工日期）的约定确定。

3）工期：是指在合同协议书约定的承包人完成工程所需的期限，包括按照合同约定所作期限变更。

4）缺陷责任期：是指承包人按照合同约定承担缺陷修复义务，且发包人预留质量保证金的期限，自工程实际竣工日期起计算。

5）保修期：是指承包人按照合同约定对工程承担保修责任的期限，从工程竣工验收合格之日起计算。

6）基准日期：招标发包的工程以投标截止日前28天的日期为基准日期，直接发包的工程以合同签订日前28天的日期为基准日期。

7）天：除特别指明外，均指日历天。合同中按天计算时间的，开始当天不计入，从次日开始计算，期限最后一天的截止时间为当天24：00。

对"合同价格和费用"的定义如下：

1）签约合同价：是指发包人和承包人在合同协议书中确定的总金额，包括安全文明施工费、暂估价及暂列金额等。

2）合同价格：是指发包人用于支付承包人按照合同约定完成承包范围内全部工作的金额，包括合同履行过程中按合同约定发生的价格变化。

3）费用：是指为履行合同所发生的或将要发生的所有必需的开支，包括管理费和应分摊的其他费用，但不包括利润。

4）暂估价：是指发包人在工程量清单或预算书中提供的用于支付必然发生但暂时不能确定价格的材料、工程设备的单价、专业工程以及服务工作的金额。

5）暂列金额：是指发包人在工程量清单或预算书中暂定并包括在合同价格中的一笔款项，用于工程合同签订时尚未确定或者不可预见的所需材料、工程设备、服务的采购，施工中可能发生的工程变更、合同约定调整因素出现时的合同价格调整以及发生的索赔、现场签证确认等的费用。

6）计日工：是指合同履行过程中，承包人完成发包人提出的零星工作或需要采用计日工计价的变更工作时，按合同中约定的单价计价的一种方式。

7）质量保证金：是指按照《建设工程施工合同（示范文本）》第15.3款（质量保证金）约定承包人用于保证其在缺陷责任期内履行缺陷修补义务的担保。

8）总价项目：是指在现行国家、行业以及地方的计量规则中无工程量计算规则，在已标价工程量清单或预算书中以总价或以费率形式计算的项目。

3. 建设工程施工合同的类型

（1）按照承发包方式分类

1）勘察、设计或施工总承包合同

勘察、设计或施工总承包，是指发包方将全部勘察、设计或施工任务发包给一个勘察、设计单位或一个施工单位作为总承包方，经发包方同意，总承包方可以将勘察、设计或施工任务的一部分分包给其他符合资质的分包人。由此签订的协议即为勘察、设计或施工总承包合同。

2）单位工程施工承包合同

单位工程施工承包，是指在一些大型、复杂的建设工程中，发包方可以将专业性很强的单位工程发包给不同的承包方，与承包方分别签订土木工程施工合同、电气与机械工程承包合同，这些承包方之间为平行关系。单位工程施工承包合同常见于大型工业建筑安装工程。由此签订的协议即为单位工程施工承包合同。

3）工程项目总承包合同

工程项目总承包，是指建设单位将包括工程设计、施工、材料和设备采购等一系列工作打包后全部发包给一家承包单位，由其进行实质性设计、施工和采购工作，最后向建设单位交付具有使用功能的工程项目。工程项目总承包实施过程可依法将部分工程分包。由此签订的协议即为工程项目总承包合同。

4）BOT合同，又称特许权协议书

BOT（Build-Operate-Transfer）承包模式，即建造-运营-移交。是指由政府或政府授权的机构授予承包方在一定的期限内，以自筹资金建设项目并自费经营和维护，向东道国出售项目产品或服务，收取价款或酬金，期满后将项目全部无偿移交东道国政府的工程承包模式，由此签订的协议即为BOT合同。

（2）按照承包工程计价方式分类

1）总价合同

总价合同一般要求投标人按照招标文件要求报一个总价，在这个价格下完成合同规定的全部项目。

2）单价合同

单价合同是指根据发包方提供的资料，双方在合同中确定每一单项工程单价，结算则按实际完成工程量乘以每项工程单价计算。

3）成本加酬金合同

成本加酬金合同是指发包方按实际支出支付建造成本，另外向承包方支付一定数额或百分比的管理费和商定的利润。

4．建设工程施工合同的主要内容

（1）《建设工程施工合同（示范文本）》组成

《建设工程施工合同（示范文本）》（以下简称《施工合同文本》）是各类公用建筑、民用住宅、工业厂房、交通设施及线路管道的施工和设备安装合同的样本。

《施工合同文本》由《协议书》《通用条款》《专用条款》三部分组成，并附有三个附件：《承包方承揽工程项目一览表》《发包方供应材料设备一览表》《工程质量保修书》。

《协议书》是《施工合同文本》中总纲性的文件。虽然其文字量并不大，但它规定了合同当事人双方最主要的权利义务，规定了组成合同的文件及合同当事人对履行合同义务的承诺，合同当事人在《协议书》上签字盖章，因此具有很高的法律效力。

《通用条款》是根据《合同法》《建筑法》《建设工程施工合同管理办法》等法律、法规对承发包双方的权利义务做出的规定，除双方协商一致对其中的某些条款作了修改、补充或取消外，双方都必须履行。它是将建设工程施工合同中共性的一些内容抽象出来编写的一份完整的合同文件。《通用条款》具有很强的通用性，基本适用于各类建设工程。由于工程的内容各不相同，工期、造价也随之变动，承包、发包方各自的能力、施工现场的环境和条件也各不相同，《通用条款》不能完全适用于各个具体工程，因此以《专用条款》对其作必要的修改和补充，使《通用条款》和《专用条款》成为双方统一意愿的体现。

《施工合同文本》的附件则是对施工合同当事人的权利义务的进一步明确，并且使得施工合同当事人的有关工作一目了然，便于执行和管理。

（2）施工合同文件的组成

组成建设工程施工合同的文件包括：

1）施工合同协议书；

2）中标通知书；

3）投标书及其附件；

4）施工合同专用条款；

5）施工合同通用条款；

6）标准、规范及有关技术文件；

7）图纸；

8）工程量清单；

9）工程报价单或预算书。

双方有关工程的洽商、变更等书面协议或文件视为协议书的组成部分。

上述合同文件应能够互相解释、互相说明。当合同文件中出现不一致时，上面的顺序就是合同的优先解释顺序。当合同文件出现含糊不清或者当事人有不同理解时，按照合同争议的解决方式处理。

(3) 建设工程施工合同参与各方权利与义务

1) 发包方的权利与义务

发包方根据专用条款约定的内容和时间，应分阶段或一次完成以下工作：

① 办理土地征用、拆迁补偿、平整施工场地等工作，使施工场地具备施工条件，并在开工后继续解决以上事项的遗留问题。

② 将施工所需水、电、电信线路从施工场地外部接至专用条款约定地点，并保证施工期间的需要。

③ 开通施工场地与城乡公共道路的通道，以及专用条款约定的施工场地内的主要交通干道，满足施工运输的需要，并保证施工期间的畅通。

④ 向承包方提供施工场地的工程地质和地下管线资料，保证数据真实，位置准确，对资料的真实性和准确性负责。

⑤ 办理施工许可证和临时用地、停水、停电、中断道路交通、爆破作业以及可能损坏道路、管线、电力、通信等公共设施的申请批准手续及其他施工所需的证件。

⑥ 确定水准点与坐标控制点，以书面形式交给承包方，并进行现场交验。

⑦ 组织承包方和设计单位进行图纸会审和设计交底。

⑧ 协调处理施工现场周围地下管线和邻近建筑物、构筑物（包括文物保护建筑）、古树名木的保护工作，并承担有关费用。

⑨ 发包方应做的其他工作，双方在专用条款内约定。

发包方可以将上述部分工作委托承包方办理，具体内容由双方在专用条款内约定，其费用由发包方承担。

发包方不按合同约定完成以上义务，导致工期延误或给承包方造成损失的，赔偿承包方的有关损失，延误的工期相应顺延。

2) 承包方的权利与义务

承包方应按专用条款约定的内容和时间完成以下工作：

① 根据发包方的委托，在其设计资质允许的范围内，完成施工图设计或与工程配套的设计，经工程师确认后使用，发生的费用由发包方承担。

② 向工程师提供年、季、月工程进度计划及相应进度统计报表。

③ 按工程需要提供和维修非夜间施工使用的照明、围栏设施，并负责安全保卫。

④ 按专用条款约定的数量和要求，向发包方提供在施工现场办公和生活的房屋及设施，发生的费用由发包方承担。

⑤ 遵守有关部门对施工场地交通、施工噪声以及环境保护和安全生产等的管理规定，按管理规定办理有关手续，并以书面形式通知发包方。发包方承担由此发生的费用，因承包方责任造成的罚款除外。

⑥ 已竣工工程未交付发包方之前，承包方按专用条款约定负责已完工程的成品保护工作，保护期间发生损坏，承包方自费予以修复。要求承包方采取特殊措施保护的工程部位和相应的追加合同价款，在专用条款内约定。

⑦ 按专用条款的约定做好施工现场地下管线和邻近建筑物、构筑物（包括文

物保护建筑)、古树名木的保护工作。

⑧ 保证施工场地清洁并符合环境卫生管理的有关规定。交工前清理现场达到专用条款约定的要求,承担因自身原因违反有关规定造成的损失和罚款。

⑨ 承包方应做的其他工作,双方在专用条款内约定。

承包方应按合同条款约定的义务,全面适当地履行合同,否则,造成发包方损失时,应对发包方的损失给予赔偿。

3) 工程师的产生及职责

工程师包括监理单位委派的总监理工程师或者发包方指定的履行合同的负责人两种情况。如果发包方更换代表,至少于更换前 7 天以书面形式通知承包方,后任继续履行合同文件约定的前任的权利和义务,不得更改前任做出的书面承诺。

工程师在施工合同的履行过程中,应当承担以下职责:

① 工程师委派具体管理人员。在施工过程中,工程师可委派工程师代表等具体管理人员,行使自己的部分权利和职责。工程师代表在工程师授权范围内向承包方发出的任何书面形式的函件,与工程师发出的函件效力相同。当工程师代表发出指令失误时,工程师可以纠正。除工程师和工程师代表外,发包方驻工地的其他人员无权向承包方发出任何指令。

② 工程师发布指令、通知。工程师的指令、通知由其本人签字后,以书面形式交给项目经理,项目经理在回执上签署姓名和收到时间后生效。

③ 工程师应当及时完成自己的职责。工程师应按合同约定,及时向承包方提供所需指令、批示、图纸并履行其他约定的义务,否则承包方在约定时间后 24 小时内将具体要求、需要的理由和延误的后果通知工程师,工程师收到通知后 48 小时内不予答复,应承担延误造成的追加合同价款,并赔偿承包方有关损失,顺延延误的工期。

④ 工程师做出处理决定。在合同履行中,发生影响承发包双方权利或义务的事件时,负责监理的工程师应依据合同在其职权范围内客观、公正地进行处理。为保证施工正常进行,承发包双方应尊重工程师的决定。双方对工程师的处理有异议时,按照合同约定争议处理办法解决。

⑤ 关于口头指令。在施工过程中工程师认为确有必要时,可发出口头指令,并在 48 小时内给予书面确认,承包方对工程师的指令应予执行。工程师不能及时给予书面确认,承包方应于工程师发出口头指令后 7 天内提出书面确认要求。工程师在承包方提出确认要求后 48 小时内不予答复,应视为承包方要求已被确认。

⑥ 有争议的指令。承包方认为工程师指令不合理,应在收到指令后 24 小时内提出书面申告,工程师在收到承包方申告后 24 小时内做出修改指令或继续执行原指令的决定,并以书面形式通知承包方。紧急情况下,工程师要求承包方立即执行的指令或承包方虽有异议,但工程师决定仍继续执行的指令,承包方应予执行。因工程师指令错误发生的费用和给承包方造成的损失由发包方承担,延误的工期相应顺延。

4) 项目经理的产生和职责

项目经理是由承包单位法定代表人授权的,派驻施工场地的承包方的总负责人，代表承包方负责工程施工的组织和实施。

项目经理在施工合同的履行过程中有权代表承包方向发包方提出要求和通知，组织施工，并按工程师认可的施工组织设计（或施工方案）和依据合同发出的指令、要求组织施工。

在情况紧急且无法与工程师联系时，应当采取保证人员生命和工程财产安全的紧急措施，并在采取措施后48小时内向工程师送交报告。责任在发包方和第三方的，由发包方承担由此发生的追加合同价款，相应顺延工期；责任在承包方的，由承包方承担费用，不顺延工期。

5. 施工合同的实施

（1）施工组织设计和工期

承包方应当按专用条款约定的日期，将施工组织设计和工程进度计划提交工程师。群体工程中采取分阶段进行施工的单项工程，承包方则应按照发包方提供图纸及有关资料的时间，按单项工程编制进度计划，分别向工程师提交。工程师接到承包方提交的进度计划后，应当予以确认或者提出修改意见。工程师对进度计划予以确认或者提出修改意见，并不免除承包方施工组织设计和工程进度计划本身的缺陷所应承担的责任。

承包方应当按协议书约定的开工日期开始施工。承包方不能按时开工，应在不迟于协议书约定的开工日期前7天，以书面形式向工程师提出延期开工的理由和要求。工程师在接到延期开工申请后的48小时内以书面形式答复承包方。工程师在接到延期开工申请后的48小时内不答复，视为同意承包方的要求，工期相应顺延。因发包方的原因不能按照协议书约定的开工日期开工，工程师以书面形式通知承包方后，可推迟开工日期。承包方对延期开工的通知没有否决权，但发包方应当赔偿承包方因此造成的损失，相应顺延工期。

承包方应当按照合同约定完成工程施工，如果由于其自身的原因造成工期延误，应当承担违约责任。因以下原因造成工期延误，经工程师确认，工期相应顺延：

1）发包方不能按专用条款的约定提供开工条件；

2）发包方不能按约定日期支付工程预付款、进度款，致使工程不能正常进行；

3）设计变更和工程量增加；

4）一周内非承包方原因停水、停电、停气造成停工累计超过8小时；

5）不可抗力事件；

6）专用条款中约定或工程师同意工期顺延的其他情况。

承包方在工期可以顺延的情况发生后14天内，应将延误的工期向工程师提出书面报告。工程师在收到报告后14天内予以确认答复，逾期不予答复，视为报告要求已经被确认。

（2）施工质量和检验

施工合同的质量控制涉及许多方面的因素，是合同履行中的重要环节，任何一个方面的缺陷和疏漏，都会对工程质量造成不良影响。工程质量应当达到协议书约定的质量标准，质量标准的评定以国家或者行业的质量检验评定标准为准。达不到约定标准的工程部分，工程师一经发现，可要求承包方返工，承包方应当按照工程师的要求返工，直到符合约定标准。

1）施工过程中的检查和返工

承包方应认真按照标准、规范和设计要求以及工程师依据合同发出的指令施工，随时接受工程师及其委派人员的检查、检验，为检查、检验提供便利条件，并按工程师及其委派人员的要求返工、修改，承担由于自身原因导致返工、修改的费用。

检查、检验不应影响施工正常进行，如影响施工正常进行，检查、检验不合格时，影响正常施工的费用由承包方承担。除此之外，影响正常施工的追加合同价款由发包方承担，相应顺延工期。

检查、检验合格后，又发现因承包方引起的质量问题，由承包方承担责任，赔偿发包方的直接损失，工期不予顺延。

2）隐蔽工程和中间验收

工程具备隐蔽条件和达到专用条款约定的中间验收部位，承包方进行自检，并在隐蔽和中间验收前48小时以书面形式通知工程师验收。承包方准备验收记录，验收合格，工程师在验收记录上签字后，承包方可进行隐蔽和继续施工。验收不合格，承包方在工程师限定的时间内修改后重新验收。

工程质量符合标准、规范和设计图纸等的要求，验收24小时后，工程师不在验收记录上签字，视为工程师已经批准，承包方可进行隐蔽或者继续施工。

3）重新检验

工程师不能按时参加验收，须在开始验收前24小时向承包方提出书面延期要求，延期不能超过2天。工程师未能按以上时间提出延期要求，不参加验收，承包方可自行组织验收，发包方应承认验收记录。

无论工程师是否参加验收，当其提出对已经隐蔽的工程重新进行检验的要求时，承包方应按要求进行剥露或者开孔，并在检验后重新覆盖或者修复。

检验合格，发包方承担由此发生的全部追加合同价款，赔偿承包方损失，并相应顺延工期。检验不合格，承包方承担发生的全部费用，工期不予顺延。

4）试车

设备安装工程，应当组织试车，试车内容应与承包方承包的安装范围一致。

5）材料设备供应

对建筑材料、构配件生产及设备的供应，由供应方对其生产或者供应的产品质量负责，需方则应根据买卖合同的规定进行质量验收。

承包方需要使用代用材料时，须经工程师认可后方可使用，由此增减的合同价款应由双方以书面形式议定。

（3）合同价款与支付

1）施工合同价款及调整

合同价款应依据中标通知书中的中标价格和非招标工程的工程预算书确定。合同价款在协议书内约定后，任何一方不得擅自改变。合同价款可以按照固定价格合同、可调价格合同、成本加酬金合同三种方式约定。可调价格合同中价款调整的范围包括：

① 国家法律、行政法规和国家政策变化影响合同价款；

② 工程造价管理部门公布的价格调整；

③ 一周内非承包方原因停水、停电、停气造成停工累计超过 8 小时；

④ 双方约定的其他调整或增减。

2) 工程预付款

工程预付款主要是用于采购建筑材料。预付额度，建筑工程一般不得超过当年建筑工程工作量的 30%，大量采用预制构件以及工期在 6 个月以内的工程可以适当增加；安装工程一般不得超过当年安装工程量的 10%，安装材料用量较大的工程可以适当增加。预付时间应不迟于约定的开工日期前 7 天。发包方不按约定预付，承包方在约定预付时间 7 天后向发包方发出要求预付的通知，发包方收到通知后仍不能按要求预付，承包方可在发出通知后 7 天停止施工，发包方应从约定应付之日起向承包方支付应付款的贷款利息，并承担违约责任。

3) 工程量的确认

对承包方已完成工程量的核实确认，是发包方支付工程款的前提，其具体的确认程序如下：首先，承包方向工程师提交已完工程量的报告。然后，工程师进行计量。工程师接到报告后 7 天内按设计图纸核实已完工程量，并在计量前 24 小时通知承包方，承包方为计量提供便利条件并派人参加。承包方不参加计量，发包方自行进行计量，结果有效，作为工程价款支付的依据。

4) 工程款（进度款）支付

发包方应当在双方计量确认后 14 天内，向承包方支付工程款（进度款）。同期用于工程上的发包方供应材料设备的价款，以及按约定时间发包方应按比例扣回的预付款，与工程款（进度款）同期结算。合同价款调整、设计变更调整的合同价款及追加的合同价款，应与工程款（进度款）同期调整支付。

（4）竣工验收与结算

1) 竣工验收中承发包双方的具体工作程序和责任

当工程具备竣工验收条件时，承包方应按国家工程竣工验收有关规定，向发包方提供完整的竣工资料及竣工验收报告。双方约定由承包方提供竣工图的，应当在专用条款内约定提供的日期和份数。

发包方收到竣工验收报告后 28 天内组织有关部门验收，并在验收后 14 天内给予认可或提出修改意见。承包方按要求修改。由于承包方原因，工程质量达不到约定的质量标准，承包方承担违约责任。因特殊原因，发包方要求部分单位工程或者工程部位须甩项竣工时，双方另行签订甩项竣工协议，明确双方责任和工程价款的支付办法。市政工程未经验收或验收不合格，不得交付使用。发包方强行使用的，由此发生的质量问题及其他问题，由发包方承担责任。

2) 竣工结算

工程竣工验收报告经发包方认可后 28 天内，承包方向发包方递交竣工结算报告及完整的结算资料。工程竣工验收报告经发包方认可后 28 天内，承包方未能向发包方递交竣工结算报告及完整的结算资料,造成工程竣工结算不能正常进行或工程竣工结算价款不能及时支付,发包方要求交付工程的,承包方应当交付;发包方不要求交付工程的,承包方承担保管责任。

发包方自收到竣工结算报告及结算资料后 28 天内进行核实,确认后支付工程竣工结算价款。承包方收到竣工结算价款后 14 天内将竣工工程交付发包方。

3) 质量保修

市政工程办理竣工验收手续后,在规定的期限内,因勘察、设计、施工、材料等原因造成的质量缺陷,应当由施工单位负责维修。所谓质量缺陷是指工程不符合国家或行业现行的有关技术标准、设计文件以及合同中对质量的要求。

4) 安全施工

发包方按工程质量、安全及消防管理有关规定组织施工,采取严格的安全防护措施,承担由于自身的安全措施不力造成事故的责任和因此发生的费用。非承包方责任造成的安全事故,由责任方承担责任和发生的费用。

发生重大伤亡及其他安全事故,承包方应按有关规定立即上报有关部门并通知工程师,同时按政府有关部门要求处理,发生的费用由事故责任方承担。

承包方在动力设备、输电线路、地下管道、密封防震车间、易燃易爆地段以及临街交通要道附近施工时,施工开始前应向工程师提出安全保护措施,经工程师认可后实施,保护措施费用由发包方承担。

实施爆破作业,在放射、毒害性环境中施工(含存储、运输、使用)及使用毒害性、腐蚀性物品施工时,承包方应在施工前 14 天以书面形式通知工程师,并提出相应的安全保护措施,经工程师认可后实施。安全保护措施费用由发包方承担。

5) 不可抗力事件

不可抗力事件是指合同当事人不能预见、不能避免并不能克服的客观情况。

不可抗力事件发生后对施工合同的履行会造成较大的影响,因不可抗力事件导致的费用及延误的工期由双方按以下方法分别承担:

① 工程本身的损害、第三方人员伤亡和财产损失以及运至施工场地用于施工的材料和待安装的设备的损害,由发包方承担;

② 承发包双方人员伤亡由其所在单位负责,并承担相应费用;

③ 承包方施工机械设备损坏及停工损失,由承包方承担;

④ 停工期间,承包方应工程师要求留在施工场地的必要的管理人员及保卫人员的费用由发包方承担;

⑤ 工程所需清理、修复费用,由发包方承担;

⑥ 延误的工期相应顺延。

因合同一方迟延履行合同后发生不可抗力的,不能免除相应责任。

6) 保险

虽然我国对工程保险(主要是施工过程中的保险)没有强制性的规定,但随着业主负责制的推行,以前存在着事实上由国家承担不可抗力风险的情况将会有很大改变。工程项目参加保险的情况会越来越多。

双方的保险义务分担如下：

① 工程开工前，发包方应当为工程和施工场地内发包方人员及第三方人员生命财产办理保险，支付保险费用。发包方可以将上述保险事项委托承包方办理，但费用由发包方承担。

② 承包方必须为从事危险作业的职工办理意外伤害保险，并为施工场地内自有人员生命财产和施工机械设备办理保险，支付保险费用。

③ 运至施工场地内用于工程的材料和待安装设备，不论由承发包双方任何一方保管，都应由发包方（或委托承包方）办理保险，并支付保险费用。

保险事故发生时，承发包双方有责任尽力采取必要的措施，防止或者减少损失。

7) 担保

承发包双方为了全面履行合同，应互相提供以下担保：

① 发包方向承包方提供履约担保，按合同约定支付工程价款及履行合同约定的其他义务。

② 承包方向发包方提供履约担保，按合同约定履行自己的各项义务。

8) 专利技术及特殊工艺

发包方要求使用专利技术或特殊工艺，须负责办理相应的申报手续，承担申报、试验、使用等费用。承包方按发包方要求使用，并负责试验等有关工作。承包方提出使用专利技术或特殊工艺，报工程师认可后实施。

9) 文物和地下障碍物

在施工中发现古墓、古建筑遗址、钱币等文物及化石或其他有考古、地质研究等价值的物品时，承包方应立即保护好现场并于4小时内以书面形式通知工程师，工程师应于收到书面通知后24小时内报告当地文物管理部门，发包方、承包方按文物管理部门要求采取妥善保护措施。发包方承担由此发生的费用，延误的工期相应顺延。

施工中发现影响施工的地下障碍物时，承包方应于8小时内以书面形式通知工程师，同时提出处置方案，工程师接到处置方案后24小时内予以认可或提出修正方案。发包方承担由此发生的费用，延误的工期相应顺延。

(5) 合同解除

施工合同订立后，当事人应当按照合同的约定履行。出现下列情形之一的，施工合同可以解除：

1) 协商解除。施工合同当事人协商一致，可以解除。

2) 不可抗力导致合同的解除。因为不可抗力或者非合同当事人的原因，造成工程停建或缓建，致使合同无法履行，合同双方可以解除合同。

3) 由于当事人违约导致合同的解除。合同当事人出现以下违约时，可以解除合同：

① 当事人不按合同约定支付工程款（进度款），双方又未达成延期付款协议，导致施工无法进行，承包方停止施工超过56天，发包方仍不支付工程款（进度款），承包方有权解除合同；

② 承包方将其承包的全部工程转包给他人，发包方有权解除合同；
③ 合同当事人一方的其他违约致使合同无法履行，合同双方可以解除合同。
合同解除后，当事人双方约定的结算和清理条款仍然有效。承包方应当按照发包方要求妥善做好已完工程和已购材料、设备的保护和移交工作。
（6）违约责任
1）发包方的违约责任
发包方不按约定预付工程款，承包方有权在约定预付时间 7 天后向发包方发出要求预付的通知，发包方收到通知后仍不能按要求预付，承包方可以在发出通知后 7 天停止施工，发包方应当从约定应付之日起向承包方支付应付款的贷款利息，并承担违约责任。

发包方超过约定的支付时间不支付工程进度款，承包方可向发包方发出要求付款的通知，发包方在收到承包方通知后仍不能按要求支付，可与承包方协商签订延期付款协议，经承包方同意后可以延期支付。发包方不按合同约定支付工程款（进度款），双方又未达成延期付款协议，导致施工无法进行，承包方可停止施工，由发包方承担违约责任。

发包方收到竣工结算报告及结算资料后 28 天内无正当理由不支付工程竣工结算价款，从第 29 天起按承包方同期向银行贷款利率支付拖欠工程价款的利息，并承担违约责任。发包方在收到竣工结算报告及结算资料后 56 天内仍不支付的，承包方可以与发包方协议将该工程折价，也可以由承包方申请人民法院将该工程依法拍卖，承包方就该工程折价或者拍卖的价款优先受偿。

发包方不按合同约定支付各项价款或工程师不能及时给出必要的指令、确认等，致使合同无法履行，发包方承担违约责任，赔偿因其违约给承包方造成的直接损失，延误的工期相应顺延。

发包方不履行合同义务或者不按合同约定履行其他义务，发包方承担违约责任，赔偿因其违约给承包方造成的直接损失，延误的工期相应顺延。

2）承包方的违约责任
承包方不能按合同工期竣工，工程质量达不到约定的质量标准，或由于承包方原因致使合同无法履行，承包方承担违约责任，赔偿因其违约给发包方造成的损失。

（7）争议的解决
在履行施工合同发生争议时，双方可以和解或者要求合同管理及其他有关主管部门调解。和解或调解不成的，双方可达成仲裁协议，向约定的仲裁委员会申请仲裁，或向有管辖权的人民法院起诉。

发生争议后，在一般情况下，双方都应继续履行合同，保持施工连续，保护好已完工程。当出现下列情况时，当事人可停止履行施工合同：
1）单方违约导致合同确已无法履行，双方协议停止施工；
2）调解要求停止施工，且为双方接受；
3）仲裁机关裁决停止施工；
4）法院判决停止施工。

6. 建设工程分包合同的主要内容
(1) 建设工程分包的概念

建设工程分包是指施工总承包企业将所承包建设工程中的专业工程或劳务作业发包给其他建筑业企业完成的活动。分包分为专业工程分包和劳务作业分包。

专业承包序列企业资质设 2 至 3 个等级，60 个资质类别，其中常用类别有：地基与基础、建筑装饰装修、建筑幕墙、钢结构、机电设备安装、电梯安装、消防设施、建筑防水、防腐保温、园林古建筑、爆破与拆除、电信工程、管道工程等。

劳务分包序列企业资质设 1 至 2 个等级，13 个资质类别，其中常用类别有：木工作业、砌筑作业、抹灰作业、油漆作业、钢筋作业、混凝土作业、脚手架作业、模板作业、焊接作业、水暖电安装作业等。如同时发生多类作业可划分为结构劳务作业、装修劳务作业、综合劳务作业。

1) 分包合同的签订

承包方必须自行完成建设项目（单项工程或单位工程）的主要部分，其非主要部分或专业性较强的工程可分包给营业条件符合该工程技术要求的建筑安装单位。结构和技术要求相同的群体工程，承包方应自行完成半数以上的单位工程。承包方按专用条款的约定分包所承包的部分工程，并与分包单位签订分包合同。

2) 分包合同的履行

工程分包不能解除承包方任何责任与义务。承包方应在分包场地派驻相应监督管理人员，保证本合同的履行。分包单位的任何违约行为、安全事故或疏忽导致工程损害或给发包方造成其他损失，承包方承担连带责任。

(2) 关于分包的法律禁止性规定

1) 违法分包

根据《建设工程质量管理条例》的规定，违法分包指下列行为：总承包单位将建设工程分包给不具备相应资质条件的单位，包括不具备资质条件和超越自身资质等级承揽业务两类情况；建设工程总承包合同中未有约定，又未经建设单位认可，承包单位将其承包的部分建设工程交由其他单位完成的；施工总承包单位将建设工程主体结构的施工分包给其他单位的；分包单位将其承包的建设工程再分包的。

2) 转包

转包是指承包单位承包建设工程后，不履行合同约定的责任和义务，将其承包的全部建设工程转给他人或者将其承包的全部工程肢解后以分包的名义分别转给他人承包的行为。

3) 挂靠

挂靠是与违法分包和转包密切相关的另一种违法行为，包括：转让、出借资质证书或者以其他方式允许他人以本企业名义承揽工程；项目管理机构的项目经理、技术负责人、项目核算负责人、质量管理人员、安全管理人员等不是本单位人员，与本单位无合法的人事或者劳动合同、工资福利以及社会保险关系；建设单位的工程款直接进入项目管理机构财务。

(3)《建设工程施工专业分包合同（示范文本）》的主要内容

《建设工程施工专业分包合同（示范文本）》GF—2003—0213 由《协议书》《通用条款》《专用条款》三部分组成。

1)《协议书》内容

① 分包工程概况，包括分包工程名称；分包工程地点；分包工程承包范围；

② 分包合同价款；

③ 工期，包括开工日期；竣工日期 ；合同工期总日历天数；

④ 工程质量标准；

⑤ 组成合同的文件，包括：协议书；中标通知书；分包人的报价书；除总包合同工程价款之外的总包合同文件；专用条款；通用条款；工程建设标准、图纸及有关技术文件；合同履行过程中承包方和分包人协商一致的其他书面文件；

⑥ 协议书中有关词语含义与《通用条款》中分别赋予它们的定义相同；

⑦ 分包人按照合同约定的工期和质量标准，完成协议书约定的工程，并在质量保修期内承担保修责任；履行总包合同中与分包工程有关的承包方的所有义务，并与承包方承担履行分包工程合同以及确保分包工程质量的连带责任。承包方按照合同约定的期限和方式，支付协议书约定的合同价款及其他应当支付的款项。

⑧ 合同的生效。

2)《通用条款》内容

词语定义及合同文件；双方一般权利和义务；工期；质量与安全；合同价款与支付；工程变更；竣工验收与结算；违约、索赔及争议；保障、保险及担保；其他（材料设备供应、文件、不可抗力、分包合同解除、合同生效与终止、合同价数和补充条款等）规定。

3)《专用条款》内容

《专用条款》与《通用条款》是相对应的，《专用条款》的具体内容是将承包方与分包人协商工程的具体要求填写在合同文本中，建设工程专业分包合同《专用条款》的解释优于《通用条款》。

(4) 劳务分包合同的主要内容

《建设工程施工劳务分包合同（示范文本）》GF—2003—0214 规范了劳务分包合同的主要内容。

1) 劳务分包合同主要条款

劳务分包合同主要包括：劳务分包人资质情况；劳务分包工作对象及提供劳务内容；分包工作期限；质量标准；合同文件及解释顺序；标准规范；总（分）包合同；图纸；项目经理；工程承包方义务；劳务分包人义务；安全施工与检查；安全防护；事故处理；保险；材料、设备供应；劳务报酬；工程量及工程量的确认；劳务报酬的中间支付；施工机具、周转材料供应；施工变更；施工验收；施工配合；劳务报酬最终支付；违约责任；索赔；争议；禁止转包或再分包；不可抗力；文物和地下障碍物；合同解除；合同终止；合同价数；补充条款；合同生效。

2) 工程承包方与劳务分包人的义务

① 工程承包方的义务

组建与工程相适应的项目管理班子，全面履行总（分）包合同，组织实施施工管理的各项工作，对工程的工期和质量向发包方负责。

除非另有约定，工程承包方完成劳务分包人施工前期的下列工作并承担相应费用：向劳务分包人交付具备劳务作业开工条件的施工场地；完成水、电、热、电信等施工管线和施工道路，并满足完成劳务作业所需的能源供应、通信及施工道路畅通的时间和质量要求；向劳务分包人提供相应的工程地质和地下管网线路资料；办理下列工作手续：各种证件、批件、规费，但涉及劳务分包人自身的手续除外；向劳务分包人提供相应的水准点与坐标控制点位置；向劳务分包人提供生产、生活临时设施。

工程承包方负责编制施工组织设计，统一制定各项管理目标，组织编制年、季、月施工计划、物资需用量计划表，实施对工程质量、工期、安全生产、文明施工，计量分析、实验化验的控制、监督、检查和验收；负责工程测量定位、沉降观测、技术交底，组织图纸会审，统一安排技术档案资料的收集整理及交工验收；统筹安排、协调解决非劳务分包人独立使用的生产、生活临时设施、工作用水、用电及施工场地；按时提供图纸，及时交付应由工程承包方提供的材料、设备，保证施工需要；负责与发包方、监理、设计及有关部门联系，协调现场工作关系。

按合同约定，向劳务分包人支付劳动报酬。

② 劳务分包人义务

对劳务分包范围内的工程质量向工程承包方负责，组织具有相应资格证书的熟练工人投入工作；未经工程承包方授权或允许，不得擅自与发包方及有关部门建立工作联系；自觉遵守法律法规及有关规章制度。

劳务分包人根据施工组织设计总进度计划的要求按约定的日期提交下月施工计划，有阶段工期要求的提交阶段施工计划，必要时按工程承包方要求提交旬、周施工计划，以及与完成上述阶段、时段施工计划相应的劳动力安排计划，经工程承包方批准后严格实施。

严格按照设计图纸、施工验收规范、有关技术要求及施工组织设计精心组织施工，确保工程质量达到约定的标准；科学安排作业计划，投入足够的人力、物力，保证工期；加强安全教育，认真执行安全技术规范，严格遵守安全制度，落实安全措施，确保施工安全；加强现场管理，严格执行建设主管部门及环保、消防、环卫等有关部门对施工现场的管理规定，做到文明施工；承担由于自身责任造成的质量修改、返工、工期拖延、安全事故、现场脏乱造成的损失及各种罚款。

自觉接受工程承包方及有关部门的管理、监督和检查；接受工程承包方随时检查其设备、材料保管、使用情况，及其操作人员的有效证件、持证上岗情况；与现场其他单位协调配合，照顾全局。

按工程承包方统一规划堆放材料、机具，按工程承包方标准化工地要求设置标牌，搞好生活区的管理，做好自身责任区的治安保卫工作。

按时提交报表、完整的原始技术经济资料，配合工程承包方办理交工验收。

做好施工场地周围建筑物、构筑物、地下管线和已完工程部分的成品等保护工作，因劳务分包人责任发生损坏，劳务分包人自行承担由此引起的一切经济损失及各种罚款。

妥善保管、合理使用工程承包方提供或租赁给劳务分包人使用的机具、周转材料及其他设施。

劳务分包人须服从工程承包方转发的发包方及工程师的指令。

除非另有约定，劳务分包人应对其作业内容的实施、完工负责，劳务分包人应承担并履行总（分）包合同约定的、与劳务作业有关的所有义务及工作程序。

3）安全防护及保险

① 安全防护

劳务分包人在动力设备、输电线路、地下管道、密封防震车间、易燃易爆地段以及临街交通要道附近施工时，施工开始前应向工程承包方提出安全防护措施，经工程承包方认可后实施，防护措施费用由工程承包方承担。

实施爆破作业，在放射、毒害性环境中工作（含储存、运输、使用）及使用毒害性、腐蚀性物品施工时，劳务分包人应在施工前10天以书面形式通知工程承包方，并提出相应的安全防护措施，经工程承包方认可后实施，由工程承包方承担安全防护措施费用。

劳务分包人在施工现场内使用的安全保护用品（如安全帽、安全带及其他保护用品），由劳务分包人提供使用计划，经工程承包方批准后，由工程承包方负责供应。

② 保险

劳务分包人施工开始前，工程承包方应获得发包方为施工场地内的自有人员及第三方人员生命财产办理的保险，且不需劳务分包人支付保险费用。

运至施工场地用于劳务施工的材料和待安装设备，由工程承包方办理或获得保险，且不需劳务分包人支付保险费用。

工程承包方必须为租赁或提供给劳务分包人使用的施工机械设备办理保险，并支付保险费用。

劳务分包人必须为从事危险作业的职工办理意外伤害保险，并为施工场地内自有人员生命财产和施工机械设备办理保险，支付保险费用。

保险事故发生时，劳务分包人和工程承包方有责任采取必要的措施，防止或减少损失。

4）劳务报酬

① 劳务报酬方式

a. 固定劳务报酬（含管理费）；

b. 约定不同工种劳务的计时单价（含管理费），按确认的工时计算；

c. 约定不同工作成果的计件单价（含管理费），按确认的工程量计算。

② 劳务报酬，除合同约定或法律政策变化，导致劳务价格变化的，均为一次包死，不再调整。

③ 劳务报酬最终支付

全部工作完成，经工程承包方认可后14天内，劳务分包人向工程承包方递交完整的结算资料，双方按照本合同约定的计价方式进行劳务报酬的最终支付。工程承包方收到劳务分包人递交的结算资料后 14 天内进行核实，给予确认或者提出修改意见。工程承包方确认结算资料后 14 天内向劳务分包人支付劳务报酬尾款。劳务分包人和工程承包方对劳务报酬结算价款发生争议时，按本合同关于争议约定处理。

5）违约责任

① 工程承包方应承担违约责任

当工程承包方违反合同的约定，不按时向劳务分包人支付劳务报酬；工程承包方不履行或不按约定履行合同义务的其他情况时，工程承包方应承担违约责任。

工程承包方不按约定核实劳务分包人完成的工程量或不按约定支付劳务报酬或劳务报酬尾款时，应按劳务分包人同期向银行贷款利率向劳务分包人支付拖欠劳务报酬的利息，并按拖欠金额向劳务分包人支付违约金。

工程承包方不履行或不按约定履行合同的其他义务时，应向劳务分包人支付违约金，工程承包方应赔偿因其违约给劳务分包人造成的经济损失，顺延劳务分包人的工作时间。

② 劳务分包人应承担违约责任

劳务分包人因自身原因延期交工的；劳务分包人施工质量不符合合同约定的质量标准，但能够达到国家规定的最低标准时；劳务分包人不履行或不按约定履行合同的其他义务时，劳务分包人应赔偿因其违约给工程承包方造成的经济损失，延误的工作时间不予顺延。

一方违约后，另一方要求违约方继续履行合同时，违约方承担上述违约责任后仍应继续履行合同。

2.3 市政工程施工合同管理

2.3.1 市政工程施工合同管理的特点

（1）持续时间长。合同的形成是一个渐进的过程，一般施工项目短者 1~2 年，长者几年甚至更长时间，因此，合同管理必然在项目生命周期内长时间连续而不间断地进行。

（2）对工程经济效益影响很大。由于工程项目规模大，合同价格高，合同管理对经济效益影响很大，据统计，合同管理成功与否对经济效益产生的影响之差达到工程造价的 20%。

（3）必须实行动态管理。由于合同的形成和履行是一个逐步磨合的过程，特别是在合同履行过程中环境影响大，合同参与者众多，合同变更较频繁，合同实施必须按变化了的情况不断地调整。

（4）影响因素多，风险大。由于工程实施时间长、涉及面广，合同管理外界环境影响大，许多因素难以预测，不能控制，这些都会妨碍合同的正常实施，使合同关系、合同条件、合同实施过程越来越复杂，要履行施工合同，就必须完成其他相关的诸多合同事件，因此，有人将工程建设列为目前风险最大的经济活动之一。

企业应建立合同管理制度，设立专门机构或人员负责合同管理工作。

2.3.2 承包方的合同管理程序

承包方的合同管理应遵循下列程序：

(1) 合同评审。

(2) 合同订立。

(3) 合同实施计划编制。

(4) 合同实施控制。

(5) 合同后评价。

2.3.3 市政工程施工合同管理的主要内容

1. 项目合同评审

合同评审应在合同签订之前进行，主要是对招标文件和合同条件进行全面和深刻的理解评定。

合同评审应包括下列内容：

(1) 招标工程和合同的合法性审查；

(2) 招标文件和合同条款的完备性审查；

(3) 合同双方责任、权益和项目范围认定；

(4) 与产品有关要求的评审；

(5) 投标风险和合同风险评价。

承包方应有能力完成合同内容。承包方应研究合同文件和发包方所提供的信息，确保合同要求得以实现，当承包方发现问题时应与发包方及时澄清，并以书面方式确定。

2. 合同谈判与签约

(1) 合同谈判的主要内容

1) 确认工程内容和范围

合同的"标的"是合同最基本的要素，建设工程合同的标的量化就是工程承包内容和范围。对于在谈判讨论中经双方确认的内容及范围方面的修改或调整，应和其他所有在谈判中双方达成一致的内容一样，以书面方式确定下来，并以"合同补遗"或"会议纪要"方式作为合同附件并说明其构成合同的一部分，并具有同等的效力。

对于一般的单价合同，如发包方在原招标文件中未明确工程量变更部分的限度，谈判时则应要求与发包方共同确定一个"增减量幅度"，当超过该幅度时，承包方有权要求对工程单价进行调整。

2) 确认技术要求、技术规范和施工技术方案。

3) 确认合同价格条款。

4) 确认价格调整条款。

一般建设工程工期较长，遭受货币贬值或通货膨胀等因素的影响，可能给承包方造成较大损失，承包方在投标过程中，尤其是在合同谈判阶段务必对合同的价格调整条款予以充分的重视。

5）确认合同款支付方式的条款。

6）确认工期和维修期。

承包方应通过谈判使发包方接受并在合同文本中明确承包方保留由于工程变更、恶劣的气候影响，以及种种"作为一个有经验的承包方也无法预料的工程施工过程中条件（如地质条件、超标准的洪水等）的变化"等原因对工期产生不利影响时要求合理地延长工期的权利。

合同文本中应当对保修工程的范围和保修责任及保修期的开始和结束时间有明确的说明，承包方应该只承担由于材料和施工方法及操作工艺等不符合合同规定而产生的缺陷。

在合同签订之前还要对如下内容双方进一步洽商：合同图纸；合同的某些措辞；违约罚金和工期提前奖金；工程量验收以及衔接工序和隐蔽工程施工的验收程序；施工占地；开工和工期；向承包方移交施工现场和基础资料；工程交付；预付款保函等。

（2）合同签订

对所有在招标投标及谈判前后各方发出的文件、文字说明、解释性资料进行清理。对凡是与合同构成矛盾的文件，应宣布作废。

在合同谈判阶段，双方谈判的结果一般以合同补遗的形式，有时也可以以合同谈判纪要形式，形成书面文件。这一文件将成为合同文件中极为重要的组成部分，因为它最终确认了合同签订人之间的意志，所以它在合同解释中优先于其他文件。由于合同补遗或合同谈判纪要会涉及合同的技术、经济、法律等所有方面，作为承包方主要是核实其是否忠实于合同谈判过程中双方达成的一致性意见，并注意其文字的准确性。对于经过谈判更改了招标文件中条款的部分，应给予说明，合同实施按照合同补遗执行。

应该注意的是，建设工程承包合同必须遵守法律。对于违反法律的条款，即使由合同双方达成协议并签了字，也不受法律保障。

发包方或监理工程师在合同谈判结束后，应按上述内容和形式完成一个完整的合同文本草案，并经承包方授权代表认可后正式形成文件。承包方代表应认真审核合同草案的全部内容。当双方认为满意并核对无误后由双方代表草签，至此合同谈判阶段即告结束。

承包方应及时准备和递交履约保函，准备正式签署承包合同。

（3）项目合同实施计划

合同实施计划应包括合同实施总体安排、分包策划以及合同实施保证体系的建立等内容。合同实施保证体系应与其他管理体系协调一致，须建立合同文件沟通方式、编码系统和文档系统。

承包方所签订的各分包合同及自行完成工作责任的分配，应能涵盖主合同的总体责任，对其同时承接的合同作总体协调安排，在价格、进度、组织等方面符合要求。

2.3.4 项目合同实施控制

合同实施控制包括合同分析、合同交底、合同跟踪与诊断、合同变更管理和索赔管理等工作。

1. 合同分析

合同分析在不同的时期，因不同的目的，有不同的内容。其包括：合同的法律基础、承包方的主要任务、发包方的主要任务、合同价格分析、施工工期、违约责任、验收、移交和保修、索赔程序和争议的解决。

2. 合同交底

合同分析后，应由合同管理人员向各层次管理者作"合同交底"，把合同责任具体地落实到各责任人和合同实施的具体工作上。

合同交底应包括合同的主要内容、合同实施的主要风险、合同签订过程中的特殊问题、合同实施计划和合同实施责任分配等内容。

3. 合同跟踪和诊断应符合下列要求

合同跟踪时要全面收集并分析合同实施的信息，将合同实施情况与合同实施计划进行对比分析，找出其中的偏差，及时采取措施，调整合同实施过程，达到合同总目标，所以合同跟踪是决策的前导工作。在整个工程过程中，项目管理人员应清楚地了解合同实施情况，对合同实施现状、趋向和结果有一个清醒的认识。

合同诊断内容应包括：合同执行差异的原因分析、合同差异责任分析、合同实施趋向预测。应及时通报合同实施情况及存在问题，提出合同实施方面的意见和建议，并采取相应的管理措施。

4. 合同变更管理

承包方对合同变更管理应包括：变更协商、变更处理程序、制定并落实变更措施、修改与变更相关的资料以及结果检查等工作。

5. 索赔管理工作

承包方对发包方、分包人、供应商之间的索赔管理工作包括下列内容：

(1) 预测、寻找和发现索赔机会。

(2) 收集索赔的证据和理由，调查和分析干扰事件的影响，计算索赔值。

(3) 提出索赔意向和报告。

6. 合同档案管理

合同及合同文件资料是进行项目管理的重要依据，应得到充分的重视。合同资料文档管理的主要内容包括：

(1) 合同资料的收集。合同资料包括合同订立中产生的资料、文件；合同分析时产生的分析文件；在合同实施中产生的资料，如记工单、领料单、图纸、报告、指令、信件等。

(2) 资料整理。原始资料必须经过信息加工才能成为可供决策的信息，成为工程报表或报告文件。

(3) 资料的归档。所有合同管理中涉及的资料不仅在目前使用，而且必须保存，直到合同结束，为了查找和使用方便必须建立资料的文档系统。

(4) 资料的使用。合同管理人员有责任向项目经理及发包方作工程实施情况报告，向各职能人员和各工程小组、分包商提供资料，并为工程的各种验收、索赔和反索赔提供资料和证据。

2.3.5 项目合同后评价

在合同执行后必须及时进行合同后评价，总结合同签订和执行过程中的利弊得失和经验教训，提出分析报告，作为今后项目管理的借鉴资料。

合同分析报告应包括下列内容：

（1）合同签订情况评价；

（2）合同执行情况评价；

（3）合同管理工作评价；

（4）对本项目有重大影响的合同条款的评价；

（5）其他经验和教训。

2.4 市政工程施工项目索赔管理

2.4.1 建设工程索赔的起因和分类

1. 索赔的概念

索赔是指在合同的实施过程中，合同一方因对方不履行或未能正确履行合同所规定的义务或未能保证承诺的合同条件实现而遭受损失后，向对方提出的补偿要求。

索赔是相互的、双向的，承包方可以向发包方索赔，发包方也可以向承包方索赔。索赔是当事人保护自身正当利益、弥补损失、减少违约的有效手段，是一种以法律和合同为依据的行为，是双方在分担工程风险方面的责任再分配。

由于建设工程施工合同以承包方完成合同约定的施工项目为目标，承包方在合同履行过程中作为合同义务的承担者，在施工中面对各种复杂情况，索赔难度大，因此以下介绍的索赔内容主要以承包方的索赔为主。

2. 建设工程索赔的起因

引起建设工程索赔的原因有很多，概括起来有以下方面：

（1）发包方违约，包括发包方和工程师没有履行合同责任，没有正确地行使合同赋予的权利，管理失误，不按合同支付工程款等。

（2）合同错误，如合同条文不全、错误、矛盾、设计图纸、技术规范错误等。

（3）合同变更，如双方签订新的变更协议、备忘录、修正案，发包方下达工程变更指令等。

（4）工程环境变化，包括法律、市场物价、货币兑换率、自然条件的变化等。

（5）不可抗力因素，如恶劣的气候条件、地震、洪水、战争。

3. 索赔分类

（1）按索赔事件的影响分类

1）工期拖延索赔

由于发包方未能按合同规定提供施工条件，如未及时交付设计图纸、技术资料、场地、道路等；或非承包方原因发包方指令停止工程实施；或其他不可抗力因素作用等原因，造成工程中断，或工程进度放慢，使工期拖延，承包方提出索赔。

2)不可预见的外部障碍或条件索赔

在施工期间,承包方在现场遇到一个有经验的承包方通常不能预见到的外界障碍或条件,例如地质与发包方提供的资料不符,出现未预见到的岩石、淤泥或地下水等。

3)工程变更索赔

由于发包方或工程师指令修改设计、增加或减少工程量、增加或删除部分工程、修改实施计划、变更施工次序,造成工期延长和费用损失,致使承包方提出索赔。

4)工程终止索赔

由于不可抗力的影响、发包方违约等原因,使工程被迫在竣工前停止实施,并不再继续进行,使承包方蒙受经济损失提出索赔。

5)其他索赔

在工程实施中如货币贬值、汇率变化、物价和工资上涨、政策法令变化、发包方推迟支付工程款等原因引起的索赔。

(2)按索赔要求分类

1)工期索赔,即要求发包方延长工期,推迟竣工日期。

2)费用索赔,即要求发包方补偿费用损失,调整合同价格。

(3)按索赔所依据的理由分类

1)合同内索赔

索赔以合同为依据,发生了合同规定给承包方以补偿的干扰事件,承包方可根据合同规定提出索赔要求。

2)合同外索赔

工程过程中发生的干扰事件的性质已经超过合同范围,而在合同中找不出具体的依据,必须根据适用于合同关系的法律解决索赔问题。

3)道义索赔

由于承包方应负责的风险而造成承包方重大的损失,发包方对此主动给予的经济补偿。

(4)按索赔的处理方式分类

1)单项索赔。单项索赔是针对某一干扰事件提出的,在干扰事件发生时或发生后由合同管理人员立即进行处理,并在合同规定的索赔有效期内向发包方提交索赔意向书和索赔报告。

2)总索赔,称为一揽子索赔或综合索赔。一般在工程竣工前,承包方将工程过程中未解决的单项索赔集中起来,提出一份总索赔报告,合同双方在工程交付前或交付后进行最终谈判,以一揽子方案解决索赔问题。

2.4.2 建设工程索赔成立的条件

1. 索赔成立的条件

索赔的根本目的是保护自身应得的利益,而要取得索赔的成功,必须符合如下基本条件:

(1)与合同对照,事件已造成了承包方工程项目成本的额外支出,或直接工期损失；

(2) 造成费用增加或工期损失的原因，按合同约定不属于承包方的行为责任或风险责任；

(3) 承包方按合同规定的程序提交索赔意向通知和索赔报告。

2. 施工项目索赔应具备的理由

当出现下列情况之一造成承包方时间、费用损失时，承包方应提供索赔证据，实施索赔程序：

(1) 发包方违反施工合同；

(2) 因工程变更，包括设计变更、发包方提出的工程变更、监理工程师提出的工程变更，以及承包方提出并经监理工程师批准的变更等；

(3) 由于监理工程师对合同文件的歧义解释、技术资料不确切，或由于不可抗力导致施工条件的改变；

(4) 发包方提出提前完成项目或缩短工期；

(5) 发包方延付工程款；

(6) 对合同规定以外的项目进行检验，且检验合格，或非承包方的原因导致项目缺陷的修复所发生的损失或费用；

(7) 非承包方的原因导致工程暂时停工；

(8) 物价上涨，法规变化及其他。

2.4.3 建设工程索赔的依据

1. 合同文件

合同文件是索赔的最主要依据，包括：合同协议书；中标通知书；投标书及其附件；合同专用条款；合同通用条款；标准、规范及有关技术文件；图纸；工程量清单；工程报价单或预算书。

合同履行中，发包方承包方有关工程的洽商、变更等书面协议或文件视为合同的组成部分。

建设工程施工合同条件中有许多承包方可以选用的索赔条款（见表2-1）。

建设工程施工合同条件下的施工索赔条款　　　　表2-1

合同条款号	合同条款主要内容
6.2	工程师指令错误
7.3	情况紧急时承包商采取应急措施
8.2	承包商代行业主合同义务
8.3	业主未履行合同义务
9.1(1)	承包商完成施工图设计或与工程配套的设计
9.1(4)	承包商向业主提供现场临时设施
9.1(5)	承包商按业主要求对已竣工工程采取特殊保护
11.1	承包商要求延期开工，工程师未按期答复
11.2	业主原因延期开工
12	业主原因暂停施工

续表

合同条款号	合同条款主要内容
13.1	业主原因或不可抗力延误工期
14.3	业主要求提前竣工
16.3	工程师检查、检验影响正常施工,检验结果合格
18	工程师重新检验隐蔽工程,检验结果合格
19.5(1)	设计方原因导致试车验收不合格
19.5(2)	业主采购的设备导致试车不合格
19.5(4)	未包括在合同价款内的试车费用
20.2	业主原因导致的安全事故
21.1~21.2	承包商提出且经工程师认可的特殊场所的安全防护措施
22.1	业主造成的重大伤亡及其他安全事故
23.3	可调价格合同中约定的价款调整因素
24	预付款延期支付利息
26.3	进度款延期支付利息
27.3	承包商保管业主按期供应的材料设备
27.4(1)	业主供应材料设备单价与合同不符
27.4(3)	业主供应材料设备规格型号与合同不符并由承包商调剂串换
27.4(6)	承包商保管业主提前到货的材料设备
27.5	业主供应材料设备由承包商负责检验或试验
28.5	承包商使用经工程师认可的代用材料
29.1	业主提出的设计变更
29.3	经工程师同意的承包商合理化建议
33.3	竣工结算价款延期支付利息
39	发生不可抗力
40.2~40.3	运至现场材料和待安装设备保险及委托承包商办理的保险
42.1	业主要求使用专利技术及特殊工艺
43.1~43.2	施工中发现文物及地下障碍物
44.6	合同解除后的工程保护及撤离

2. 订立合同所依据的法律法规

建设工程合同文件适用的法律和行政法规；需要明示的法律、行政法规，由双方在专用条款中约定；双方在专用条款内约定适用的国家标准、规范的名称。

3. 相关证据

证据是指能够证明案件事实的一切材料。可以作为证据使用的材料包括：书证、物证、证人、视听材料、当事人陈述、鉴定结论、勘验、检验笔录。

在工程索赔中的证据有：招标文件、合同文本及附件，其他的各种签约（备忘录，修正案等），发包方认可的工程实施计划，各种工程图纸（包括图纸修改指令），技术规范等；来往信件；各种会谈纪要；施工进度计划和实际施工进度记录；施工现场的工程文件；工程照片；气候报告；工程中的各种检查验收报告和各种技术鉴定报告；工地的交接记录（应注明交接日期，场地平整情况，水、电、路情况等），图纸和各种资料交接记录；建筑材料和设备的采购、订货、运输、进场、使用方面的记录、凭证和报表等；市场行情资料，包括市场价格、官方的物价指数、工资指数、中央银行的外汇比率等公布材料；各种会计核算资料；国家法律、法令、政策文件等。

2.4.4 建设工程索赔的程序和方法

1. 索赔程序

索赔程序是指从索赔事件产生到最终处理全过程所包括的工作内容及程序。

（1）提出索赔意向

当出现索赔事项时，承包方应在索赔事项发生后的 28 天以内，以索赔通知书的形式，向工程师提出索赔意向通知。

（2）报送索赔资料

在索赔通知书发出后的 28 天内，向工程师提出延长工期和（或）补偿经济损失的索赔报告及有关资料。

（3）工程师的审核答复

工程师在收到承包方送交的索赔报告有关资料后，于 28 天内给予答复，或要求承包方进一步补充索赔理由和证据。

工程师在收到承包方送交的索赔报告的有关资料后 28 天内未予答复或未对承包方作进一步要求，视为该项索赔已经认可。

（4）持续索赔

当索赔事件持续进行时，承包方应当阶段性地向工程师发出索赔意向，在索赔事件终了后 28 天内，向工程师送交索赔的有关资料和最终索赔报告，工程师应在 28 天内给予答复或要求承包方进一步补充索赔理由和证据。逾期未答复，视为该项索赔成立。

2. 索赔文件的编制方法

索赔文件即索赔报告，是合同一方正式向对方提出索赔要求的书面文件。索赔文件的表达与内容对索赔成功与否有重大影响，必须认真对待。

（1）总述部分

概要论述索赔事项发生的日期和过程；承包方为该索赔事项付出的努力和附加开支；承包方的具体索赔要求。

（2）论证部分

论证部分是索赔报告的关键部分，其目的是说明自己有索赔权，是索赔能否成立的关键。

（3）索赔款项（或工期）计算部分

论证部分的任务是解决索赔权能否成立，而款项的计算是为解决能得到多少赔付。前者定性，后者定量。

（4）证据部分

索赔一方要注意引用证据的效力及可信程度，对重要的证据资料应附以文字说明，或附以确认件。

3. 索赔计算方法

（1）费用索赔

可索赔的费用内容一般可以包括以下几个方面：

1）人工费。包括人员闲置费、加班工作费、额外工作所需人工费用、劳动效率降低和人工费的价格上涨等费用。但不能简单地用计日工费计算。

2）施工机械使用费。包括机械闲置费、额外增加的机械使用费和机械作业效率降低费等。

3）材料费。包括额外材料使用费、增加的材料运杂费、增加的材料采购及保管费用和材料价格上涨费用等。

4）保函手续费。工程延期时，保函手续费相应增加；反之，取消部分工程且发包方与承包方达成提前竣工协议时，承包方的保函金额相应折减，则计入合同价内的保函手续费也应扣减。

5）贷款利息。包括由于工程变更和工程延期，使承包商不能按原来计划收到合同款，造成资金占用产生利息；也包括延迟支付工程款利息。

6）保险费。

7）利润。其包括合同变更利润、工程延期利润机会损失、合同解除利润和其他利润补偿等。

8）管理费。此项又可分为现场管理费和企业管理费两部分，由于两者的计算方法不一样，所以在审核过程中应区别对待，其中现场管理费包括承包商现场管理人员食宿设施费、交通设施费等；企业管理费包括办公费、通信费、差旅费和职工福利费等。

费用索赔的计算方法主要有实际费用法、修正总费用法等。

1）实际费用法。该方法是按照每个索赔事件所引起损失的费用项目分别分析计算索赔值，然后将各费用项目的索赔值汇总，即可得到总索赔费用值。

2）修正的总费用法。在总费用计算的原则上，去掉一些不确定的可能因素，对总费用法进行相应的修改和调整，使其更加合理。

（2）工期索赔

1）工期索赔的计算方法

工期索赔的计算方法主要有网络图分析法和比例计算法两种。

① 网络图分析法

网络分析法是利用进度计划的网络图，分析其关键线路。如果延误的工作为关键工作，则总延误的时间为批准顺延的工期；如果延误的工作为非关键工作，当该工作由于延误超过时差限制而成为关键工作时，可以批准延误时间与时差的差值；若该工作延误后仍为非关键工作，则不存在工期索赔问题。

② 比例计算法

该方法主要应用于工程量有增加时工期索赔的计算，公式为：

工期索赔值＝额外增加工程量的价格÷原合同总价×原合同总工期

2）在工期索赔中应当注意的问题

工期延误只有可原谅延期部分才能批准顺延合同工期。可原谅延期，又可细分为可原谅并给予补偿费用的延期和可原谅但不给予补偿费用的延期；只有位于关键线路上工作内容的滞后，才会影响到竣工日期。在工期索赔中应当特别注意以下问题：

① 划清施工进度拖延的责任。

② 被延误的工作应是处于施工进度计划关键线路上的施工内容。只有位于关键线路上工作内容的滞后，才会影响到竣工日期。但有时也应注意，既要看被延误的工作是否在批准进度计划的关键路线上，又要详细分析这一延误对后续工作的可能影响。因为若对非关键路线工作的影响时间较长，超过了该工作可用于自由支配的时间，也会导致进度计划中非关键路线转化为关键路线，其滞后将影响总工期的拖延。此时，应充分考虑该工作的自由时间，给予相应的工期顺延，并要求承包方修改施工进度计划。

3）工期索赔处理的原则

由于工程延误而进行工期索赔处理的原则见表 2-2。

由于工程延误进行工期索赔处理的原则　　　　　　表 2-2

工程延误原因	责任方	处理原则	索赔内容
1. 修改设计 2. 施工条件变化 3. 发包方原因延误 4. 工程师原因延误	发包方或工程师	可给予工期顺延；可补偿经济损失	工期及经济补偿
不可抗力	客观原因	可给予工期顺延；不可补偿经济损失	工期
1. 工效低 2. 施工组织不当 3. 材料设备供应不及时	承包方	工期不能顺延，同时向发包方承担经济赔偿责任	无权索赔

在实际施工中，如果由于发包方、工程师或承包方及某些客观因素共同作用下产生工期延误，称为共同延误。在共同延误情况下，要具体判断索赔的有效性，其原则为：

① 首先判断造成工程延误最先发生的原因，即"初始延误者"，初始延误者应对工程延误负责，其他并发的延误者不承担工程延误责任。

② 如果初始延误者是发包方，则在发包方延误期间内，承包方既可顺延工期，又能得到经济补偿。

③ 如果初始延误者是客观因素，则在客观因素发生影响的时期内，承包方可以得到工期顺延，但很难得到经济补偿。

【例 2-4】 2015 年某市政工程发包方与承包方签订了施工合同。施工合同《专用条款》规定：钢材、木材、水泥由发包方供货到现场仓库，其他材料由承包商自行采购。

因发包方提供的材料未到，使该项作业从 6 月 8 日～6 月 23 日停工（该项作业的总时差为零）。

6 月 12 日～6 月 14 日因停电、停水使工程停工（该项作业的总时差为 5 天）。

6 月 21 日～6 月 24 日因机械发生故障使某段工程迟延开工（该项作业的总时

差为 4 天)。

为此，承包方于 6 月 28 日向工程师提交了一份索赔意向书，并于 7 月 7 日送交了一份工期、费用索赔计算书和索赔依据的详细材料。

经双方协商一致，窝工机械设备费索赔按台班单价的 65％计；考虑对窝工人工应合理安排工人从事其他作业后的降效损失，窝工人工费索赔按每工日 20 元计；保函费计算方式按有关规定计算；管理费、利润损失不予补偿。

1. 工期索赔

（1）6 月 8 日～6 月 23 日，由于发包方原因造成的材料供应不及时延误工时，且该项作业位于关键路线上，应予工期补偿 16 天；

（2）6 月 12 日～6 月 14 日，由于该项停工虽非承包方造成，但该项作业不在关键路线上，且未超过工作总时差，不能得到工期索赔；

（3）6 月 21 日～6 月 24 日，迟延开工，因为属于承包方自身原因造成的，所以不予工期补偿。

综上分析本工程能得到的工期补偿为：16＋0＋0＝16 天

2. 费用索赔

（1）窝工机械费

塔吊 1 台：$16×234×65\%=2433.6$ 元（按惯例闲置机械只应计取折旧费，该设备台班单价为 234 元）。

混凝土搅拌机 1 台：$16×55×65\%=572$ 元（按惯例闲置机械只应计取折旧费，该设备台班单价为 55 元）。

砂浆搅拌机 1 台：$3×24×65\%=46.8$ 元（因停电闲置可按折旧计取，该设备台班单价为 24 元）。

小计 $2433.6＋572＋46.8＝3052.4$ 元

（2）窝工人工费

第一项事件窝工：$35×20×16＝11200$ 元（本工序的日派工人数为 35 人，发包方原因造成，但窝工工人已做其他工作，所以只补偿工效差）；

第二项事件窝工：$30×20×3＝1800$ 元（该工序的日派工人数为 30 人，发包方原因造成，只考虑降效费用）；

第三项事件不能得到赔偿。

小计：$11200＋1800＝13000$ 元

（3）保函费补偿

$19000000×10\%×6‰÷365×16＝499.73$ 元（该工程项目投资总额为 1900 万元，保险费率为 10％，手续费率为 6‰）。

经济补偿合计：$3052.4＋13000＋499.73＝16552.13$ 元

本教学单元小结

市政工程招标投标活动应严格按照《招标投标法》《房屋建筑和市政基础设施

工程施工招标投标管理办法》《建筑法》等相关法律法规执行。招标人应认真履行招标事宜，以"公开、公平、公正、诚实信用"的原则择优选择承包单位。投标人应正确理解招标文件精神，做好投标准备工作，按招标文件要求编制投标文件，并对招标文件给予实质性响应，发挥优势，表现实力，努力在竞争中获胜。

合同管理是建设工程施工管理的重要组成部分，合同双方应熟悉《合同法》《建设工程施工合同（示范文本）》的相关内容，明确双方的权利义务关系，认真履行合同，严格合同管理。在工程施工中，合同双方应正确对待工程索赔，了解索赔程序，掌握索赔方法。

思考题与习题

1. 市政工程施工项目招标应具备什么条件？
2. 资格预审的内容有哪些？
3. 有关招标文件的澄清及修改有哪些规定？
4. 如何编制投标书？
5. 简述招投标程序。
6. 如何进行评标？
7. 建设工程施工合同的主要内容有哪些？
8. 在合同签订、合同实施及合同终止后应分别做好哪些合同管理工作？
9. 建设工程索赔成立的条件有哪些？
10. 简述建设工程索赔的程序。

教学单元 3　市政工程施工项目质量控制

【教学目标】　了解质量与市政工程施工项目质量的概念，市政工程施工项目质量形成的影响因素及质量控制的基本原则；熟悉质量管理体系的标准、构成、建立与运行；掌握市政工程施工项目质量控制的依据、目标、方法和手段，以及市政工程质量统计方法的应用；掌握市政工程施工项目质量验收的标准、程序、组织与方法，质量验收的划分以及质量等级评定的方法。

质量是建设工程项目管理的主要控制目标之一。建设工程项目的质量控制，需要系统有效地应用质量管理和质量控制的基本原理和方法，建立和运行工程项目质量控制体系，落实项目各参与方的质量责任，通过项目实施过程各个环节质量控制的职能活动，有效预防和正确处理可能发生的工程质量事故，在政府的监督下实现建设工程项目的质量目标。

3.1　市政工程施工项目质量控制的内涵

3.1.1　质量与市政工程施工项目质量

1. 质量与市政工程施工项目质量

我国标准《质量管理体系　基础和术语》GB/T 19000—2016/ISO 9000：2015 关于质量的定义是：一组固有特性满足要求的程度。该定义可理解为：质量不仅是指产品的质量，也包括产品生产活动或过程的工作质量，还包括质量管理体系运行的质量；质量由一组固有的特性来表征（所谓"固有的"特性是指本来就有的、永久的特性），这些固有特性是指满足顾客和其他相关方要求的特性，以其满足要求的程度来衡量；而质量要求是指明示的、隐含的或必须履行的需要和期望，这些要求又是动态的、发展的和相对的。也就是说，质量"好"或者"差"，以其固有特性满足质量要求的程度来衡量。

2. 市政工程项目质量

市政工程施工项目质量是指通过项目实施形成的市政工程实体的质量，是反映市政工程满足相关标准规定或合同约定的要求，包括其在安全、使用功能及耐久性能、环境保护等方面所有明显和隐含能力的特性总和。其质量特性主要体现在适用性、安全性、耐久性、可靠性、经济性及与环境的协调性等六个方面。

市政工程施工项目质量的具体内涵，主要包括以下三个方面：

（1）工程项目实体质量

市政工程项目一般由工序、部位、单位工程所构成，市政工程项目建设过程，是由一系列相互联系、相互制约的工序所构成，可见工序质量是创造市政工程项目实体的基础。

（2）功能和使用价值

从市政工程的功能和使用价值来看，市政项目又体现在性能、寿命、可靠性、安全性、经济性和与环境的协调性。

1）性能。性能是指工程项目满足使用要求所具备的各种功能。功能具体表现为理化性能、结构性能、使用性能、外观性能四个方面。比如使用性能，道路、桥梁应保证通达便捷，市政排水管、渠应保证排水通畅。

2）寿命。即耐久性，是指工程在规定的时间内和规定的条件下，满足规定功能要求使用的年限，即工程的服务年限。比如，根据我国现行道路技术标准，将路面分为四个等级，（水泥混凝土）高级路面使用年限为 30 年；（路拌沥青碎石）次高级路面使用年限为 15 年，中级、低级路面使用年限均为 5 年。

3）可靠性。可靠性是指工程在规定时间内和规定的条件下，完成规定的功能能力的大小和程度。符合设计质量要求的工程，不仅要求在工程竣工验收时要达到规定的标准，而且在一定的时期内要保持应有的正常功能。

4）安全性。安全性是指工程在使用过程中的安全程度。市政工程在规范规定的荷载条件下，应满足强度、刚度和稳定性的要求，并具有足够的安全系数。

5）经济性。经济性是指工程在寿命周期内费用（包括建造成本和使用成本）的大小。市政工程对经济性的要求，一是工程造价要低，二是使用维修费用要少。

6）与环境的协调性。是指工程与其周围生态环境协调，与所在地区经济环境以及周围已建工程相协调，以适应可持续发展的要求。

上述六方面的质量特性彼此之间是相互依存的，总体而言，性能、耐久、安全、可靠、经济、与环境协调性，都是必须达到的基本要求，缺一不可。

3.1.2 市政工程施工项目质量形成的影响因素

市政工程项目质量的影响因素，主要是指在市政工程项目质量目标策划、决策和实现过程中影响质量形成的各种客观因素和主观因素，包括人的因素、机械因素、材料因素、方法因素和环境因素等。

1. 人的因素

在工程项目质量管理中，人的因素起决定性作用。项目质量控制应以控制人的因素为基本出发点。影响项目质量的人的因素，包括两个方面：一是指直接履行项目质量职能的决策者、管理者和作业者个人的质量意识及质量活动能力；二是指承担项目策划、决策或实施的建设单位、勘察设计单位、咨询服务机构、工程承包企业等实体组织的质量管理体系及其管理能力。前者是个体的人，后者是群体的人。我国实行建筑业企业经营资质管理制度、市场准入制度、执业资格注册制度、作业及管理人员持证上岗制度等，从本质上说，都是对从事建设工程活动的人的素质和能力进行必要的控制。人，作为控制对象，人的工作应避免失误；作为控制动力，应充分调动人的积极性，发挥人的主导作用。因此，必须有效控制项目参与各方的人员素质，不断提高人的质量活动能力，才能保证项目质量。

2. 机械的因素

机械包括工程设备、施工机械和各类施工工器具。工程设备是指组成工程实体的工艺设备和各类机具，如各类生产设备、装置和辅助配套的电梯、泵机，以及通风空调、消防、环保设备等，它们是工程项目的重要组成部分，其质量的优劣，直接影响到工程使用功能的发挥。施工机械和各类工器具是指施工过程中使用的各类机具设备，包括运输设备、吊装设备、操作工具、测量仪器、计量器具以及施工安全设施等。施工机械设备是所有施工方案和工法得以实施的重要物质基础，合理选择和正确使用施工机械设备是保证项目施工质量和安全的重要条件。

3. 材料的因素

材料包括工程材料和施工用料，又包括原材料、半成品、成品、构配件和周转材料等。各类材料是工程施工的基本物质条件，材料质量是工程质量的基础，材料质量不符合要求，工程质量就不可能达到标准，所以加强材料质量控制，是保证工程质量的基础。

4. 方法的因素

方法的因素也可以称为技术因素，包括勘察、设计、施工所采用的技术和方法，以及工程检测、试验的技术和方法等。从某种程度上说，技术方案和工艺水平的高低，决定了项目质量的优劣。依据科学的理论，采用先进合理的技术方案和措施，按照规范进行勘察、设计、施工，必将对保证项目的结构安全和满足使用功能，对组成质量因素的产品精度、强度、平整度、清洁度、耐久性等物理、化学特性等方面起到良好的推进作用。比如建设主管部门在建筑业中推广应用的多项新技术，包括地基基础和地下空间工程技术、高性能混凝土技术、高效钢筋和预应力技术、新型模板及脚手架应用技术、钢结构技术、建筑防水技术以及BIM等信息技术，对消除质量通病保证建设工程质量起到了积极作用，收到了明显的效果。

5. 环境的因素

影响市政工程项目质量的环境因素，包括项目的自然环境因素、社会环境因素、管理环境因素和作业环境因素。

（1）自然环境因素

主要指工程地质、水文、气象条件和地下障碍物以及其他不可抗力等影响项目质量的因素。例如，复杂的地质条件必然对建设工程的地基处理和房屋基础设计提出更高的要求，处理不当就会对结构安全造成不利影响；在地下水位高的地区，若在雨期进行基坑开挖，遇到连续降雨或排水困难，就会引起基坑塌方或地基受水浸泡影响承载力等；在寒冷地区冬期施工措施不当，工程会因受到冻融而影响质量；在基层未干燥或大风天进行卷材屋面防水层的施工，就会导致粘贴不牢及空鼓等质量问题等。

（2）社会环境因素

主要是指会对项目质量造成影响的各种社会环境因素，包括国家建设法律法规的健全程度及其执法力度；建设工程项目法人决策的理性化程度以及经营者的经营管理理念；建筑市场包括建设工程交易市场和建筑生产要素市场的发育程度及交易行为的规范程度；政府的工程质量监督及行业管理成熟程度；建设咨询服务业的发展程度及其服务水准的高低；廉政管理及行风建设的状况等。

(3) 管理环境因素

主要是指项目参建单位的质量管理体系、质量管理制度和各参建单位之间的协调等因素。比如，参建单位的质量管理体系是否健全，运行是否有效，决定了该单位的质量管理能力；在项目施工中根据承发包的合同结构，理顺管理关系，建立统一的现场施工组织系统和质量管理的综合运行机制，确保工程项目质量保证体系处于良好的状态，创造良好的质量管理环境和氛围，是施工顺利进行，提高施工质量的保证。

(4) 作业环境因素

主要指项目实施现场平面和空间环境条件，各种能源介质供应、施工照明、通风、安全防护设施，施工场地给水排水，以及交通运输和道路条件等因素。这些条件是否良好，都直接影响到施工能否顺利进行，以及施工质量能否得到保证。

上述因素对项目质量的影响，具有复杂多变和不确定性的特点。对这些因素进行控制，是项目质量控制的主要内容。

3.1.3 市政工程质量控制的概念

1. 质量控制

国家标准《质量管理体系　基础和术语》GB/T 19000—2016/ISO 9000：2015 定义质量控制是质量管理的一部分，是致力于满足质量要求的一系列相关活动。这些活动主要包括：

(1) 设定目标：即设定要求，确定需要控制的标准、区间、范围、区域；

(2) 测量结果：测量满足所设定目标的程度；

(3) 评价：即评价控制的能力和效果；

(4) 纠偏：对不满足设定目标的偏差，及时纠偏，保持控制能力的稳定性。

上述定义可以从以下几方面来理解：

(1) 质量控制是质量管理的重要组成部分，其目的是为了使产品、体系或过程的固有特性达到规定的要求，即满足顾客、法律、法规等方面所提出的质量要求（如适用性、安全性等）。所以，质量控制是通过采取一系列的作业技术和活动对各个过程实施控制的。

(2) 质量控制的工作内容包括了作业技术和活动，也就是包括专业技术和管理技术两个方面。如何保证产品形成全过程每一阶段的工作，应对影响其质量的人员、机械、材料、方法、环境（4M1E）因素进行控制，并对质量活动的成果进行分阶段验证，以便及时发现问题，查明原因，采取相应纠正措施，防止不合格的发生。因此，质量控制应贯彻预防为主与检验把关相结合的原则。

(3) 质量控制应贯穿在产品形成和体系运行的全过程。每一过程都有输入、转换和输出等三个环节，通过对每一个过程三个环节实施有效控制，对产品质量有影响的各个过程处于受控状态，持续提供符合规定要求的产品才能得到保障。

也就是说，质量控制是在明确的质量目标和具体的条件下，通过行动方案和资源配置的计划、实施、检查和监督，进行质量目标的事前预控、事中控制和事后纠偏控制，实现预期质量目标的系统过程。

2. 市政工程质量控制

市政工程质量控制是指致力于满足工程质量要求，也就是保证工程质量满足工程合同、规范标准所采取的一系列措施、方法和手段。工程质量要求主要表现为工程合同、设计文件、技术规范标准规定的质量标准。

市政工程质量控制的内容是"采取的作业技术和活动"。这些活动包括：

（1）确定控制对象，例如一道工序、设计过程、制造过程等。

（2）规定控制标准，即详细说明控制对象应达到的质量要求。

（3）制定具体的控制方法，例如工艺规程。

（4）明确所采用的检验方法，包括检验手段。

（5）实际进行检验。

（6）说明实际与标准之间有差异的原因。

（7）为解决差异而采取的行动。

市政工程质量的形成是一个有序和系统过程，其质量的高低综合体现了项目决策、项目设计、项目施工及项目验收等各环节的工作质量。通过提高工作质量来提高工程项目质量，使之达到工程合同规定的质量标准。

3.1.4 市政工程施工项目质量控制的基本原则

1. 坚持质量第一的原则

工程质量不仅关系工程的适用性和建设项目投资效果，而且关系到人民群众生命财产的安全。所以，在进行进度、成本、质量等目标控制时，在处理这些目标关系时，应坚持"百年大计，质量第一"，在工程建设中自始至终把"质量第一"作为对工程质量控制的基本原则。

2. 坚持以人为核心的原则

人是工程建设的决策者、组织者、管理者和操作者。工程建设中各单位、各部门、各岗位人员的工作质量水平和完美程度，都直接和间接地影响工程质量。所以在工程质量控制中，要以人为核心，重点控制人的素质和人的行为，充分发挥人的积极性和创造性，以人的工作质量保证质量。

3. 坚持以预防为主的原则

工程质量控制应该是积极主动的，应事先对影响质量的各种因素加以控制，而不能是消极被动的，等出现质量问题再进行处理，已造成了不必要的损失。所以，要重点做好质量的事前控制和事中控制，以预防为主，加强过程和中间产品的质量检查的控制。

4. 坚持质量标准的原则

质量标准是评价产品质量的尺度，工程质量是否符合合同规定的质量标准要求，应通过质量检验并和质量标准对照，符合质量标准要求的才是合格，不符合质量标准要求的就是不合格，必须返工处理。市政工程涉及的专业多，很多专业实行的是行业标准，必须熟悉相应的质量标准，严格按标准的要求进行工程验收。

5. 坚持科学、公正、守法的职业道德规范

在工程质量控制中，项目管理人员必须坚持科学、公正、守法的职业道德规范，要尊重科学、尊重事实，以数据资料为依据，客观、公正地进行处理质量问题。要坚持原则，遵纪守法，秉公办事。

3.1.5 市政工程施工项目质量控制体系

1. 全面质量管理（TQC）的思想

TQC（Total Quality Control）即全面质量管理，是 20 世纪中期开始在欧美和日本广泛应用的质量管理理念和方法。我国从 20 世纪 80 年代开始引进和推广全面质量管理，其基本原理就是强调在企业或组织最高管理者的质量方针指引下，实行全面、全过程和全员参与的质量管理。

TQC 的主要特点是：以顾客满意为宗旨；领导参与质量方针和目标的制定；提倡预防为主、科学管理、用数据说话等。在《质量管理体系基础和术语》GB/T 19000—2016/ISO 9000：2015 中，处处都体现了这些重要特点和思想。建设工程项目的质量管理，同样应贯彻"三全"管理的思想和方法。

（1）全面质量管理

建设工程项目的全面质量管理，是指项目参与各方所进行的工程项目质量管理的总称，其中包括工程（产品）质量和工作质量的全面管理。工作质量是产品质量的保证，工作质量直接影响产品质量的形成。建设单位、监理单位、勘察单位、设计单位、施工总承包单位、施工分包单位、材料设备供应商等，任何一方、任何环节的怠慢疏忽或质量责任不落实都会造成对建设工程质量的不利影响。

（2）全过程质量管理

全过程质量管理，是指根据工程质量的形成规律，从源头抓起，全过程推进。《质量管理体系 基础和术语》GB/T 19000—2016/ISO 9000：2015 强调质量管理的"过程方法"管理原则，要求应用"过程方法"进行全过程质量控制。要控制的主要过程有：项目策划与决策过程；勘察设计过程；设备材料采购过程；施工组织与实施过程；检测设施控制与计量过程；施工生产的检验试验过程；工程质量的评定过程；工程竣工验收与交付过程；工程回访维修服务过程等。

（3）全员参与质量管理

按照全面质量管理的思想，组织内部的每个部门和工作岗位都承担着相应的质量职能，组织的最高管理者确定了质量方针和目标，就应组织和动员全体员工参与到实施质量方针的系统活动中去，发挥自己的角色作用。开展全员参与质量管理的重要手段就是运用目标管理方法，将组织的质量总目标逐级进行分解，使之形成自上而下的质量目标分解体系和自下而上的质量目标保证体系，发挥组织系统内部每个工作岗位、部门或团队在实现质量总目标过程中的作用。

2. 质量管理的 PDCA 循环

在长期的生产实践和理论研究中形成的 PDCA 循环，是建立质量管理体系和进行质量管理的基本方法。PDCA 循环如图 3-1 所示。从某种意义上说，管理就是确定任务目标，并通过 PDCA 循环来实现预期目标。每一循环都围绕着实现预期的目标，进行计划、实施、检查和处置活动，随着对存在问题的解决和改进，在一次一次的滚动循环中逐步上升，不断增强质量能力，不断提高质量水平。每一个循环的四大职能活动相互联系，共同构成了质量管理的系统过程。

（1）计划 P（Plan）

计划由目标和实现目标的手段组成，所以说计划是一条"目标—手段链"。质

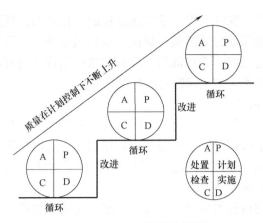

图 3-1　PDCA 循环示意图

量管理的计划职能,包括确定质量目标和制定实现质量目标的行动方案两方面。实践表明质量计划的严谨周密、经济合理和切实可行,是保证工作质量、产品质量和服务质量的前提条件。

建设工程项目的质量计划,是由项目参与各方根据其在项目实施中所承担的任务、责任范围和质量目标,分别制定质量计划而形成的质量计划体系。其中,建设单位的工程项目质量计划,包括确定和论证项目总体的质量目标,制定项目质量管理的组织、制度、工作程序、方法和要求。项目其他各参与方,则根据国家法律法规和工程合同规定的质量责任和义务,在明确各自质量目标的基础上,制定实施相应范围质量管理的行动方案,包括技术方法、业务流程、资源配置、检验试验要求、质量记录方式、不合格处理及相应管理措施等具体内容和做法的质量管理文件,同时也需对其实现预期目标的可行性、有效性、经济合理性进行分析论证,并按照规定的程序与权限,经过审批后执行。

（2）实施 D（Do）

实施职能在于将质量的目标值,通过生产要素的投入、作业技术活动和产出过程,转换为质量的实际值。为保证工程质量的产出或形成过程能够达到预期的结果,在各项质量活动实施前,要根据质量管理计划进行行动方案的部署和交底;交底的目的在于使具体的作业者和管理者明确计划的意图和要求,掌握质量标准及其实现的程序与方法。在质量活动的实施过程中,则要求严格执行计划的行动方案,规范行为,把质量管理计划的各项规定和安排落实到具体的资源配置和作业技术活动中去。

（3）检查 C（Check）

指对计划实施过程进行各种检查,包括作业者的自检、互检和专职管理者专检。各类检查也都包含两大方面：一是检查是否严格执行了计划的行动方案,实际条件是否发生了变化,不执行计划的原因;二是检查计划执行的结果,即产出的质量是否达到标准的要求,对此进行确认和评价。

（4）处置 A（Action）

对于质量检查所发现的质量问题或质量不合格,及时进行原因分析,采取必要的措施，予以纠正，保持工程质量形成过程的受控状态。处置分纠偏和预防改进两个方面。前者是采取有效措施，解决当前的质量偏差、问题或事故；后者是将目前质量状况信息反馈到管理部门，反思问题症结或计划时的不周，确定改进目标和措施，为今后类似质量问题的预防提供借鉴。

3. 三阶段控制原理

施工质量控制应贯彻全面、全员、全过程质量管理的思想，运用动态控制原理，进行质量的事前控制、事中控制和事后控制。三阶段控制就是通常所说的事前控制、事中控制和事后控制。这三阶段控制构成了质量控制的系统过程。

（1）事前质量控制

即在正式施工前进行的事前主动质量控制，通过编制施工质量计划，明确质量目标，制定施工方案，设置质量管理点，落实质量责任，分析可能导致质量目标偏离的各种影响因素，针对这些影响因素制定有效的预防措施，防患于未然。

事前质量预控必须充分发挥组织的技术和管理方面的整体优势，把长期形成的先进技术、管理方法和经验智慧，创造性地应用于工程项目。

事前质量预控要求针对质量控制对象的控制目标、活动条件、影响因素进行周密分析，找出薄弱环节，制定有效的控制措施和对策。

事前质量控制，其内涵包括两层意思，一是强调质量目标的计划预控，二是按质量计划进行质量活动前的准备工作状态的控制。

（2）事中质量控制

指在施工质量形成过程中，对影响施工质量的各种因素进行全面的动态控制。事中质量控制也称作业活动过程质量控制，包括质量活动主体的自我控制和他人监控的控制方式。自我控制是第一位的，即作业者在作业过程对自己质量活动行为的约束和技术能力的发挥，以完成符合预定质量目标的作业任务；他人监控是对作业者的质量活动过程和结果，由来自企业内部管理者和企业外部有关方面进行监督检查，如工程监理机构、政府质量监督部门等的监控。

施工质量的自控和监控是相辅相成的系统过程。自控主体的质量意识和能力是关键，是施工质量的决定因素；各监控主体所进行的施工质量监控是对自控行为的推动和约束。因此，自控主体必须正确处理自控和监控的关系，在致力于施工质量自控的同时，还必须接受来自业主、监理等方面对其质量行为和结果所进行的监督管理，包括质量检查、评价和验收。自控主体不能因为监控主体的存在和监控职能的实施而减轻或免除其质量责任。

事中质量控制的目标是确保工序质量合格，杜绝质量事故发生；控制的关键是坚持质量标准；控制的重点是工序质量、工作质量和质量控制点的控制。

（3）事后质量控制

事后质量控制也称为事后质量把关，以使不合格的工序或最终产品（包括单位工程或整个工程项目）不流入下道工序、不进入市场。事后控制包括对质量活动结果的评价、认定；对工序质量偏差的纠正；对不合格产品进行整改和处理。控制的重点是发现施工质量方面的缺陷，并通过分析提出施工质量改进的措施，保持质量处于受控状态。

以上三大环节不是互相孤立和截然分开的，它们共同构成有机的系统过程，实质上也就是质量管理 PDCA 循环的具体化，在每一次滚动循环中不断提高，达到质量管理和质量控制的持续改进。

3.2 市政工程施工项目质量控制的内容与方法

3.2.1 市政工程施工质量控制的目标

1. 施工质量控制的总体目标

贯彻执行建设工程质量法规和强制性标准，正确配置施工生产要素和采用科学管理的方法，实现工程项目预期的使用功能和质量标准。这是建设工程参与各方的共同责任。

2. 建设单位的质量控制目标

通过施工全过程的全面质量监督管理、协调和决策，保证竣工项目达到投资所确定的质量标准。

3. 设计单位在施工阶段的质量控制目标

通过对施工质量的验收签证、设计变更控制及纠正施工中所发现的设计问题，采纳变更设计的合理化建议等，保证竣工项目的各项施工结果与设计文件（包括变更文件）所规定的标准一致。

4. 施工单位的质量控制目标

通过施工全过程的全面质量自控，保证交付满足施工合同及设计文件所规定的质量标准（含工程质量创优要求）的建设工程产品。

5. 监理单位在施工阶段的质量控制目标

通过审核施工质量文件、报告报表及现场旁站检查、平行检测、施工指令和结算支付控制等手段的应用，监控施工承包单位的质量活动行为，协调施工关系，正确履行工程质量的监督责任，以保证质量达到施工合同和设计文件所规定的质量标准。

3.2.2 市政工程施工项目质量控制的过程

市政工程项目的施工质量控制包含两方面的含义：一是指项目施工单位的施工质量控制，包括施工总承包、分包单位，综合的和专业的施工质量控制；二是指广义的施工阶段项目质量控制，即除了施工单位的施工质量控制外，还包括建设单位、设计单位、监理单位以及政府质量监督机构，在施工阶段对项目施工质量所实施的监督管理和控制职能。

1. 施工质量控制的过程

施工质量控制的过程包括施工准备质量控制、施工过程质量控制和施工验收质量控制。

（1）施工准备质量控制

施工准备质量控制是指在正式开展施工作业活动前进行的技术准备工作和现场施工准备工作的质量控制。

1) 施工技术准备工作的质量控制

施工技术准备工作内容繁多，主要在室内进行，例如：熟悉施工图纸，组织设计交底和图纸审查；进行工程项目检查验收的项目划分和编号；审核相关质量文件，细化施工技术方案和施工人员、机具的配置方案，编制施工作业技术指导书，绘制各种施工详图（如测量放线图、大样图及配筋、配板、配线图表等），进行必要的技术交底和技术培训。如果施工准备工作出错，必然影响施工进度和作业质量，甚至直接导致质量事故的发生。

技术准备工作的质量控制包括对上述技术准备工作成果的复核审查，检查这些成果是否符合设计图纸和施工技术标准的要求；依据经过审批的质量计划审查、完善施工质量控制措施；针对质量控制点，明确质量控制的重点对象和控制方法；尽可能地提高上述工作成果对施工质量的保证程度等。

2) 现场施工准备工作的质量控制

① 计量控制

这是施工质量控制的一项重要基础工作。施工过程中的计量，包括施工生产时的投料计量、施工测量、监测计量以及对项目、产品或过程的测试、检验、分析计量等。开工前要建立和完善施工现场计量管理的规章制度；明确计量控制责任者和配置必要的计量人员；严格按规定对计量器具进行维修和校验；统一计量单位，组织量值传递，保证量值统一，从而保证施工过程中计量的准确。

② 测量控制

工程测量放线是建设工程产品由设计转化为实物的第一步。施工测量质量的好坏，直接决定工程的定位和标高是否正确，并且制约施工过程有关工序的质量。因此，施工单位在开工前应编制测量控制方案，经项目技术负责人批准后实施。要对建设单位提供的原始坐标点、基准线和水准点等测量控制点线进行复核，并将复测结果上报监理工程师审核，批准后施工单位才能建立施工测量控制网，进行工程定位和标高基准的控制。

控制是指项目开工前的全面施工准备和施工过程中各分部分项过程施工作业前的施工准备（或称施工作业准备）。此外，还包括季节性的特殊施工准备。施工准备质量属于工作质量范畴，然而它对建设过程产品质量的形成产生重要的影响。

③ 施工平面图控制

建设单位应按照合同约定并充分考虑施工的实际需要，事先划定并提供施工用地和现场临时设施用地的范围，协调平衡和审查批准各施工单位的施工平面设计。施工单位要严格按照批准的施工平面布置图，科学合理地使用施工场地，正确安装设置施工机械设备和其他临时设施，维护现场施工道路畅通无阻和通信设施完好，合理控制材料的进场与堆放，保持良好的防洪排水能力，保证充分的给水和供电。建设（监理）单位应会同施工单位制定严格的施工场地管理制度、施工纪律和相应的奖惩措施，严禁乱占场地和擅自断水、断电、断路，及时制止和处理各种违纪行为，并做好施工现场的质量检查记录。

(2) 施工过程的质量控制

施工过程的质量控制，是在工程项目质量实际形成过程中的事中质量控制。

建设工程项目施工是由一系列相互关联、相互制约的作业过程（工序）构成，因此施工质量控制，必须对全部作业过程，即各道工序的作业质量持续控制。从项目管理的立场看，工序作业质量的控制，首先是质量生产者即作业者的自控，在施工生产要素合格的条件下，作业者能力及其发挥的状况是决定作业质量的关键。其次，是来自作业者外部的各种作业质量检查、验收和对质量行为的监督，也是不可缺少的设防和把关的管理措施。

1) 工序施工质量控制

工序是人、材料、机械设备、施工方法和环境因素对工程质量综合起作用的过程，所以对施工过程的质量控制，必须以工序作业质量控制为基础和核心。因此，工序的质量控制是施工阶段质量控制的重点。只有严格控制工序质量，才能确保施工项目的实体质量。工序施工质量控制主要包括工序施工条件质量控制和工序施工效果质量控制。

① 工序施工条件控制

工序施工条件是指从事工序活动的各生产要素质量及生产环境条件。工序施工条件控制就是控制工序活动的各种投入要素质量和环境条件质量。控制的手段主要有：检查、测试、试验、跟踪监督等。控制的依据主要是：设计质量标准、材料质量标准、机械设备技术性能标准、施工工艺标准以及操作规程等。

② 工序施工效果控制

工序施工效果主要反映工序产品的质量特征和特性指标。对工序施工效果的控制就是控制工序产品的质量特征和特性指标使其达到设计质量标准以及施工质量验收标准的要求。工序施工效果控制属于事后质量控制，其控制的主要途径是：实测获取数据、统计分析所获取的数据、判断认定质量等级和纠正质量偏差。

2) 施工作业质量的控制

施工作业质量的自控过程是由施工作业组织的成员进行的，其基本的控制程序包括：作业技术交底、作业活动的实施和作业质量的自检自查、互检互查以及专职管理人员的质量检查等。

① 施工作业技术的交底

技术交底是施工组织设计和施工方案的具体化，施工作业技术交底的内容必须具有可行性和可操作性。

从项目的施工组织设计到分部分项工程的作业计划，在实施之前都必须逐级进行交底，其目的是使管理者的计划和决策意图为实施人员所理解。施工作业交底是最基层的技术和管理交底活动，施工总承包方和工程监理机构都要对施工作业交底进行监督。作业交底的内容包括作业范围、施工依据、作业程序、技术标准和要领、质量目标以及其他与安全、进度、成本、环境等目标管理有关的要求和注意事项。

② 施工作业活动的实施

施工作业活动是由一系列工序所组成的。为了保证工序质量的受控，首先要对作业条件进行再确认，即按照作业计划检查作业准备状态是否落实到位，其中包括对施工程序和作业工艺顺序的检查确认，在此基础上，严格按作业计划的程序、步骤和质量要求展开工序作业。

③ 施工作业质量的检验

施工作业的质量检查,是贯穿整个施工过程的最基本的质量控制活动,包括施工单位内部的工序作业质量自检、互检、专检和交接检查,以及现场监理机构的旁站检查、平行检验等。施工作业质量检查是施工质量验收的基础,已完检验批及分部分项工程的施工质量,必须在施工单位完成质量自检并确认合格之后,才能报请现场监理机构进行检查验收。

前道工序作业质量经验收合格后,才可进入下道工序施工。未经验收合格的工序,不得进入下道工序施工。

（3）施工质量验收控制

所谓"验收",是指建设项目在施工单位自行质量检查评定的基础上,参与建设活动的有关单位共同对检验批、分项、分部、单位工程的质量进行抽样复验,根据相关标准以书面形式对工程质量是否达到合格标准进行确认。

正确地进行工程项目质量的检查评定和验收,是施工质量控制的重要环节。施工质量验收包括施工过程的质量验收及工程项目竣工质量验收两个部分。包括隐蔽工程验收、工序验收、部位验收、单位工程验收和整个市政工程项目竣工验收过程的质量控制。

2. 施工质量控制的主体

施工质量控制既有施工承包方的质量控制职能,也有业主方、设计方、监理方、供应方及政府的工程质量监督部门的控制职能,他们具有各自不同的地位、责任和作用。

（1）自控主体

施工承包方和供应方在施工阶段是质量自控主体,不能因为监控主体的存在和监控责任的实施而减轻或免除其质量责任。

（2）监控主体

业主、监理、设计单位及政府的工程质量监督部门,在施工阶段依据法律和合同对自控主体的质量行为和效果实施监督控制。

（3）自控主体和监控主体

在施工全过程中自控主体和监控主体相互依存、各司其职,共同推动着施工质量控制过程的发展和最终工程质量目标的实现。

3. 施工质量控制中施工方的职责

作为工程施工质量的自控主体,施工方既要遵循本企业质量管理体系的要求,也要根据其在所承建工程项目质量控制系统中的地位和责任,通过具体项目质量计划的编制与实施,有效地实现自主控制的目标。一般情况下,对施工承包企业而言,无论市政工程项目的功能类型、结构形式及复杂程度存在着怎样的差异,其施工质量控制过程都可归纳为以下相互作用的八个环节:

（1）工程调研和项目承接：全面了解工程情况和特点,掌握承包合同中工程质量控制的合同条件；

（2）施工准备：图纸会审、施工组织设计、施工机械设备的配置等；

（3）材料采购；

(4)施工生产；

(5)试验与检验；

(6)工程功能检测；

(7)竣工验收；

(8)质量回访及保修。

3.2.3 市政工程施工生产要素的质量控制

施工生产要素质量控制也就是对影响施工质量的五大因素（4M1E）的控制，五大因素如下：

① 劳动主体——人员，即作业者、管理者的素质及其组织效果。

② 劳动对象——材料、半成品、工程用品等的质量。

③ 劳动方法——采取的施工工艺及技术措施的水平。

④ 劳动手段——工具、模具、施工机械、设备等条件。

⑤ 施工环境——现场水文、地质、气象等自然环境，通风、照明、安全等作业环境以及协调配合的管理环境。

1. 人的因素控制

人，是指直接参与工程建设的决策者、组织者、指挥者和操作者。人，作为控制的对象，要避免产生失误；作为控制的动力，要充分调动人的积极性，发挥"人的因素第一"的主导作用。

为了避免人的失误，调动人的主观能动性，增强人的责任感和质量观，达到以工作质量保工序质量、促工程质量的目的，除了加强政治思想教育、劳动纪律教育、职业道德教育、专业技术知识培训、健全岗位责任制、改善劳动条件、公平合理的激励外；还需根据工程项目的特点，从确保质量出发，本着适才适用、扬长避短的原则来控制人的使用。人的因素控制主要体现在以下几个方面：

(1)领导者的素质

领导层领导者的素质好，必然决策能力强，组织机构健全，管理制度完善，经营作风正派，技术措施得力，社会信誉高，实践经验丰富，善于协作配合；这样，就有利于合同执行，有利于确保项目目标的控制。事实证明，领导层的整体素质，是提高工作质量和工程质量的关键。

(2)人的理论、技术水平

人的理论、技术水平直接影响工程质量水平，尤其是对技术复杂、难度大、精度高、工艺新的施工操作，要由具有实践经验、技术水平高的人员承担。

(3)人的违纪违章

人的违纪违章，指人粗心大意、漫不经心、注意力不集中、不懂装懂、无知而又不虚心、不履行安全措施、安全检查不认真、随意乱扔东西、任意使用规定外的机械装置、不按规定使用防护用品、碰运气、图省事、玩忽职守、有意违章等，都必须严加教育、及时制止。

(4)施工企业管理人员和操作人员控制

施工队伍的管理者和操作者，是工程的主体，是工程产品的直接创造者，人员素质高低及质量意识的强弱都直接影响到工程产品的优劣。应认真抓好操作者的素质教育，不断提高操作者的生产技能，严格控制操作者的技术资质、资格与准入条件，是施工项目质量管理控制的关键途径。

1）持证上岗

① 项目经理实行持证上岗制度。

按照国家相关规定的要求，以及同国际操作方式的接轨需求，从 2008 年开始，市政工程项目经理必须由取得市政公用专业的建造师执业资格证书（分为一级建造师和二级建造师）的同志担任。

② 项目技术负责人的资格应与所承包的工程项目的结构特征、规模大小和技术要求相适应。

③ 专业工长和专业管理人员（八大员）必须经培训、考核合格，具有岗位证书的人员担任。

④ 特殊专业工种（焊工、电工、防水工等）操作人员的应经专业培训具有的资格证书，其他工种的操作工人应取得高、中、初级工的技能证书。

2）素质教育

① 学习有关建设工程质量的法律、法规、规章，提高法律观念、质量意识，树立良好的职业道德。

② 学习标准、规范、规程等技术法规，提高业务素质，加强技术标准、管理标准和企业标准化建设。

③ 组织工人学习工艺、操作规程，提高操作技能，开展治理质量通病活动，消除影响结构安全和使用功能的质量通病。

④ 全面开展"五严活动"。严禁偷工减料，严禁粗制滥造，严禁假冒伪劣、以次充好，严禁盲目指挥、玩忽职守，严禁私招乱揽、层层转包、违法分包。

2. 材料的质量控制

材料（含构配件）是工程施工的物质条件，没有材料就无法施工；材料的质量是工程质量的基础，材料质量不符合要求，工程质量也就不可能符合标准。所以，加强材料的质量控制，是提高工程质量的重要保证，也是创造正常施工条件的前提。

（1）材料质量控制的要点

1）掌握材料信息，优选供货厂家

掌握材料质量、价格、供货能力的信息，选择好供货厂家，就可获得质量好、价格低的材料资源，从而确保工程质量，降低工程造价。这是企业获得良好社会效益、经济效益、提高市场竞争能力的重要因素。

材料订货时，要求厂方提供质量保证文件，用以表明提供的货物完全符合质量要求；质量保证文件的内容主要包括：供货总说明；产品合格证及技术说明书；质量检验证明；检测与试验者的资质证明；不合格品或质量问题处理的说明及证明；有关图纸及技术资料等。

对于材料、设备、构配件的订货、采购，其质量要满足有关标准和设计的要求；交货期应满足施工及安装进度计划的要求。对于大型的或重要设备，以及大宗材料的采购，应当实行招标采购的方式；对某些材料，如市政道路人行道的地砖等装饰材料，订货时最好一次订齐和备足货源，以免由于分批订货而出现颜色差异、质量不一。

2) 合理组织材料供应，确保施工正常进行

合理地、科学地组织材料的采购、加工、储备、运输，建立严密的计划、调度体系，加快材料的周转，减少材料的占用量，按质、按量、如期地满足建设需要，乃是提高供应效益，确保正常施工的关键环节。

3) 合理地组织材料使用，减少材料的损失

正确按定额计量使用材料，加强运输、仓库、保管工作，加强材料限额管理和发放工作，健全现场材料管理制度，避免材料损失、变质，乃是确保材料质量、节约材料的重要措施。

4) 加强材料检查验收，严把材料质量关

① 对用于工程的主要材料，进场时必须具备正式的出厂合格证的材料质量化验单。如不具备或对检验证明有怀疑时，应补做检验。

② 工程中所有各种构件，必须具有厂家批号和出厂合格证。钢筋混凝土和预应力钢筋混凝土构件，均应按规定的方法进行抽样检验。由于运输、安装等原因出现的构件质量问题，应分析研究，经处理鉴定后方能使用。

③ 凡标志不清或认为质量有问题的材料；对质量保证资料有怀疑或与合同规定不符的一般材料；由于工程重要程度决定，应进行一定比例试验的材料；需要进行追踪检验，以控制和保证其质量的材料等，均应进行抽检。对于进口的材料设备和重要工程或关键施工部位所用的材料，则应进行全部检验。

④ 材料质量抽样和检验的方法，应符合检测的要求和标准，要能反映该批材料的质量性能。对于重要构件或非匀质的材料，还应酌情增加采样的数量。

⑤ 在现场配制的材料，如混凝土、砂浆等的配合比，应先提出试配要求，经试配检验合格后才能使用。

⑥ 对进口材料、设备应会同商检局检验，如核对凭证中发现问题，应取得供方和商检人员签署的商务记录，按期提出索赔。

5) 要重视材料的使用认证，以防错用或使用不合格的材料

① 对主要装饰材料及建筑配件，应在订货前要求厂家提供样品或看样订货；主要设备订货时，要审核设备清单，是否符合设计要求。

② 对材料性能、质量标准、适用范围和对施工要求必须充分了解，以便慎重选择和使用材料。

③ 凡是用于重要结构、部位的材料，使用时必须仔细地核对、认证，其材料的品种、规格、型号、性能有无错误，是否适合工程特点和满足设计要求。

④ 新材料应用，必须通过试验和鉴定；代用材料必须通过计算和充分的论证，并要符合结构构造的要求。

⑤ 材料认证不合格时，不许用于工程中；有些不合格的材料，如过期、受潮的水泥是否降级使用，也需结合工程的特点予以论证，但决不允许用于重要的工程或部位。

6) 现场材料管理要求

① 入库材料要分型号、品种，分区堆放，予以标识，分别编号。

② 对易燃易爆的物资，要专门存放，有专人负责，并有严格的消防保护措施。

③ 对有防湿、防潮要求的材料，要有防湿、防潮措施，并要有标识。

④ 对有保质期的材料要定期检查，防止过期，并做好标识。

⑤ 对易损坏的材料、设备，要保护好外包装，防止损坏。

(2) 材料质量控制的原则

1) 材料的质量控制的基本要求

虽然工程使用的建筑材料种类很多，其质量要求也各不相同，但是从总体上说，建筑材料可以分为直接使用的进场材料和现场进行二次加工后使用的材料两大类。前者如砖或砌块，后者如混凝土和砌筑砂浆等。对这两类进场材料质量控制的基本要求都应当掌握。

① 材料进场时其质量必须符合规定。

② 各种材料进场后应妥善保管，避免质量发生变化。

③ 材料在施工现场的二次加工必须符合有关规定。如：混凝土和砂浆配合比、拌制工艺等必须符合有关规范标准和设计的要求。

④ 了解主要建筑材料常见的质量问题及处理方法。

2) 进场材料质量的验收

① 对材料外观、尺寸、性状、数量等进行检查。对材料外观等进行检查，是任何材料进场验收必不可缺的重要环节。

② 检查材料的质量证明文件。

③ 检查材料性能是否符合设计要求。材料质量不仅应该达到规范规定的合格标准，当设计有要求时，还必须符合设计要求。因此，材料进场时，尚应对照设计要求进行检查验收。

④ 为了确保工程质量，对涉及结构安全或影响主要使用功能的材料，还应当按照有关规范或行政管理规定进行抽样复试，以检验其实际质量与所提供的质量证明文件是否相符。

3) 见证取样和送检

近年来，随着工程质量管理的深化，对工程材料试验的公正性、可靠性提出了更高的要求。从1995年开始，我国北京、上海等城市，开始实行有见证取样送检制度。具体作法是：对部分重要材料试验的取样、送检过程，由监理工程师或建设单位的代表到场见证，确认取样符合有关规定后，予以签认，同时将试样封存，直至送达试验单位。

为了更好地控制工程及材料质量，质量控制参与者应当熟悉见证取样的有关规定，要求监督建设、监理单位、施工单位认真实施。应当将见证取样送检的试验结果与其他试验结果进行对比，互相印证，以确认所试项目的结论是否正确、真实。如果应当进行见证取样送检的项目，由于种种原因未做时，应当采取补救措施。例如，当条件许可时，应该补做见证取样送检试验，当不具备补做条件时，对相应部位应该进行检测等。

4) 新材料的使用

新材料通常指新研制成功或新生产出来的未曾在工程上使用过的材料。建筑工程使用新材料时，由于缺乏相对成熟的使用经验，对新材料的某些性能不熟悉，因此必须贯彻"严格"、"稳妥"的原则，我国许多地区和城市，对建筑工程使用新型材料，都有明确和严格的规定。通常，新材料的使用应该满足以下要求：

① 新材料必须是生产或研制单位的正式产品，有产品质量标准，产品质量应达到合格等级。任何新材料，生产研制单位除了应有开发研制的各种技术资料外，还必须具有产品标准。如果没有国家标准、行业标准或地方标准，则应该制定企业标准，企业标准应按规定履行备案手续。材料的质量，应该达到合格等级。没有质量标准的材料，或不能证明质量达到合格的材料，不允许在建筑工程上使用。

② 新材料必须通过试验和鉴定，新材料的各项性能指标，应通过试验确定。试验单位应具备相应的资质。为了确保新材料的可靠性与耐久性，在新材料用于工程前，应通过一定级别的技术论证与鉴定。对涉及结构安全及环境保护、防火性能以及影响重要建筑功能的材料，应经过有关部门批准。

③ 使用新材料，应经过设计单位和建设单位的认可，并办理书面认可手续。

（3）材料质量控制的内容

材料质量控制的内容主要有：材料的质量标准，材料的性能，材料取样、试验方法，材料的适用范围和施工要求等。

1) 材料质量标准

材料质量标准是用以衡量材料质量的尺度，也是作为验收、检验材料质量的依据。不同的材料有不同的质量标准，如水泥的质量标准有细度、标准稠度用水量、凝结时间、强度、体积安定性等。掌握材料的质量标准，就便于可靠地控制材料和工程的质量。如水泥颗粒越细，水化作用就越充分，强度就越高；初凝时间过短，不能满足施工有足够的操作时间，初凝时间过长，又影响施工进度；安定性不良，会引起水泥构件开裂，造成质量事故；强度达不到等级要求，直接危害结构的安全。为此，对水泥的质量控制，就是要检验水泥是否符合质量标准。

2) 材料质量的检（试）验

① 材料质量的检验目的

材料质量检验的目的，是通过一系列的检测手段，将所取得的材料数据与材料的质量标准相比较，借以判断材料质量的可靠性，能否使用于工程中；同时，还有利于掌握材料信息。

② 材料质量的检验方法

材料质量检验方法有书面检验、外观检验、理化检验和无损检验等四种。

a. 书面检验，是通过对提供的材料质量保证资料、试验报告等进行审核，取得认可方能使用。

b. 外观检验，是对材料从品种、规格、标志、外形尺寸等进行直观检查，看其有无质量问题。

c. 理化检验，是借助试验设备和仪器对材料样品的化学成分、机械性能等进行科学的鉴定。

d. 无损检验，是在不破坏材料样品的前提下，利用超声波、X射线、表面探伤仪等进行检测。

③ 材料质量检验程度

根据材料信息和保证资料的具体情况，其质量检验程度分免检、抽检和全部检查三种。

a. 免检就是免去质量检验过程。对有足够质量保证的一般材料，以及实践证明质量长期稳定且质量保证资料齐全的材料，可予免检。

b. 抽检就是按随机抽样的方法对材料进行抽样检验。当对材料的性能不清楚，或对质量保证资料有怀疑，或对成批生产的构配件，均应按一定比例进行抽样检验。

c. 全检验。凡对进口的材料、设备和重要工程部位的材料，以及贵重的材料，应进行全部检验，以确保材料和工程质量。

④ 材料质量检验项目

材料质量的检验项目分为："一般试验项目"，为通常进行的试验项目；"其他试验项目"，为根据需要进行的试验项目。

⑤ 材料质量检验的取样

材料质量检验的取样必须有代表性，即所采样品的质量应能代表该批材料的质量。

3）材料的选择和使用要求

材料的选择和使用不当，均会严重影响工程质量或造成质量事故。为此，必须针对工程特点，根据材料的性能、质量标准、适用范围和对施工要求等方面进行综合考虑，慎重地选择和使用材料。

不同品种、强度等级的水泥，由于水化热不同，不能混合使用；硅酸盐水泥、普通水泥因水化热大，适宜于冬期施工，而不适宜于大体积混凝土工程。

3. 机械设备控制

（1）施工现场机械设备控制任务与内容

建筑企业机械设备管理是对企业的机械设备运动，即从选购（或自制）机械设备开始，投入施工、磨损、补偿直到报废为止的全过程的管理。而现场施工机械设备管理主要是正确选择（或租赁）和使用机械设备，及时进行施工机械设备维护和保养，按计划检查和修理，建立现场施工机械设备使用管理制度等。其主要任务是采取技术、经济、组织措施对机械设备合理使用，用养结合，提高施工机械设备的使用效率，尽可能降低工程项目的机械使用成本，提高工程项目的经济效益。

现场施工机械设备管理的内容主要有以下方面。

1）机械设备的选择与配套

任何一个工程项目施工机械设备的合理装备，必须依据施工组织设计进行。首先，对机械设备的技术经济进行分析，选择满足生产、技术先进且经济合理的机械设备。结合施工组织设计，分析自制、购买和租赁的分界点，进行合理装备。其次，现场施工机械设备的装备必须配套成龙，使设备在性能、能力等方面相互配套。如果设备数量多，但相互之间不配套，不仅机械性能不能充分发挥，而且会造成经济上浪费。所以不能片面地认为设备的数量越多越好。现场施工机械设备的配套必须考虑主机和辅机的配套关系；在综合机械化组列中前后工序机械设备间的配套关系，大、中、小型工程机械及动力工具的多层次结构的合理比例关系。

2）现场机械设备的合理使用

现场机械设备管理要处理好"养"、"管"、"用"三者之间的关系，遵照机械设备使用的技术规律和经济规律，合理、有效地利用机械设备，使之发挥较高的使用效率。为此，操作人员使用机械时必须严格遵守操作规程，反对"拼设备"、"吃设备"等野蛮操作。

3）现场机械设备的保养和修理

为了提高机械设备的完好率，使机械设备经常处于良好的技术状态，必须做好机械设备的维修保养工作。同理，定期检查和校验机械设备的运转情况和工作精度，发现隐患及时采取措施。根据机械设备的性能、结构的使用状况，制订合理的修理计划，以便及时恢复现场机械设备的工作能力，预防事故的发生。

（2）施工机械设备使用控制

1）合理配备各种机械设备

由于工程特点及生产组织形式各不相同，因此，在配备现场施工机械设备时必须根据工程特点，经济合理地为工程配好机械设备，同时又必须根据各种机械设备的性能和特点，合理地安排施工生产任务，避免"大机小用"、"精机粗用"，以及超负荷运转的现象。而且还应随工程任务的变化及时调整机械设备，使各种机械设备的性能与生产任务相适应。

现场施工单位在确定施工方案和编制施工组织设计时，应充分考虑现场施工机械设备管理方面的要求，统筹安排施工顺序和平面布置图，为机械施工创造必要的条件，如水、电、动力供应，照明的安装、障碍物的拆除以及机械设备的运行路线和作业场地等。现场负责人要善于协调施工生产与机械使用管理之间的矛盾，既要支持机械操作人员的正确意见，又要向机械操作人员进行技术交底和提出施工要求。

2）实行人机固定和操作证制度

为了使施工机械设备在最佳状态下运行使用，合理配备足够数量的操作人员并实行机械使用、保养责任制是关键。现场的各种机械设备应定机定组交给一个机组或个人，使之对机械设备的使用和保养负责。操作人员必须经过培训和统一考试，合格取得操作证后，方可独立操作。无证人员登机操作应按严重违章操作处理。坚决杜绝为赶进度而任意指派机械操作人员之类的事件发生。

3）建立健全现场施工机械设备使用的责任制和其他规章制度

人员岗位责任制：操作人员在开机前、使用中、停机后，必须按规定的项目的要求，对机械设备进行检查和例行保养，做好清洁、润滑、调整、紧固防腐工作。经常保持机械设备的良好状态，提高机械设备的使用效率，节约使用费用，取得良好的经济效益。

遵守磨合期使用的有关规定：由于新机械设备或经大修理后的机械设备在磨合关节，零件表面尚不够光洁，因而期间的间隙及啮合尚未达到良好的配合。所以，机械设备在使用初期一定时间内，对操作提了一些特殊规定和要求，即磨合期使用规定。

凡是新购、大修以及经过大修的机械设备，在正式使用初期，都必须按规定执行磨合。其目的是使机械零件磨合良好，增强零件的耐用性，提高机械运行的可靠性和经济性。在磨合期内，加强机械设备的检查和保养，应经常注意运转情况，仪表指示，检查各总分轴承、齿轮的工作温度和连接部分的松紧，及时润滑、紧固和调整，发现不正常现象及时处理。

4）创造良好的环境和工作条件

① 创造适宜的工作场地。创造水、电、动力供应充足和整洁、宽敞、明亮的工作环境，特别是夜晚施工时，要保证施工现场的照明。

② 配备必要的保护、安全、防潮装置，有些机械设备还必须配备降温、保暖、通风等装置。

③ 配备必要测量、控制和保险用的仪表和仪器等装置。

④ 建立现场施工机械设备的润滑管理系统。即实行"五定"的润滑管理——定人、定质、定点、定量、定期的润滑制度。

⑤ 开展施工现场范围内的完好设备竞赛活动。完好设备是指零件、部件和各种装置完整齐全、油路畅通、润滑正常、内外清洁，性能和运转状况均符合标准的设备。

⑥ 对于在冬期施工中使用的机械设备，要及时采取相应的技术措施，以保证机械正常运转。如准备好机械设备的预热保温设备；在投入冬期使用前，对机械设备进行一次季节性保养，检查全部技术状态，换用冬季润滑油等。

5）现场施工机械设备使用控制建立"三定"制度

① "三定"制度的意义

"三定"制度，即定人、定机、定岗位责任，是人机固定原则的具体表现，是保证现场施工机械设备得到最合理使用和精心维护的关键。"三定"制度是把现场施工机械设备的使用、保养、保管的责任落实到个人。

② 施工现场落实"三定"制度形式

施工现场"三定"制度的形式可多种多样，根据不同情况而定，但是必须把本工地所属的全部机械设备的使用、保管、保养的责任落实到人。做到人人有岗位，事事有专责，台台机械有人管，具体可利用以下几种形式：

a. 多人操作或多班作业的机械设备，在指定操作人员的基础上，任命一人为机长，实行机长负责制；

b. 一人一机或一人多机作业的机械，实行专机专责制；

c. 掌握有中、小型机械设备的班组，在机械设备和操作人员不能固定的情况下，应任命机组长对所管机械设备负责；

d. 施工现场向企业租赁或调用机械设备时，对大型机械原则上做到机调人随，重型或关键机械必须人随机走。

4. 施工方法的控制

施工方法控制是指施工单位为达到合同条件的要求,在项目施工阶段内所采取的技术方案、工艺流程、组织措施、检测手段、施工组织设计等的控制。

施工项目的施工方案正确与否,是直接影响施工项目的进度控制、质量控制、投资控制三大目标能否顺利实现的关键。往往由于施工方案考虑不周而拖延进度,影响质量,增加投资。为此,在制定和审核施工方案时,必须结合工程实际从技术、组织、管理、工艺、操作、经济等方面进行全面分析、综合考虑,力求方案技术可行、经济合理、工艺先进、措施得力、操作方便,有利于提高质量、加快进度、降低成本。

施工方案的确定一般包括:确定施工流向、确定施工顺序、划分施工段、选择施工方法和施工机械。

(1) 确定施工流向

确定施工流向是解决施工项目在平面上、空间上的施工顺序,确定时应考虑以下因素:

1) 按生产工艺要求,须先期投入生产或起主导作用的工程项目先施工。
2) 技术复杂、施工进度较慢、工期较长的工段和部位先施工。
3) 满足选用的施工方法、施工机械和施工技术的要求。
4) 符合工程质量与安全的要求。
5) 确定的施工流向不得与材料、构件的运输方向发生冲突。

(2) 确定的施工顺序

施工顺序是指单位工程施工项目中,各分项工程工序施工的先后次序。主要解决工序间在时间上的搭接关系,以充分利用空间、争取时间、缩短工期。单位工程施工项目施工应遵循先地下、后地上;先土建、后安装;先安装设备、后管道、电气安装的顺序。

(3) 划分施工段

施工段的划分,必须满足施工顺序、施工方法和流水施工条件的要求,使施工段划分合理。

(4) 选择施工方法和施工机械

施工方法和施工机械的选择是紧密联系的,施工机械的选择是施工方法选择的中心环节,不同的施工方法所用的施工机具不同,在选择施工方法和施工机械时,要充分研究施工项目的特征、各种施工机械的性能、供应的可能性和企业的技术水平、建设工期的要求和经济效益等,一般遵循以下要求:

1) 施工方法的技术先进性和经济合理性统一。
2) 施工机械的适用性与多用性兼顾。
3) 辅助机械应与主导机械的生产能力协调一致。
4) 机械的种类和型号在一个施工项目上应尽可能少。
5) 尽量利用现有机械。

在确定施工方法和主导机械后,应考虑施工机械的综合使用和工作范围,工作内容得到充分利用,并制定保证工程质量与施工安全的技术措施。

(5) 施工方案的技术经济分析

施工项目中的任何一个部位施工，可列出几个可行的施工方案，通过技术经济分析在其中选出一个工期短、质优、节省材料和劳动力，机械安排合理、成本低的最优方案。

施工方案的技术经济分析有定性分析和定量分析两种常用方法。

定性分析是结合施工经验，对几个方案的优缺点进行分析和比较，得出以下指标来评价确定：

1) 施工操作上的难易程度和安全可靠性。
2) 能否为后续工作创造有利的施工条件。
3) 选择的施工机械设备是否可能取得。
4) 能否为现场文明施工创造有利条件。
5) 对周围其他工程施工影响的程度大小。

定量分析，是通过计算各方案的几个主要技术经济指标进行综合分析，从中选择技术经济指标最优的方案，主要指标有：

1) 工期指标。当要求工程尽快完成时，选择施工方案就要在确保工程质量、安全和成本较低的条件下，优先考虑缩短工期的方案。
2) 劳动消耗量指标。它反映施工机械化程度和劳动生产率水平，在方案中劳动消耗量越小，说明机械化程度和劳动生产率越高。
3) 主要材料消耗量指标。它反映各施工方案的主要材料节约情况。
4) 成本指标。反映施工方案成本高低。
5) 投资额指标。当拟定的施工方案需要增加新的投资时，以投资额低的方案为好。

5. 施工环境因素控制

施工环境主要是指施工现场的自然环境、劳动作业环境及管理环境。由于建设工程是在事先选定的建设地区和场址进行建造，因此，施工期间将会受到所在区域气候条件和建设场地的水文地质情况的影响；受到施工场地和周边建筑物、构筑物、交通道路以及地下管道、电缆或其他埋设物和障碍物的影响。在施工开始前制定施工方案时，必须对施工现场环境条件进行充分的调查分析，必要时还需做补充地质勘察，取得准确的资料和数据，以便正确地按照气象及水文地质条件，合理安排冬期及雨期的施工项目，规范防洪排涝、抗寒防冻、防暑降温等方面的有关技术组织措施；制定防止近邻建筑物、构筑物及道路和地下管道线路等沉降或位移的保护措施。

对环境因素的控制，与施工方案和技术措施紧密相关。如在寒冬、雨期、风季、炎热季节施工中，应针对工程的特点，尤其是对混凝土工程、土方工程、深基础工程、水下工程及高空作业等，必须拟定保证季节性施工的质量和安全的有效措施，以免工程质量受到冻害、干裂、冲刷、坍塌的危害。同时，要不断改善施工现场的环境和作业环境；要加强对自然环境和文物的保护，要尽可能减少施工所产生的危害对环境的污染；要健全施工现场管理制度，合理地布置，使施工现场秩序化、标准化、规范化，实现文明施工。

(1) 施工现场劳动作业环境的控制

施工现场劳动作业环境，大至整个建设场地施工期间的使用要规范安排，科学合理地做好总平面布置图的设计，使整个建设工地的施工临时道路、给水排水及供热供气管道、供电通信线路、施工机械设备和装置、建筑材料制品的堆场和仓库、现场办公及生活或休息设施等的布置有条不紊，安全、畅通、整洁、文明，消除有害影响和相互干扰，物得其所，作用简便，经济合理。作业环境小至每一施工作业场所的材料器具堆放状况，通风照明及有害气体、粉尘的防备措施条例的落实等。这些条件是否良好，直接影响施工能否顺利进行以及施工质量。例如：交通运输道路不畅，干扰、延误多，可能造成运输时间加长，运送的混凝土拌合物可能会变化（凝结时间、坍落度等）。此外，当一个施工现场同时有多个承包单位或多个工种施工或平行立体交叉作业时，更应注意避免它们在空间的相互干扰，保证施工质量与安全。

(2) 施工管理环境的控制

管理环境控制，主要是根据承发包的合同结构，理顺各参建施工单位之间的管理关系，建立现场施工组织系统和质量管理的综合运行机制。确保施工程序的安排以及施工质量形成过程能够起到相互促进、相互制约、协调运转的作用。使质量管理体系和质量控制自检体系处于良好的状态，系统的组织机构、管理制度、检测制度、检测标准、人员配备等方面完善明确，质量责任制得到落实。此外，在管理环境的创建方面，还应注意与现场近邻的单位、居民及有关方面的协调、沟通，做好公共关系，以使他们对施工造成的干扰和不便给予必要谅解和支持。

(3) 施工现场自然环境的控制

自然环境的控制，主要是掌握施工现场水文、地质和气象资料等信息，以便在制定施工方案、施工计划和措施时，能够从自然环境的特点和规律出发，事先须做好充分的准备和采取有效措施与对策，防止可出现的对施工作业不利的影响。如在城市地下隧道施工中，防止地下水、地面水对施工的影响，保证周围建筑物及地下管线的安全；从实际条件出发，做好冬期、雨期施工项目的安排和防范措施；加强环境保护和建设公害的治理等。

3.2.4 工序质量控制

1. 工序及工序质量

施工工序是产品（工程）构配件或零部件和生产（施工）过程的基本环节，是构成生产的基本单位，也是质量检验的基本环节。从工序的组合和影响工序因素来说，工序就是人、机、料、法和环境对产品（工程）质量起综合作用的过程。工序的划分主要是取决于生产技术的客观要求，同时也取决于劳动分工和提高劳动生产率的要求。

工序质量是工序过程的质量。在生产（施工）过程中，由于各种因素的影响而造成产品（工程）质量波动，工序质量就是去发现、分析和控制工序中的质量波动，使影响下道工序质量的制约因素都能控制在一定范围内，确保每道工序的质量，不使上道工序的不合格品转下入道工序。工序质量决定了最终产品（工程）

的质量，因此，对于施工企业来说，搞好工序质量是保证单位工程质量的基础。

工序管理的目的是使影响产品（工程）质量的各种因素能始终处于受控状态。因此，工序管理实质上就是对工序质量的控制，一般采用建立质量控制点（管理点）的方法来加强工序管理。

工程项目施工质量控制就是对施工质量形成的全过程进行监督、检查、检验和验收的总称。施工质量由工作质量、工序质量和产品质量三者构成。工作质量是指参与项目实施全过程人员，保证施工质量所表现的工作水平和完善程度，例如管理工作质量、技术工作质量、思想工作质量等。产品质量是指建筑产品必须具有满足设计的规范所要求的安全可靠性、经济性、适用性、环境协调性、美观性等。工序质量包括工序作业条件和作业效果质量。工程项目的施工过程由一系列相互关联、相互制约的工序构成，工序质量是基础，直接影响工程项目的产品质量，因此，必须先控制工序质量，从而保证整体质量。

2. 工序质量控制的程序

工序质量控制就是通过工序子样检验，来统计、分析和判断整道工序质量，从而实现工序质量控制。工序质量的程序是：

(1) 选择和确定工序质量控制点。

(2) 确定每个工序控制点的质量目标。

(3) 按规定检测方法对工序质量控制点现状进行跟踪检测。

(4) 将工序质量控制点的质量现状和质量目标进行比较，找出两者差距及产生原因。

(5) 采取相应的技术、组织和管理措施，消除质量差距。

3. 工序质量控制的要点

必须主动控制工序作业条件，变事后检查为事前控制。对影响工序质量的各种因素，如材料、施工工艺、环境、操作者和施工机具等，要预先进行分析，找出主要影响因素，并加以严格控制，从而防止工序质量出现问题。

必须动态控制工序质量，变事后检查为事中控制。及时检验工序质量，利用数理统计方法分析工序质量状态，并使其处于稳定状态。如果工序质量处于异常状态，则应停止施工；在经过原因分析，采取措施，消除异常状态后，方可继续施工。

3.2.5 市政工程施工质量计划的编制

1. 按照《质量管理体系　基础和术语》GB/T 19000—2016/ISO 9000：2015，质量计划是质量管理体系文件的组成内容。在合同环境下质量计划是企业向顾客表明质量管理方针、目标及其具体实现的方法、手段和措施，体现企业质量责任的承诺和实施的具体步骤。质量计划应成为对外质量保证和对内质量控制的依据。

2. 施工质量计划的编制主体是施工承包企业。应由项目经理主持编制项目质量计划。若在总承包的情况下，分包企业的施工质量计划是总施工质量计划的组成部分。总包有责任对分包施工质量计划的编制进行指导和审核，并承担施工质量的连带责任。

3. 根据市政工程生产施工的特点，目前我国工程项目施工的质量计划常以施工组织设计或施工项目管理实施规划的文件形式编制。

4. 在已经建立质量管理体系的情况下，质量计划的内容必须全面体现和落实企业质量管理体系文件的要求（也可引用质量体系文件中的相关条文），同时结合本工程的特点，在质量计划中编写专项管理要求。施工质量计划的内容一般应包括：

（1）编制依据；

（2）工程特点及施工条件分析（合同条件、法规条件和现场条件）；

（3）履行施工承包合同所必须达到的工程质量总目标及其分解目标；

（4）组织机构；

（5）为确保工程质量所采取的施工技术方案、施工程序；

（6）材料设备质量管理及控制措施；

（7）工程检测项目计划及方法等；

（8）更改和完善质量计划的程序。

5. 施工质量控制点的设置是施工质量计划的组成内容

（1）质量控制点是施工质量控制的重点，凡属关键技术、重要部位、控制难度大、影响大、经验欠缺的施工内容以及新材料、新技术、新工艺、新设备等，均可列为质量控制点，实施重点控制。

（2）施工质量控制点设置的具体方法是：根据工程项目施工管理的基本程序，结合项目特点，在制定项目总体质量计划后，列出各基本施工过程对局部和总体质量水平有影响的项目，作为具体实施的质量控制点。如：城市桥梁施工质量管理中，可列出围堰施工、工程测量、桩基础施工、大体积混凝土、预应力张拉施工作为工程中必须进行重点控制的专题等，作为质量控制重点。又如：在工程功能检测的控制程序中，可设立道路弯沉试验、管道严密性和强度试验、桥梁荷载试验、水池满水试验等专项质量控制点。

（3）通过质量控制点的设定，质量控制的目标及工作重点更加明晰，加强事前预控的方向也就更加明确。事前预控包括明确控制目标参数、制定实施规程（包括施工操作规程及检测评定标准）、确定检查项目数量及跟踪检查或批量检查方法、明确检查结果的判断标准及信息反馈要求。

（4）施工质量控制点的管理应该是动态的，一般情况下在工程开工前、设计交底和图纸会审时，可确定整个项目的质量控制点，随着工程的展开、施工条件的变化，随时或定期进行控制点范围的调整和更新，始终保持重点跟踪的控制状态。

6. 施工质量计划编制完毕，应经企业技术领导审核批准，并按施工承包合同的约定提交工程监理或建设单位批准确认后执行。

7. 施工质量计划的实施

（1）质量管理人员应按照分工，控制质量计划的实施，并应按规定保存控制记录。

（2）当发生质量缺陷或事故时，必须分析原因，分清责任，进行整改。

8. 施工质量计划的验证

(1) 项目技术负责人应定期组织具有资质的质检人员和内部质量审核员验证质量计划的实施效果,当项目控制中存在问题或隐患时,应提出解决措施。

(2) 当重复出现不合格质量问题,责任人应按规定承担责任,并应依据验证评价的结果进行处罚。

3.2.6 市政工程施工项目质量控制的方法和手段

1. 施工项目质量控制的方法

施工项目质量控制的方法,主要是审核有关技术文件、报告和直接进行现场质量检验或必要的试验等。

(1) 审核有关技术文件、报告或报表

对技术文件、报告、报表的审核,是项目管理人员对工程质量进行全面控制的重要手段,其具体内容有:

1) 审核有关技术资质证明文件;
2) 审核开工报告,并经现场核实;
3) 审核施工方案、施工组织设计和技术措施;
4) 审核有关材料、半成品的质量检验报告;
5) 审核反映工序质量动态的统计资料或控制图表;
6) 审核设计变更、修改图纸和技术核定书;
7) 审核有关质量问题的处理报告;
8) 审核有关应用新工艺、新材料、新技术、新结构的技术鉴定书;
9) 审核有关工序交接检查,部位工程质量检查报告;
10) 审核并签署现场有关技术签证、文件等。

(2) 现场质量检验

1) 现场质量检验的内容

① 开工前检查。目的是检查是否具备开工条件,开工后能否连续正常施工,能否保证工程质量。

② 工序交接检查。对于重要的工序或对工程质量有重大影响的工序,实行"三检制",即在自检、互检的基础上,还要组织专职人员进行工序交接检查。

③ 隐蔽工程检查。凡是隐蔽工程均应检查认证后方能掩盖。

④ 停工后复工前的检查。因处理质量问题或某种原因停工后需复工时,也应经检查认可后方能复工。

⑤ 成品保护检查。检查成品有无保护措施,或保护措施是否可靠。

此外,还应经常深入现场,对施工操作质量进行巡视检查;必要时,还应进行跟班或追踪检查。

2) 现场质量检查的方法

现场进行质量检查的方法有目测法、实测法和试验法三种。

① 目测法。其手段可归纳为看、摸、敲、照。

② 实测法。就是通过对比实测数据与施工规范及质量标准所规定的允许偏差,来判别质量是否合格。实测检查法的手段,可归纳为靠、吊、量、套。

③ 试验检查。指必须通过试验手段，才能对质量进行判断的检查方法。

2. 质量控制的手段

（1）日常性的检查：在现场施工过程中，质量控制人员（专业工长、质检员、技术人员）对操作人员的操作情况及结果的检查和抽查，及时发现质量问题或质量隐患，事故苗头，以便及时控制。

（2）测量和检测：利用测量仪器和检测设备对建筑物水平和竖向轴线、标高、几何尺寸、方位的控制，对结构施工的有关砂浆或混凝土强度的检测，严格控制工程质量，发现偏差及时纠正。

（3）试验及有见证取样：各种材料及施工试验应符合相应规范和标准的要求，如原材料的性能，混凝土搅拌的配合比和计量，坍落度的检查和成品强度等物理力学性能及桩的承载能力等，均需通过试验的手段进行控制。

（4）实行质量否决制度：质量检查人员和技术人员对施工中存有的问题，有权以口头方式或书面方式要求施工操作人员停工或者返工，纠正违章行为责令不合格的产品推倒重做。

（5）按规定的工作程序控制：预检、专检应由专人负责并按规定检查，并记录，第一次使用的配合比要进行开盘鉴定，混凝土浇筑应经申请和批准，完成的分项工程质量要进行实测实量的检验评定等。

（6）对使用安全与功能的项目实行竣工抽查检测。

3.2.7 市政工程质量统计方法的应用

质量统计方法很多，这里主要介绍两图一表法（因果分析图、排列图、对策表）的应用，两图一表法简单可行，在现场管理中广泛应用。

1. 因果分析图

（1）因果分析图的概念

因果分析图法是利用因果分析来系统整理分析某个质量问题（结果）与其产生原因之间关系的有效工具。因果分析图也称特性要因图，又因其形状常被称为树枝图或鱼刺图。

因果分析图的基本形式如图 3-2 所示。

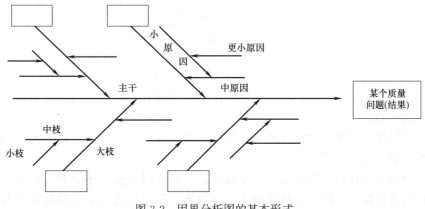

图 3-2　因果分析图的基本形式

从图 3-2 可见,因果分析图由质量特性(即质量结果指某个质量问题)、要因(产生质量问题的主要原因)、枝干(一系列箭线表示不同层次的原因)、主干(指较粗的直接指向质量结果的水平箭线)等组成。

(2) 因果分析图的绘制

下面结合实例加以说明。

【例 3-1】绘制混凝土强度不足的因果分析图。

因果分析图的绘制步骤与图 3-2 中箭头方向恰恰相反,是从"结果"开始将原因逐层分解的,具体步骤如下:

1) 明确质量问题—结果。该例分析的质量问题是"混凝土强度不足",作图时首先由左至右画出一条水平主干线,箭头指向一个矩形框,框内注明研究的问题,即结果。

2) 分析确定对质量特性有较大影响的原因。一般来说,影响质量因素有五大方面,即人、机械、材料、方法、环境等。另外还可以按产品的生产过程进行分析。

3) 将每种大原因进一步分解为中原因、小原因,直至分解的原因可以采取具体措施加以解决为止。

4) 检查图中的所列原因是否齐全,可以对初步分析结果广泛征求意见,并做必要的补充及修改。

5) 选择影响大的关键因素,做出标记"△",以便重点采取措施。

图 3-3 是混凝土强度不足的因果分析图。

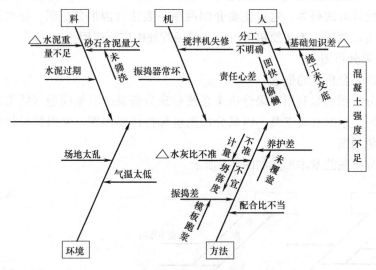

图 3-3 混凝土强度不足的因果分析图

2. 排列图

利用因果分析法可以找出产生质量问题的原因,进一步分析其主要原因是什么,要用到主次因素图。

排列图一般有两个纵坐标和一个横坐标。左边纵坐标表示频数,即不合格品件数;右边为频率,即不合格品的累计百分数。横坐标表示影响质量的各种不同因素,按各因素影响程度的大小,即按造成不合格品数的多少,从左到右排列。

直方图的高度表示某个因素影响的大小；曲线表示各影响因素大小的百分数。通常把累计百分数分为三类：0~80%为A类，80%~90%为B类，90%~100%为C类。A类为影响质量的主要因素，B类为次要因素，C类为一般因素。

【例3-2】某市政道路项目竣工后进行质量检验，发现路面存在若干质量问题，其数据见表3-1，排列图见图3-4。

某市政道路质量问题数据统计表　　　　　　表3-1

序号	项目	频数	频率(%)	累计百分比(%)
1	压实度不够	389	58.0	58.0
2	厚度不够	204	30.4	88.4
3	小面积网裂	63	9.4	97.8
4	局部油包	8	1.2	99.0
5	平整度不好	7	1.0	100.0
	合计	671	100.0	—

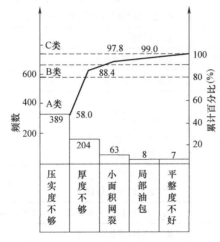

图3-4　某市政道路质量问题排列图

根据图3-4得出如下结论：压实度不够是主要因素；厚度不够是次要因素；其他三项是一般因素。为了进一步分析主要因素形成的原因，还可以对"压实度不够"进行因果分析，找出原因。

制作排列图的方法与要点：

(1) 作图的主要步骤

① 确定调查对象、范围、内容等；

② 通过实测实量收集一批数据，并根据内容和原因分类；

③ 按频数大小重新排列项目，计算频数总值，并计算出各项目的频率和累计百分比；

④ 绘制直方图，画出累计百分比曲线。

(2) 通过分析排列图，弄清影响质量的主要因素与次要因素。一般认为影响质量的主要因素有1~3个，不太重要的因素可合并在"其他"项中，以减少项目数。

(3) 纵坐标除用质量问题的次数来表示外,也可用经济损失来表示。

3. 对策表

对策表是针对因果分析图所分析出的影响质量因素,有的放矢制定对策并落实到解决问题的人和时间并限期改正的一种表格。

表 3-2 是混凝土强度不足的对策计划表

混凝土强度不足的对策计划表   表 3-2

项目	序号	产生问题原因	采取的对策	执行人	完成时间
人	1	分工不明确	根据个人特长,确定每项作业的负责人及各操作人员职责,挂牌示出		
	2	基本知识差	(1)组织学习操作规程 (2)搞好技术交底		
方法	3	配合比不当	(1)根据数理统计结果,按施工实际水平进行配合比计算 (2)进行试验		
	4	水灰比不准	(1)制作试样 (2)捣制时每半天测砂石含水率一次 (3)捣制时控制坍落度在 5cm 以下		
	5	计量不准	校正磅秤		
材料	6	水泥重量不足	进行水泥重量统计		
	7	原材料不合格	对砂、石、水泥进行各项指标试验		
	8	砂、石含泥量大	冲洗		
机械	9	振捣器常坏	(1)使用前检修一次 (2)施工时配备电工 (3)备用振捣器		
	10	搅拌机失修	(1)使用前检修一次 (2)施工时配备检修工人		
环境	11	场地乱	认真清理,搞好平面布置,现场实行分片制		
	12	气温低	准备草包,养护落实到人		

3.3 市政工程施工质量的验收

市政工程施工质量验收是质量控制的一个重要环节,它包括工程施工质量的中间验收和工程竣工验收两个方面。通过对工程建设中间产出品和最终产品的质量验收,从过程控制和终端把关两个方面进行工程项目的质量控制。以确保达到业主所要求的功能和使用价值,实现建设投资的经济效益和社会效益。工程项目竣工验收,是项目建设程序的最后一个环节,是全面考核项目建设成果,检查设计与施工质量,确认项目能否投入使用的重要步骤。竣工验收的顺利完成,标志着项目建设阶段的结束和生产使用阶段的开始。尽快完成竣工验收工作,对促进项目的早日投产使用,发挥投资效益,有着非常重要的意义。

3.3.1 市政工程施工质量验收标准

随着我国城市建设不断扩大与发展,市政工程建设水平也日新月异地发展与提高，原有的市政工程质量检验评定体系已不能满足市政工程建设发展的需要，自 2008 年起住房和城乡建设部按照《建筑工程施工质量验收统一标准》GB 50300—2013 的"验评分离、强化验收、完善手段、过程控制"指导思想，已相继对市政道路、桥梁、排水构筑物工程等质量评定标准进行修订，并形成了新版市政工程施工及质量验收规范体系，主要的评定标准与验收规范如下：

(1)《城镇道路工程施工与质量验收规范》CJJ 1—2008
(2)《城市桥梁工程施工与质量验收规范》CJJ 2—2008
(3)《给水排水管道工程施工及验收规范》GB 50268—2008
(4)《给水排水构筑物工程施工及验收规范》GB 50141—2008
(5)《城镇供热管网工程施工及验收规范》CJJ 28—2014

3.3.2 市政工程质量检查与验收实施要点

1. 材料（设备）检验

(1) 对原材料、成品、半成品的质量检查验收

市政工程中使用的原材料、成品、半成品，主要有砂石材料、水泥、钢材、商品混凝土、二灰碎石（俗称三渣）、沥青混合料、土、砖、石灰、粉煤灰、各种混凝土（钢筋混凝土、预应力混凝土、无筋混凝土）制品、橡胶制品（支座、伸缩装置、止水带、密封圈）、无纺布、混凝土添加剂、塑料制品等。按照要求，这些原材料和制成品要进入施工现场使用，必须经过生产厂家的出厂检验（土除外）和施工单位的进场检验。

出厂检验是指生产厂家必须提供该批材料可制品的出厂合格证（质量保证单），同时应标明基本的技术指标和测试数据。如水泥，其出厂合格证上除了品种、强度等级、窑型、供应数量、生产日期、生产厂家、收货单位等基本数据外，还应标明初凝及终凝时间、体积安定性、3 天强度及氧化镁含量等，并补报 28 天强度；钢筋质量保证单了除应有炉号、钢号、规格、件数、重量、生产日期、生产厂家、收货单位等内容外，还应有屈服强度、抗拉强度、延伸率、冷弯及反复弯曲性能及碳、锰、硅、硫含量等化学分析指标。

施工单位的进场检验，是指按照施工技术规程的规定，由施工单位对每次进场的原材料进行检验，包括外观质量检查和性能检测。对外观质量有明显缺陷将影响使用的材料或制品，应立即作退货处理。性能检测应由施工单位按施工技术规程规定的检测频率取样，送试验检测机构对规定的测试项目进行测试。

(2) 生产设备的检查验收

市政工程的各类生产设备，比如说排水系统新建、改建、扩建的雨（污）水泵站、污水处理厂内的各类机械设备和电气设备，它们是市政设施建成以后发挥效能的主要组成部分。该类设备先由施工单位根据设计文件提出选型报告，报监理工程师审查。设备安装以前，必须经过检查，确认其满足要求后，方能进行安装施工：

1) 检查生产设备是否符合设计文件要求；如需修改变更，必须事先办妥变更手续。

2) 根据设备装箱清单或材料供货单对生产设备进行数量、质量的清点验收，

核对其规格、型号、牌号等,检查各附件是否齐全。

3)检查生产设备的出厂合格证、产品说明书是否齐全。

2. 施工过程质量检验

施工过程中的质量检验包括材料(产品)质量检验、施工工艺检查、隐蔽工程验收、外形尺寸检查、工程实体质量检查、外观检查、质量保证资料检查等,实测项目检查原则上应点点合格,符合各项标准规范的要求。

为了对施工作业步骤进行质量控制,经常在每一个作业过程后进行跟踪检查。如用某种压路碾压几遍后、浇筑完一罐混凝土,混凝土试块同条件养生、在不同龄期试压等,也都是非常重要和有意义的。

3. 交工验收

交工验收是检查施工合同的执行情况,评价工程质量是否符合技术标准及设计要求,是否可以移交下一阶段施工或是否满足通车要求,对各参建单位工作进行初步评价。

(1)检查合同执行情况。

(2)检查施工自检报告、施工总结报告及施工资料。

(3)检查监理单位独立抽检资料、监理工作报告及质量评定资料。

(4)检查工程实体,审查有关资料,包括主要产品质量的抽(检)测报告。

(5)核查工程完工数量是否与批准的设计文件相符,是否与工程计量数量一致。

(6)对合同是否全面执行,工程质量是否合格作出结论,按主管部门规定的格式签署合同段交工验收证书。

(7)对设计单位、监理单位、施工单位的工作进行初步评价。

4. 竣工验收

竣工验收是综合评价工程建设成果,对工程质量、参建单位和建设项目进行综合评价。

(1)听取项目建设单位、设计单位、施工单位、监理单位的工作报告。

(2)听取质量监督部门的工作报告及工程质量鉴定报告。

(3)检查工程实体质量、审查有关资料。

(4)按市政工程质量评定标准对工程质量进行评分,并确定工程质量等级。

(5)按规定的办法对参建单位进行综合评价。

(6)对建设项目进行综合评价。

(7)形成并通过竣工验收鉴定书。

3.3.3 市政工程施工质量验收的划分

市政工程施工质量验收涉及市政工程施工过程和竣工验收控制,是工程质量控制的重要环节,合理划分市政工程施工质量验收层次是非常必要的。验收层次的确定,将直接影响到质量验收工作的科学性、经济性、实用性及可操作性。因此通过中间验收层次及最终验收单位的确定,实施对工程施工质量的过程控制和终端把关,确保施工质量达到工程项目决策阶段所确定的质量目标和水平。

1. 城镇道路工程

城镇道路工程开工前,施工单位应会同建设单位、监理工程师确认建设项目的单位、分部、分项工程和检验批,作为施工质量检查、验收的基础,并应符合以下要求:

(1) 建设单位招标文件确定的每一个独立合同应为一个单位工程。

当合同文件包含的工程内涵较多,或工程规模较大或由若干独立设计组成时,宜按工程部位或工程量、每一独立设计将单位工程分成若干子单位工程。

(2) 单位(子单位)工程应按工程的结构部位或特点、功能、工程量划分分部工程。

分部工程的规模较大或工程复杂时宜按材料种类、工艺特点、施工工法等,将分部工程划为若干子分部工程。

(3) 分部工程(子部分工程)可由一个或若干个分项工程组成,应按主要工种、材料、施工工艺等划分分项工程。

(4) 分项工程可由一个或若干检验批组成。检验批应根据施工、质量控制和专业验收需要划定。各地区应根据城镇道路建设实际需要,划定适应的检验批。

(5) 各分部(子分部)工程相应的分项工程、检验批应按表3-3的规定执行。表3-3中未规定时,施工单位应在开工前会同建设单位、监理单位研究确定。

城镇道路分部(子分部)工程与相应的分项工程、检验批　　表3-3

分部工程	子分部工程	分项工程	检验批
路基	—	土方路基	每条或路段
		石方路基	每条或路段
		路基处理	每条处理段
		路肩	每条路肩
基层	—	石灰土基层	每条路或路段
		石灰粉煤灰稳定砂砾(碎石)基层	每条路或路段
		石灰粉煤灰钢渣基层	每条路或路段
		水泥稳定土类基层	每条路或路段
		级配砂砾(砾石)基层	每条路或路段
		级配碎石(碎砾石)基层	每条路或路段
		沥青碎石基层	每条路或路段
		沥青贯入式基层	每条路或路段
面层	沥青混合料面层	透层	每条路或路段
		粘层	每条路或路段
		封层	每条路或路段
		热拌沥青混合料面层	每条路或路段
		冷拌沥青混合料面层	每条路或路段

续表

分部工程	子分部工程	分项工程	检验批
面层	沥青贯入式与沥青表面处治面层	沥青贯入式面层	每条路或路段
		沥青表面处治面层	每条路或路段
	水泥混凝土面层	水泥混凝土面层(模板、钢筋、混凝土)	每条路或路段
	铺砌式面层	料石面层	每条路或路段
		预制混凝土砌块面层	每条路或路段
广场与停车场	—	料石面层	每个广场或划分的区段
		预制混凝土砌块面层	每个广场或划分的区段
		沥青混合料面层	每个广场或划分的区段
		水泥混凝土面层	每个广场或划分的区段
人行道	—	料石人行道铺砌面层(含盲道砖)	每条路或路段
		混凝土预制块铺砌人行道面层(含盲道砖)	每条路或路段
		沥青混合料铺筑面层	每条路或路段
人行地道结构	现浇钢筋混凝土人行地道结构	地基	每座通道
		防水	每座通道
		基础(模板、钢筋、混凝土)	每座通道
		墙与顶板(模板、钢筋、混凝土)	每座通道
	预制安装钢筋混凝土人行地道结构	墙与顶部构件预制	每座通道
		地基	每座通道
		防水	每座通道
		基础(模板、钢筋、混凝土)	每座通道
		墙板、顶板安装	每座通道
	砌筑墙体、钢筋混凝土顶板人行地道结构	顶部构件预制	每座通道
		地基	每座通道
		防水	每座通道
		基础(模板、钢筋、混凝土)	每座通道
		墙体砌筑	每座通道或分段
		顶部构件、顶板安装	每座通道或分段
		顶部现浇(模板、钢筋、混凝土)	每座通道或分段
挡土墙	现浇钢筋混凝土挡土墙	地基	每道挡土墙地基或分段
		基础	每道挡土墙基础或分段
		墙(模板、钢筋、混凝土)	每道墙体或分段
		滤层、泄水孔	每道墙体或分段
		回填土	每道墙体或分段
		帽石	每道墙体或分段
		栏杆	每道墙体或分段

续表

分部工程	子分部工程	分项工程	检验批
挡土墙	装配式钢筋混凝土挡土墙	挡土墙板预制	每道墙体或分段
		地基	每道挡土墙地基或分段
		基础(模板、钢筋、混凝土)	每道基础或分段
		墙板安装(含焊接)	每道墙体或分段
		滤层、泄水孔	每道墙体或分段
		回填土	每道墙体或分段
		帽石	每道墙体或分段
		栏杆	每道墙体或分段
	砌筑挡土墙	地基	每道墙体地基或分段
		基础(砌筑、混凝土)	每道基础或分段
		墙体砌筑	每道墙体或分段
		滤层、泄水孔	每道墙体或分段
		回填土	每道墙体或分段
		帽石	每道墙体或分段
	加筋土挡土墙	地基	每道挡土墙地基或分段
		基础(模板、钢筋、混凝土)	每道基础或分段
		加筋挡土墙砌块与筋带安装	每道墙体或分段
		滤层、泄水孔	每道墙体或分段
		回填土	每道墙体或分段
		帽石	每道墙体或分段
		栏杆	每道墙体或分段
附属构筑物	—	路缘石	每条路或路段
		雨水支管与雨水口	每条路或路段
		排(截)水沟	每条路或路段
		倒虹管及涵洞	每座结构
		护坡	每条路或路段
		隔离墩	每条路或路段
		隔离栅	每条路或路段
		护栏	每条路或路段
		声屏障(砌体、金属)	每处声屏障墙
		防眩板	每条路或路段

2. 城市桥梁工程

城市桥梁工程开工前，施工单位应会同建设单位、监理单位确认建设项目的单位、分部、分项工程和检验批，作为施工质量检查、验收的基础，应符合以下要求：

(1) 建设单位招标文件确定的每一个独立合同应为一个单位工程。当合同文件包含的工程内容较多，或工程规模较大，或由若干独立设计组成时，宜按工程部位或工程量、每一独立设计将单位工程分成若干子单位工程。

(2) 单位（子单位）工程应按工程的结构部位或特点、功能、工程量划分分部工程。分部工程的规模较大或工程复杂时宜按材料种类、工艺特点、施工工法等，将分部工程划为若干子分部工程。

(3) 分部工程（子分部工程）中，应按主要工种、材料、施工工艺等划分分项工程。分项工程可由一个或若干检验批组成。

(4) 检验批应根据施工、质量控制和专业验收需要划定。

(5) 各分部（子分部）工程相应的分项工程宜按表 3-4 的规定执行。表 3-4 中未规定时，施工单位应在开工前会同建设单位、监理单位共同研究确定。

城市桥梁分部（子分部）工程与相应的分项工程、检验批对照　　　表 3-4

分部工程	子分部工程	分项工程	检验批
地基与基础	扩大基础	基坑开挖、地基、土方回填、现浇混凝土（模板与支架、钢筋、混凝土）、砌体	每个基坑
	沉入桩	预制桩(模板、钢筋、混凝土、预应力混凝土)、钢管桩、沉桩	每根桩
	灌注桩	机械成孔、人工挖孔、钢筋笼制作与安装、混凝土灌注	每根桩
	沉井	沉井制作(模板与支架、钢筋、混凝土、钢壳)、浮运、下沉就位、清基与填充	每节、座
	地下连续墙	成槽、钢筋骨架、水下混凝土	每个施工段
	承台	模板与支架、钢筋、混凝土	每个承台
墩台	砌体墩台	石砌体、砌块砌体	每个砌筑段、浇筑段、施工段或每个墩台、每个安装段(件)
	现浇混凝土墩台	模板与支架、钢筋、混凝土、预应力混凝土	
	预制混凝土柱	预制柱(模板、钢筋、混凝土、预应力混凝土)安装	
	台背填土	填土	
盖梁		模板与支架、钢筋、混凝土、预应力混凝土	每个盖梁
支座		垫石混凝土、支座安装、挡块混凝土	每个支座
索塔		现浇混凝土索塔(模板与支架、钢筋、混凝土、预应力混凝土)、钢构件安装	每个浇筑段、每根钢构件
锚锭		锚固体系制作、锚固体系安装、锚锭混凝土(模板与支架、钢筋、混凝土)、锚索张拉与压浆	每个制作件、安装件、基础
桥跨承重结构	支架上浇筑混凝土梁(板)	模板与支架、钢筋、混凝土、预应力钢筋	每孔、联、施工段
	装配式钢筋混凝土梁(板)	预制梁(板)(模板与支架、钢筋、预应力混凝土)、安装梁(板)	每片梁
	悬臂浇筑预应力混凝土梁	0号段(模板与支架、钢筋、混凝土、预应力混凝土)、悬浇段(挂篮、模板与支架、钢筋、混凝土、预应力混凝土)	每个浇筑段
	悬臂拼装预应力混凝土梁	0号段(模板与支架、钢筋、混凝土、预应力混凝土)、梁段预制(模板与支架、钢筋、混凝土)、拼装梁段、施加预应力	每个拼装段

续表

分部工程	子分部工程	分项工程	检验批
桥跨承重结构	顶推施工混凝土梁	台座系统、导梁、梁段预制（模板与支架、钢筋、混凝土、预应力混凝土）、顶推梁段、施加预应力	每节段
	钢梁	现场安装	每个制作段、孔、联
	结合梁	钢梁安装、预应力钢筋混凝土梁预制（模板与支架、钢筋、混凝土、预应力混凝土）、预制梁安装、混凝土结构浇筑（模板与支架、钢筋、混凝土、预应力混凝土）	每段、孔
	拱部与拱上结构	砌筑拱圈、现浇混凝土拱圈、劲性骨架混凝土拱圈、装配式混凝土拱部结构、钢管混凝土拱（拱肋安装、混凝土压注）、吊杆、系杆拱、转体施工、拱上结构	每个砌筑段、安装段、浇筑段、施工段
	斜拉桥的主梁与拉索	0号段混凝土浇筑、悬臂浇筑混凝土主梁、支架上浇筑混凝土主梁、悬臂拼装混凝土主梁、悬拼钢箱梁、支架上安装钢箱梁、结合梁、拉索安装	每个浇筑段、制作段、安装段、施工段
	悬索桥的加劲梁与绳索	索鞍安装、主缆架设、主缆防护、索夹和吊索安装、加劲梁段拼装	每个制作段、安装段、施工段
顶进箱涵		工作坑、滑板、箱涵预制（模板与支架、钢筋、混凝土）、箱涵顶进	每坑、每制作节、顶进节
桥面系		排水设施、防水层、桥面铺装层（沥青混合料铺装、混凝土铺装——模板、钢筋、混凝土）、伸缩装置、地袱和缘石与挂板、防护设施、人行道	每个施工段、每孔
附属结构		隔声与防眩装置、梯道（砌体；混凝土——模板与支架、钢筋、混凝土；钢结构）、桥头搭板（模板、钢筋、混凝土）、防冲刷结构、照明、挡土墙▲	每砌筑段、浇筑段、安装段、每座构筑物
装饰与装修		水泥砂浆抹面、饰面板、饰面砖和涂装	每跨、侧、饰面
引道▲			

注：表中"▲"项应符合国家现行标准《城镇道路工程施工与质量验收规范》CJJ 1—2008 的有关规定。

3. 市政给水排水工程

（1）市政给水排水管道工程

市政给水排水管道工程施工质量验收应在施工单位自检基础上，按检验批、分项工程、分部（子分部）工程、单位（子单位）工程的顺序进行。

市政给水排水管道工程的单位、分部、分项工程按表3-5划分。

给水排水管道工程分项、分部、单位工程划分表　　　　表3-5

单位工程（子单位工程）		开（挖）槽施工的管道工程、大型顶管工程、盾构管道工程、浅埋暗挖管道工程、大型沉管工程、大型桥管工程	
分部工程（子分部工程）		分项工程	检验批
土方工程		沟槽土方（沟槽开挖、沟槽支撑、沟槽回填）、基坑土方（基坑开挖、基坑支护、基坑回填）	与下列验收批对应
预制管开槽施工主体结构	金属类管、混凝土类管、预应力钢筒混凝土管、化学建材管	管道基础、管道接口连接、管道铺设、管道防腐层（管道内防腐层、钢管外防腐层）、钢管阴极保护	选择下列方式划分： ①按流水施工长度； ②排水管道按井段； ③给水管道按一定长度连续施工段或自然划分段（路段）； ④其他便于过程质量控制方法

续表

单位工程 (子单位工程)		开(挖)槽施工的管道工程、大型顶管工程、盾构管道工程、浅埋暗挖管道工程、大型沉管工程、大型桥管工程	
分部工程 (子分部工程)		分项工程	检验批
管渠 (廊)	现浇钢筋混凝土管渠、装配式混凝土管渠、砌筑管渠	管道基础、现浇钢筋混凝土管渠(钢筋、模板、混凝土、变形缝)、装配式混凝土管渠(预制构件安装、变形缝)、砌筑管渠(砖石砌筑、变形缝)、管道内防腐层、管廊内管道安装	每节管渠(廊)或每个流水施工段管渠(廊)
不开槽施工主体结构	工作井	工作井围护结构、工作井	每座井
	顶管	管道接口连接、顶管管道(钢筋混凝土管、钢管)、管道防腐层(管道内防腐层、钢管防腐层)、钢管阴极保护、垂直顶升	顶管顶进:每100m; 垂直顶升:每个顶升管
	盾构	管片制作、掘进及管片拼装、二次内衬(钢筋、混凝土)、管道防腐层、垂直顶升	顶管掘进:每100环; 二次内衬:每施工作业断面; 垂直顶升:每个顶升管
	浅埋暗挖	土层开挖、初期衬砌、防水层、二次内衬、管道防腐层、垂直顶升	暗挖:每施工作业断面; 垂直顶升:每个顶升管
	定向钻	管道接口连接、定向钻管道、钢管防腐层(内防腐层、外防腐层)、钢管阴极保护	每100m
	夯管	管道接口连接、夯管管道、钢管防腐层(内防腐层、外防腐层、钢管阴极保护)	每100m
管道主体工程	沉管 组对拼装沉管	基槽浚挖及管基处理、管道接口连接、管道防腐层、管道沉放、稳管及回填	每100m(分段拼装按每段,且不大于100m)
	沉管 预制钢筋混凝土沉管	基槽浚挖及管基处理、预制钢筋混凝土管节制作(钢筋、模板、混凝土)、管节接口预制加工、管道沉放、稳管及回填	每节预制钢筋混凝土管
	桥管	管道接口连接、管道防腐层(内防腐层、外防腐层)、桥管管道	每跨或每100m;分段拼装按每跨或每段,且不大于100m
附属构筑物工程		井室(现浇混凝土结构、砖砌结构、预制拼装结构)、雨水口及支连管、支墩	同一结构类型的附属构筑物不大于10个

注:1. 大型顶管工程,指管道一次顶进长度大于300m的管道工程;
2. 大型沉管工程:指预制钢筋混凝土管节沉管工程;对于成品管组对拼装的沉管工程,应为多年平均水位面宽度不小于200m,或多年平均水位水面宽度在100~200m之间,且相应水深不小于5m;
3. 大型桥管工程:总跨长度不小于300m或主跨长度不小于100m;
4. 土方工程中涉及地基处理、基坑支护等,可按现行国家标准《建筑地基基础工程施工质量验收标准》GB 50202—2018等相关规定执行;
5. 桥管的地基与基础、下部结构工程,可按桥梁工程规范的有关规定执行;
6. 工作井的地基与基础、围护结构工程,可按现行国家标准《建筑地基基础工程施工质量验收标准》GB 50202—2018、《混凝土结构工程施工质量验收规范》GB 50204—2015、《地下防水工程质量验收规范》GB 50208—2011、《给水排水构筑物工程施工及验收规范》GB 50141—2008等相关规定执行。

(2) 市政给水排水构筑物工程

市政给水排水构筑物工程施工质量验收应在施工单位自检合格基础上，按检验批、分项工程、分部（子分部）工程、单位（子单位）工程的顺序进行。

市政给排水构筑物工程的单位、分部、分项工程按表3-6划分。

给水排水构筑物单位工程、分部工程、分项工程划分表　　表3-6

分部（子分部）工程	单位（子单位）工程 分项工程	构筑物工程或按独立合同承建的水处理构筑物、管渠、调蓄构筑物、取水构筑物、排放构筑物	
分部（子分部）工程		分项工程	检验批
地基与基础工程	土石方	围堰、基坑支护结构（各类维护）、基坑开挖（无支护基坑开挖、有支护基坑开挖）、基坑回填	1. 按不同单体构筑物分别设置分项工程（不设验收批时）； 2. 单体构筑物分项工程视需要可设检验批； 3. 其他分项工程可按变形缝位置、施工作业面、标高等分为若干个检验批
地基与基础工程	地基基础	地基处理、混凝土基础、桩基础	
主体结构工程	现浇混凝土结构	底板（钢筋、模板、混凝土）、墙体及内部结构（钢筋、模板、混凝土）、顶板（钢筋、模板、混凝土）、预应力混凝土（后张法预应力混凝土）、变形缝、表面层（防腐层、水层、保温层等的基面处理、涂衬）、各类单体构筑物	
主体结构工程	装配式混凝土结构	预制构件现场制作（钢筋、模板、混凝土）、预制构件安装、圆形构筑物缠丝张拉预应力混凝土、变形缝、表面层（防腐层、防水层、保温层等的基面处理、涂衬）、各类单体构筑物	
主体结构工程	砌体结构	砌体（砖、石、预制砌体）、变形缝、表面层（防腐层、防水层、保温层等的基面处理、涂衬）、护坡与护坦、各类单体构筑物	
主体结构工程	钢结构	钢结构现场制作、钢结构预拼装、钢结构安装（焊接、栓接等）、防腐层（基面处理、涂衬）、各类单体构筑物	
附属构筑物工程	细部结构	现浇混凝土结构（钢筋、模板、混凝土）、钢制构件（现场制作、安装、防腐层）、细部结构	
附属构筑物工程	工艺辅助构筑物	混凝土结构（钢筋、模板、混凝土）、砌体结构、钢结构（现场制作、安装、防腐层）、工艺辅助构筑物	
附属构筑物工程	管渠	同主体结构工程的"现浇混凝土结构、装配式混凝土结构、砌体结构"	
附属构筑物工程	混凝土结构	同附属构筑物工程的"管渠"	
进、出水管渠	预制管铺设	同现行国家标准《给水排水管道工程施工及验收规范》GB 50268—2008	

注：1. 单体构筑物工程包括：取水构筑物（取水头部、进水涵渠、进水间、取水泵房等单体构筑物）、排放构筑物（排放口、出水涵渠、出水井、排放泵房等单体构筑物）、水处理构筑物（泵房、调节配水池、蓄水池、清水池、沉砂池、工艺沉淀池、曝气池、澄清池、滤池、浓缩池、消化池、稳定池、涵渠等单体构筑物），管渠，调蓄构筑物（增压泵房、提升泵房、调蓄池、水塔、水柜等单体构筑物）；
2. 细部结构指主体构筑物的走道平台、梯道、设备基础、导流墙（槽）、支梁、盖板等的现浇混凝土或钢结构，对于混凝土结构，与主体结构工程同时连续浇筑施工时，其钢筋、模板、混凝土等分项工程验收，可与主体结构工程合并；
3. 各类工艺辅助构筑物指各类工艺井、管廊桥架、闸槽、水槽（廊）、堰口、穿孔、孔口、斜板、导流墙（板）等；对于混凝土和砌体结构，与主体结构工程同时连续浇筑、砌筑施工时，其钢筋、模板、混凝土、砌体等分项工程验收，可与主体结构工程合并；
4. 长输管渠的分项工程应按管段长度划分成若干个检验批分项工程，检验批、分项工程质量验收记录表式同现行国家标准《给水排水管道工程施工及验收规范》GB 50268—2008 表 B.0.1 和表 B.0.2；
5. 管理用房、配电房、脱水机房、鼓风机房、泵房等的地面建筑工程同现行国家标准《建筑工程施工质量验收统一标准》GB 50300—2013 规定。

4. 城镇供热管网工程

城镇供热管网工程质量验收按分项、分部、单位工程划分。

(1) 单位工程宜为一个合同项目。

(2) 分部工程按长度、专业或部位划分为若干个分部工程。如规模较小，可不划分分部工程。

(3) 分项工程宜包括下列内容：

1) 沟槽、模板、钢筋、混凝土（垫层、基础、构筑物）、砌体结构、防水、止水带、预制构件安装、回填土等土建分项工程。

2) 管道安装、支架安装、设备及管路附件安装、焊接、管道防腐及保温等热机分项工程。

3) 热力站、中继泵站的建筑和结构部分等按现行国家有关标准执行。

3.3.4 市政工程施工质量评定

现行市政工程验收规范只设"合格"等级，取消了"优良"等级。市政工程质量验收应按检验批、分项、分部（子分部）和单位（子单位）工程分层进行，并设置主控项目和一般项目作为检验内容。另外在现行市政工程施工与质量验收规范体系中，由于《建筑工程施工质量验收统一标准》GB 50300—2013 规定了质量验收程序及组织，因此在应用现行市政工程验收规范时必须结合《建筑工程施工质量验收统一标准》GB 50300—2013。

1. 检验批质量的验收

(1) 检验批合格质量的规定

分项工程分成一个或几个检验批来验收。检验批合格质量应符合下列规定：

1) 主控项目的质量应经抽样检验合格。

2) 一般项目的质量经抽样检验合格；当采用计数检验时，除有专门规定外，一般项目的合格点率应达到 80% 及以上，且不合格点的最大偏差值不得大于规定的允许偏差值的 1.5 倍。

3) 具有完整的施工原始资料和质量检查记录。

主控项目的条文是必须达到的要求，是保证工程安全和使用功能的重要检验项目，是对安全、卫生、环境保护和公众利益起决定性作用的检验项目，是确定该检验批主要性能的。如果达不到规定的质量指标，降低要求就相当于降低该工程项目的性能指标，就会严重影响工程的安全性能。如混凝土、砂浆的强度等级是保证混凝土结构、砌体工程强度的重要性能，所以必须全部达到要求。

一般项目是除主控项目以外的检验项目，其条文也是应该达到的，只不过对少数条文可以适当放宽一些，也不影响工程安全和使用功能。这些条文虽不像主控项目那样重要，但对工程安全、使用功能、工程整体的美观都是有较大影响的。这些项目在验收时，绝大多数抽查的处（件），其质量指标都必须达到要求，其余 20% 虽可以超过一定的指标，也是有限的，通常不能超过规定值的 150%，这样的要求对工程质量的控制更严格了。

(2) 检验批的质量验收记录

检验批的质量验收记录由施工项目专业质量检查员填写，监理工程师（建设单位技术负责人)组织项目专业质量检查员等进行验收,并按表 3-7 记录。

检验批质量检验记录　　　　　　　表 3.7

编号:＿＿＿＿＿＿＿＿

工程名称													
施工单位													
单位工程名称					分部工程名称								
分项工程名称					验收部位								
工程数量				项目经理					技术负责人				
制表人				施工负责人					质量检验员				
交方班组				接方班组					检验日期				
序号	主控项目	检验依据/允许偏差(规定值或±偏差值)(mm)	检查结果/实测点偏差值或实测值									应测点数	合格点数	合格率(%)
			1	2	3	4	5	6	7	8	9			
1														
2														
3														
4														
序号	主控项目	检验依据/允许偏差(规定值或±偏差值)(mm)	检查结果/实测点偏差值或实测值									应测点数	合格点数	合格率(%)
			1	2	3	4	5	6	7	8	9			
1														
2														
3														
平均合格率(%)														
检验结论														
监理(建设)单位意见														

2. 分项工程的质量验收

(1) 分项工程质量验收合格应符合的规定

1) 分项工程所含的检验批均应符合合格质量的规定。

2) 分项工程所含的检验批的质量验收记录应完整。

分项工程质量的验收是在检验批验收的基础上进行的,是一个统计过程,没有直接的验收内容,所以在验收分项工程时应注意两点:一是核对检验批的部位、区段是否全部覆盖分项工程的范围,没有缺漏;二是检验批验收记录的内容及签字人是否正确、齐全。

(2) 分项工程质量验收记录

分项工程质量应由监理工程师（建设单位项目专业技术负责人）组织施工单位技术负责人等进行验收，并按表3-8记录。

分项工程质量检验记录　　　　　　　　　表3-8

编号：_____

工程名称					
施工单位					
单位工程名称			分部工程名称		
分项工程名称			检验批数		
项目经理		项目技术负责人		制表人	
序号	检验批部位、区段	施工单位自检情况		监理(建设)单位验收情况	
		合格率(%)	检验结论	验收意见	
1					
2					
3					
4					
5					
6					
7					
8					
9					
10					
11					
12					
13					
14					
15					
16					
17					
平均合格率(%)					
施工单位检查结果	项目技术负责人： 年　月　日		验收结论	监理工程师： (建设单位项目专业技术负责人) 年　月　日	

3. 分部（子分部）工程质量验收

(1) 分部（子分部）工程质量验收合格应符合的规定

1) 分部（子分部）工程所含分项工程的质量均应验收合格。

2）质量控制资料应完整。
3）涉及结构安全和使用功能的质量应按规定验收合格。
4）外观质量验收应符合要求。

分部（子分部）工程的验收内容、程序都是一样的，在一个分部工程中只有一个子分部工程时，子分部就是分部工程。当不只一个子分部工程时，可以一个子分部、一个子分部地进行质量验收，然后，应将各子分部的质量控制资料进行核查；并对有关安全及功能的检验和抽样检测结果的资料核查及对观感质量评价结果进行综合评价。

（2）分部（子分部）工程质量验收记录

分部（子分部）工程质量应由总监理工程师（建设单位项目专业负责人）组织施工项目经理和有关勘察、设计单位项目负责人进行验收，并按表3-9记录。

分部（子分部）工程检验记录　　　　　　　　　　表3-9

编号：_____

工程名称					
施工单位					
单位工程名称			分部工程名称		
项目经理		项目技术负责人		制表人	
施工负责人		质量检查员		日期	
序号	分项工程名称		检验批数	合格率(%)	质量情况
1					
2					
3					
4					
5					
6					
7					
8					
9					
10					
11					
12					
13					
14					
15					
16					
	质量控制资料				
	安全和功能检验(检测)报告				
	观感质量验收				
	分部(子分部)工程检验结果		平均合格率(%)		
参加验收单位	施工单位	项目经理			年　月　日
	监理(建设)单位	总监理工程师： (建设单位项目专业技术负责人)			年　月　日

4. 单位（子单位）工程质量验收

（1）单位（子单位）工程质量验收合格应符合的规定

1）单位（子单位）工程所含分部（子分部）工程的质量均应验收合格。

2）质量控制资料应完整。

3）单位（子单位）工程所含分部（子分部）工程验收资料应完整。

4）主要功能项目的抽查结果应符合相关专业质量验收规范的规定。

5）外观质量验收应符合要求。

单位工程质量验收也称质量竣工验收，是建筑工程投入使用前的最后一次验收，也是最重要的一次验收。参与建设的各方责任主体和有关单位及人员，应该重视工程竣工验收工作，认真做好单位（子单位）工程质量的竣工验收，把好工程质量关。

单位（子单位）工程质量验收，总体上讲还是一个统计性的审核和综合性的评价。是通过核查分部（子分部）工程验收质量控制资料、有关安全、功能检测资料、进行的必要的主要功能项目的复核及抽测，以及总体工程外观质量的现场实物质量验收。

（2）单位（子单位）工程质量竣工验收记录

单位（子单位）工程质量竣工验收记录由施工单位填写，验收结论由监理单位（建设单位）填写；综合验收结论由参加验收各方共同商定，建设单位填写，应对工程质量是否符合设计和规范要求及总体质量水平做出评价，并按表3-10、表3-11记录。

_____单位工程分部工程检验汇总表　　　表3-10

编号：_____

工程名称			
施工单位			
单位工程名称		分部工程名称	
项目经理	项目技术负责人		制表人
序号	外观检查		质量情况
1			
2			
3			
4			
5			
6			

续表

工程名称					
施工单位					
单位工程名称		分部工程名称			
项目经理		项目技术负责人		制表人	

序号	分部(子分部)工程名称	合格率(%)	质量情况
1			
2			
3			
4			
5			
6			
7			
8			
9			
10			
11			
12			
13			
14			
15			
16			
17			
18			
19			
20			

平均合格率(%)			
检验结果			
施工负责人	质量检查员	日期	

单位（子单位）工程质量竣工验收记录汇总表　　　表 3-11

编号：_____

工程名称					
施工单位					
道路类型			工程造价		
项目经理		项目技术负责人		制表人	
开工日期	年　月　日		竣工日期		年　月　日
序号	项目	验收记录		验收结论	
1	分部工程	共　　分部,经查　　分部 符合标准及设计要求　　分部			
2	质量控制质量核查	共　　项,经审查符合要求　　项, 经核定符合规范要求　　分部			
3	安全和主要使用功能核查及抽查结果	共核查　　项,符合要求　　项, 共抽查　　项,符合要求　　项, 　　项,经返工处理符合要求　　项			
4	观感质量检验	共抽查　　项,符合要求　　项, 不符合要求　　项			
5	综合验收结论				
参加验收单位	建设单位		监理单位		施工单位
	（公章） 单位(项目负责人) 　　　年　月　日		（公章） 总监理工程师 　　　年　月　日		（公章） 单位负责人 　　　年　月　日
	设计单位				
	（公章） 单位(项目负责人) 　　　年　月　日				

3.4　质量体系的建立和运行

1. 建立和完善质量体系的程序

（1）企业领导决策

企业主要领导要下决心走质量效益型的发展道路,有建立质量体系的迫切需要。建立质量体系是涉及内部很多部门的一项全面性工作,如果没有企业主要领导亲自领导、亲自实践和统筹安排,是很难做好这项工作的。因此,领导真心实意地要求建立质量体系是建立、健全质量体系的首要条件。

（2）编制工作计划

工作计划包括培训教育、体系分析、职能分配、文件编制、配备仪器仪表设备等内容。

（3）分层次教育培训

组织学习2000版标准，结合本企业的特点，了解建立质量体系的目的和作用，详细研究与本职工作有直接联系的要素，提出控制要素的办法。

（4）分析企业特点

结合施工企业的特点和具体情况，确定采用哪些要素和采用的程度。

采用的要素应对控制工程实体质量起主要作用，能保证工程的适用性、符合性。

（5）落实各项要素

企业在选好合格的质量体系要素后，要进行二级要素展开，制定实施二级要素所必需的质量活动计划，并把各项质量活动落实到具体部门或个人。

一般地，在企业领导亲自主持下，合理地分配各级要素与活动，使企业各职能部门都明确各自在质量体系中应担负的责任、应开展的活动和各项活动的衔接办法。分配各级要素与活动的一个重要原则就是责任部门只能是一个，但可以有若干个配合部门。

在各级要素和活动分配落实后，为了便于实施、检查和考核，还要把工作程序文件化，即把企业的各项管理标准、工作标准、质量责任制、岗位责任制编制成与各级要素和活动相对应的能有效运行的文件。

（6）编制质量体系文件

质量体系文件按其作用可分为法规性文件和见证性文件两类。质量体系法规性文件是用以规定质量管理工作原则的，是阐述质量体系的构成，明确有关部门和人员的质量职能，规定各项活动目的要求、内容和程序的文件。在合同环境下这些文件是供方向需方证实质量体系适用性的证据。质量体系的见证性文件是用以表明质量体系的运行情况和证实其有效性的文件。这些文件记载了各质量体系要素的实施情况和工程实体质量的状态，是质量体系运行的见证。

2. 质量体系的运行

保持质量体系的正常运行和持续实用有效，是企业质量管理的一项重要任务，是质量体系发挥实际效能、实现质量目标的主要阶段。质量体系运行是执行质量体系文件、实现质量目标、保持质量体系持续有效和不断优化的过程。质量体系的有效运行是依靠体系的组织机构进行协调，实施质量监督，开展信息反馈，进行质量体系审核和复审实现的。

（1）组织协调

质量体系是借助其组织结构的组织和协调来运行的。组织和协调工作是维护质量体系运行的动力。质量体系的运行涉及企业众多部门的活动。就工程项目施工企业而言，计划部门、施工部门、技术部门、试验部门、测量部门等都必须在目标、分工、时间和联系方面协调一致。实现这种协调工作的人，应是企业的主要领导，只有主要领导主持，质量管理部门负责，通过组织协调才能保持体系的正常运行。

(2) 质量监督

在质量体系运行过程中，各项活动及其结果不可避免地会偏离标准。为此，必须实施质量监督。质量监督有企业内部监督和外部监督两种，需方或第三方对企业进行的质量监督，按照合同规定，甲方从隐蔽工程开始进行检查签证。第三方的监督，是对单位工程和重要部位工程进行质量核定，并在工程开工前检查企业的质量体系；施工过程中，监督企业质量体系的运行是否正常。质量监督是符合性监督。质量监督的任务是对工程实体进行连续性的监视和验证。发现偏离管理标准和技术标准的情况及时反馈，要求企业采取纠正措施，严重者责令其停工整顿，从而促使企业的质量活动和工程实体质量均符合标准所规定的要求。

实施质量监督是保证质量体系正常运行的手段。外部质量监督应与企业内部的质量监督考核工作相结合，杜绝重大质量事故的发生，促使企业各部门认真贯彻各项规定。

(3) 质量信息管理

企业的组织机构是企业质量体系的骨架，而企业的质量信息系统则是质量体系的神经系统，是保证质量体系正常运行的重要系统。在质量体系的运行中，通过质量信息反馈系统对异常信息的反馈和处理进行动态控制，从而使各项质量活动和工程实体质量处于受控状态。

质量信息管理和质量监督、组织协调工作是密切联系在一起的，异常信息一般来自质量监督，异常信息的处理要依靠组织协调工作，三者的有机结合，是使质量体系有效运行的保障。

(4) 质量体系审核与评审

企业进行定期的质量体系审核与评审，一是对体系要素进行审核、评价，确定其有效性；二是对运行中出现的问题采取纠正措施，对体系的运行进行管理，保持体系的有效性；三是评价质量体系对环境的适应性，对体系结构中不适用的部分采取改进措施。开展质量体系审核和评审是保持质量体系有效运行的主要手段。

本教学单元小结

质量控制是市政工程项目施工管理的核心，本教学单元讲述了市政工程质量控制的基本概念和原理，市政工程施工项目质量控制的目标、施工质量控制的过程、施工质量计划的编制、施工生产要素及施工作业过程的质量控制，以及质量控制的方法与手段，并通过实例介绍市政工程施工质量的验收和质量等级的评定。最后讲述了质量管理体系相关知识。

思考题与习题

1. 质量控制与质量管理的定义是什么？

2. 简述市政工程质量控制 PDCA 循环原理。
3. 市政工程施工质量控制过程可归纳为哪 8 个环节?
4. 市政工程施工质量计划一般应包括哪些内容?
5. 哪些施工内容应设为质量控制点?
6. 市政工程施工生产要素有哪些?
7. 简述施工工序质量控制的要求。
8. 简述市政工程竣工验收的主要程序。
9. 市政道路工程的质量验收如何划分?
10. 简述市政工程质量等级如何评定。
11. 简述《质量管理体系 基础和术语》GB/T 19000—2016 的质量管理原则。

教学单元 4　市政工程施工项目进度控制

【教学目标】　了解施工进度控制的含义和目的；熟悉施工项目进度控制的原理与基础工作；掌握流水施工组织作业方法以及各方法工期计算和横道图的绘制；掌握网络图的组成、绘制、各参数的计算以及关键线路的确定；掌握项目施工进度控制的方法和措施。

4.1　市政工程施工项目进度控制概论

4.1.1　施工进度控制的含义和目的

1. 施工进度控制的含义

施工进度控制是指在经确认的进度计划的基础上实施工程各项具体工作，在一定的控制期内检查实际进度完成情况，并将实际情况与进度计划比较。如果出现偏差，便分析偏差产生的原因和对工期的影响程度，找出必要的调整措施，修改原计划，不断如此循环，直到工程项目竣工验收。

施工项目进度控制必须是一个动态的管理过程，它包括进度目标的分析和论证，在收集资料和调查研究的基础上编制进度计划和对进度计划的跟踪检查与调整。

进度计划的调整包括两个方面：第一，调整原进度计划的保障措施计划，从而实现原进度目标；第二，原进度计划在实施过程中所面临的环境条件已无法实现原进度目标，只有根据具体情况，重新制定进度目标并付诸实施。

2. 施工进度控制的目的

施工进度控制的目的是通过控制确保实现工程的进度目标。

4.1.2　施工项目进度控制的原理与基础工作

施工项目的进度受许多因素的影响，管理者需要事先对影响进度的各种因素进行调查，预测它们对进度可能产生的影响，编制可行的进度计划，指导项目进度按计划进行。但是在执行过程中，往往会出现新的情况，难以按照原定的进度进行执行。这就要求项目管理者在执行过程中，掌握动态控制原理，不断进行检查，将实际情况与计划安排进行对比，找出偏离计划的原因，特别是找出主要原因，然后采取相应的措施及时调整进度，使实际结果达到或逼近进度计划。

1. 进度控制的基本原理

通常施工项目的进度控制包括计划、实施、监测和调整等基本原理。

(1) 项目进度计划原理

项目进度计划是项目进度控制的第一控制要素。这个阶段包括以下内容：

1) 制定分级控制计划，即将计划细化为项目总进度计划、项目分阶段进度计划和项目分阶段的各子项进度计划。

2）进行计划优化，提高项目进度计划的有效控制程度。

项目进度计划的制定应考虑下列因素的影响：第一，工程合同中约定的合同工期目标；第二，工程项目在不同实施阶段所面临的客观环境条件；第三，项目管理组织对项目的控制能力；第四，国家及地方政府行为的影响。

（2）项目进度实施原理

项目进度实施是项目进度控制的第二控制要素。项目进度实施过程中，由于存在干扰因素，会使实施结果偏离进度计划。项目进度控制在项目进度实施阶段的实质性体现为：一是预测干扰因素；二是分析风险程度；三是采取预控措施。

1）动态控制原理

施工项目进度控制是一个不断进行的动态控制，也是一个循环进行的过程。是从项目施工开始，进度计划进入执行的动态。实际进度按照计划进度进行时，两者相吻合；当实际进度与计划进度不一致时，便产生超前或落后的偏差。动态控制就是分析偏差的原因，采取相应的措施，调整原来的计划，使两者在新起点上重合，继续按计划进行施工活动，并且充分发挥组织管理的作用，使实际工作按计划进行。但是在新的干扰因素作用下，又会产生新的偏差。施工进度计划的控制就是采用这种动态循环的控制方法来尽量保证项目的进度目标实现。

2）系统原理

① 施工项目计划系统

为了对施工项目实际进度进行控制，首先必须编制施工项目的各种进度计划。其中有施工项目总进度计划、单位工程进度计划、分部分项工程进度计划、季度和月作业计划，这些计划组成一个施工项目进度计划系统。计划的编制对象由大到小，计划的内容从粗到细。编制时从总体计划到局部计划，逐层进行控制目标分解，以保证计划控制目标落实。执行计划时，从月作业计划开始实施，逐级按目标控制，从而达到对施工项目整体进度目标控制。

② 施工项目进度实施组织系统

施工项目实施的全过程，各专业队伍都是按照计划规定的目标去努力完成每一个任务。施工项目经理和有关劳动调配、材料设备、采购运输等职能部门都按照施工进度规定的要求进行严格管理，落实和完成各自的任务。施工组织各级负责人，从项目经理、施工队长、班组长及其所属全体成员组成了施工项目实施的完整组织系统。

③ 施工项目进度控制组织系统

为了保证施工项目进度实施，还有一个项目进度的检查控制系统。从公司经理、项目经理，一直到作业班组都设有专门职能部门或人员负责检查、统计、整理实际施工进度的数据，并与计划进度比较分析和进行调整。当然不同层次人员负有不同进度控制职责，分工协作，形成一个纵横连接的施工项目控制组织系统。事实上有的领导可能既是计划的实施者又是计划的控制者。实施是计划控制的落实，控制是保证计划按期实施。

施工项目进度控制系统的建立，应侧重于项目组织的责任制度、检查制度、人员配备及工作流程等方面。

3）信息回馈系统

信息回馈是施工项目进度控制的主要环节，施工的实际进度通过信息反馈给基层施工项目进度控制的工作人员，在分工的职责范围内，经过信息加工，再将信息逐级向上回馈，直到主控制室，主控制室整理统计各方面的信息，经比较分析做出决策，调整进度计划，使其符合预定工期目标。若不应用信息回馈原理，不断地进行信息回馈，则无法进行计划控制。施工项目进度控制的过程就是信息回馈的过程。

4）弹性原理

工程项目施工的工期长、影响进度的因素多，其中有的已被人们掌握。根据统计数据和经验，可以估计出影响进度的程度和出现的可能性，并在确定进度目标时，进行实现目标的风险分析。计划编制者具备了这些知识和实践经验之后，在编制施工项目进度计划时就会留有余地，即施工进度计划具有弹性。在进行施工项目进度控制时，便可以利用这些弹性，缩短有关工作的时间，或者改变它们之间的搭接关系，使检查之前拖延的工期，通过缩短剩余计划工期的方法，达到预期的计划目标。这就是施工项目进度控制中对弹性原理的应用。

5）封闭循环原理

项目进度计划控制的全过程是计划、实施、检查、比较分析、确定调整措施、再计划。从编制项目施工进度计划开始，经过实施过程中的跟踪检查，收集有关实际进度的信息，比较和分析实际进度与施工计划进度之间的偏差，找出产生原因和解决方法，确定调整措施，再修改原进度计划，形成一个封闭的循环系统。

6）网络计划技术原理

在施工项目进度的控制中，利用网络计划技术原理编制进度计划，根据收集的实际进度信息，比较和分析进度计划，同时利用网络计划的工期优化、工期与成本优化和资源优化的理论调整计划。网络计划技术原理是施工项目进度控制完整的计划管理和分析计算的理论基础。

(3) 项目进度监测原理

项目进度监测是项目进度控制的第三控制要素。要了解和掌握项目进度计划在实施过程中的变化趋势和偏差程度，必须进行项目监督监测。项目进度控制在项目进度监测阶段的实质性体现：一是跟踪检查；二是数据采集；三是偏差分析。这些偏差识别工作的快速、准确进行，可提高项目进度控制的敏感度和精度。

(4) 项目进度调整原理

项目进度调整是项目进度控制的第四控制要素。项目进度计划在实施过程中，由于发生偏差而需要调整时，是个非常复杂的过程。项目进度控制在项目进度调整阶段的实质性体现为：一是偏差分析，分析产生进度偏差的前因后果；二是动态调整，寻求进度调整的约束条件和可行方案；三是优化控制，使进度、费用变化最小，能达到或逼近进度计划的优化控制目标。

2. 进度控制的基础工作

(1) 定额工作

定额是确定工程项目进度控制目标的主要依据。定额种类很多，用于施工项目进度控制的定额主要是市政工程工期定额。

（2）信息工作

编制用以进行进度控制的计划和实施计划，必须掌握有关的信息，尽量使信息数据化，以便"用数据说话"。

（3）预测工作

用于进行施工项目进度控制的主要依据是计划，而计划又是对未来行动所做的时间安排，因此预测工作便成为进度控制的基本工作。

（4）决策工作

决策的目的是确定进度目标。计划的编制与执行均有赖于科学的决策。

进行控制目标决策时根据对影响进度的各种因素的了解和预测得到的结果，由项目进度管理负责人进行进度目标总决策。阶段性目标的决策由进行控制具体工作的人员进行。

（5）统计工作

加强统计资料的收集、整理、分析与报告工作，可以为进度控制提供基础数据，即提供必要的信息数据，只有具有充分的统计数据，才能进行有效的进度控制。

4.2 市政工程项目施工流水施工

任何一个施工项目都是由许多施工过程组成的，而每一个施工过程可以组织一个或多个施工班组进行施工。如何组织各施工班组按照一定的先后顺序投入施工，是组织施工中的一个最基本的问题。

4.2.1 施工过程概念、分类及组织原则

1. 施工过程的概念

施工过程就是生产建筑产品的过程，是劳动者利用劳动工具作用于劳动对象，按照预定目标完成社会所需的市政工程产品的过程。施工过程由一系列相联系的施工活动组成，为了合理地组织施工生产，必须了解施工过程的内容。

施工过程的基本内容包括劳动过程和自然过程。市政工程是在野外的施工生产，就是劳动过程和自然过程的结合。因此，市政工程施工组织不仅要考虑劳动生产过程，而且还要考虑自然因素对施工产生的影响。

2. 施工过程的层次划分

在单位工程、分部工程及分项工程施工中，按施工工艺的特点和施工组织的要求，可将施工过程进一步分解为工序、操作、动作等层次。

（1）工序

工序是指施工技术相同，在施工组织时不可分割的施工过程。分项工程的施工过程由若干道工序组成。例如，钢筋混凝土预制分项工程的施工过程由立模板、绑扎或焊接钢筋、浇筑混凝土、养护和拆模等工序组成。

（2）操作

它是指生产工人为完成施工工序所进行的生产活动,施工工序由若干个操作组成。例如,上述立模板工序由制作模板、取运模板、拼装模板等操作组成。

（3）动作

它是施工中一次完成的基本生产活动,操作由若干个动作组成。例如,上述取运模板操作由领取模板、运输到拼装处、将模板放到拼装位置上等动作组成。

若干个相互关联的动作就组成操作,若干个操作则组成工序。但有些分项工程的施工过程不能分解为上述各个层次,但至少能分解到工序,所以工序是施工组织的基本单元。研究施工过程中的层次划分的目的在于：正确划分工序,确定合理的工序持续时间,以便编制切合实际的施工进度计划,科学地组织施工生产。

3. 施工过程的组织原则

影响市政工程施工过程的因素很多,如施工地点、施工性质、建筑产品结构、材料、机械设备条件、自然条件等,这导致施工过程的组织灵活多样,没有完全相同的模式。但是不管施工过程的组织怎样变化,为了降低工程成本,缩短施工工期,保证工程质量,都应遵守以下基本原则。

（1）施工过程的连续性

施工过程的连续性是指建筑产品的施工过程各阶段、各工序的进行在时间上是紧密衔接的,不发生各种不合理的中断现象,即在施工过程中,劳动对象始终处于被加工、检验状态,或处于自然过程中（如水泥混凝土的硬化）。

施工过程的连续,既包括施工工艺本身的连续,又包括施工组织的连续。只有采用先进的施工组织方法才能保证连续施工,从而加快进度、缩短工期、节约成本,避免不必要的窝工,提高劳动生产率。

（2）施工过程的协调性

施工过程的协调性（也称比例性）是指建筑产品施工过程的各阶段、各工序之间,生产能力要保持一定的比例关系,不发生脱节和比例失调的现象（如某专业队人数多,生产能力强,造成产品过剩；而另一专业队人数少,生产能力较差,产品供应不上,这就属于比例失调,施工过程中应当避免）。

（3）施工过程的均衡性

施工过程的均衡性（也称节奏性）是指施工过程的各个环节,都要按照施工计划的要求,在一定时间内,生产出相等或递增数量的产品,使各生产班组或设备的任务量保持相对稳定（即各施工段劳动量大致相等）,不发生时松时紧现象（即使用同一种材料、机械或半成品项目尽量不要安排在同一时间施工）。

均衡性施工有利于劳动力和机械设备的调配,避免发生突击赶工现象,有利于保证生产质量、降低成本。

（4）施工过程的经济性

施工过程的经济性是指施工过程满足技术要求外,必须追求经济效益,要用最小的劳动消耗取得较大的生产成果。

4.2.2 组织施工的作业方法

根据工程项目的施工特点、工艺流程、资源利用、平面或空间布置等要求,组织施工时一般可以采用顺序作业法（依次作业法）、平行作业法和流水作业法三种方式。

为说明三种施工方式及其特点，现假设某市政工程划分为工程量相同的三段道路，其编号分别为Ⅰ、Ⅱ、Ⅲ。各段道路均可分解为路基、基层、面层施工三个施工过程，分别由相应的专业队按施工工艺要求依次完成，每个专业队在每段道路的施工时间均为5周，各专业队的人数分别为10人、16人和8人。三段道路工程施工的不同作业方法如图4-1所示。

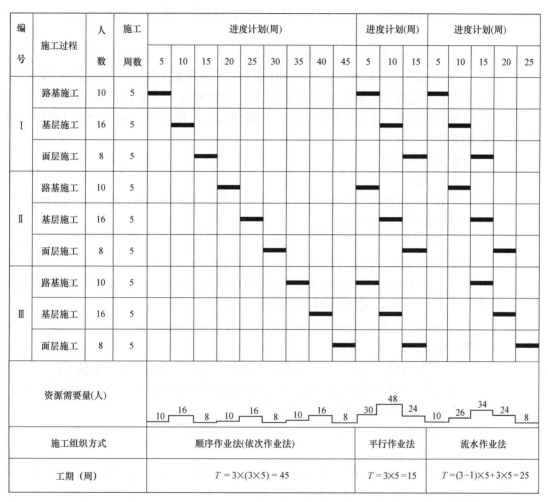

图4-1 施工方式比较图

1. 顺序作业法（依次作业法）

（1）概念

顺序作业法指有若干任务时，作业队按照工艺流程和施工先后顺序依次进行操作，完成一项任务后，再去完成另一项任务，直至完成全部任务为止。

（2）类型

1）按施工段顺序作业法

该作业方法是在一个施工段依此完成各个施工过程后,再依次完成其他各施工段的组织方式。

2) 按施工过程顺序作业法

该作业方法是在依次完成每施工段的第一个施工过程后,再开始第二个施工过程的施工,直至完成最后一个施工过程的组织方式。

(3) 主要特点

1) 没有充分利用工作面进行施工,(总)工期较长。

2) 每天投入施工的劳动力、材料和机具的数量比较少,有利于资源供应的组织工作。

3) 施工现场的组织、管理比较简单。

4) 不强调分工协作,若由一个作业队完成全部施工任务,不能实现专业化生产,不利于提高劳动生产率;若按工艺专业化原则成立专业作业队(班组),各专业队是间歇作业,不能连续作业,材料供应也是间歇供应,劳动力和材料的使用可能不均衡。

2. 平行作业法

(1) 概念

平行作业法指当有若干任务时,若干个作业队分别按照工艺顺序,同时开工,同时完成各项任务的作业方法。

(2) 特点

1) 充分利用工作面进行施工,(总)工期较短。

2) 每天同时投入施工的劳动力、材料和机具数量较大,材料供应特别集中,所需作业班组很多,影响资源供应的组织工作。

3) 如果各工作面之间需共用某种资源时,施工现场的组织管理比较复杂、协调工作量大。

4) 不强调分工协作,各作业单位都是间歇作业,这与顺序作业法相同。

这种方法的实质是用增加资源的方法来达到缩短(总)工期的目的,一般适用于需要突击性施工时的施工作业组织。

3. 流水作业法

(1) 概念

流水作业法指当有若干任务时,将各项任务划分为若干工序,各工序由专业队进行操作,相同的工序依次进行,不同的工序平行进行的作业方法。

(2) 特点

1) 必须按工艺专业化原则成立专业作业队(班组),实现专业化生产,有利于提高劳动生产率,保证工程质量。

2) 专业化作业队能够连续作业,相邻作业队的施工时间能最大限度地搭接。

3) 尽可能地利用工作面进行施工,工期比较短。

4) 每天投入的资源量较为均衡,有利于资源供应的组织工作。

5) 需要较强的组织管理能力。

这种方法可以科学地利用工作面,实现不同专业作业队之间的平行施工。

(3) 组织流水作业的基本原则

1) 保证专业队连续工作

市政工程施工一定要合理安排和使用劳力，要保证工人连续不断地进行工作，使整个工地呈现出紧张的气氛。这是保证企业全面完成各项施工任务的重要条件。一定要防止劳动力安排和使用不当，出现干干停停的窝工现象，避免施工现场工人懒散、思想麻痹、精神颓废，否则工期将一拖再拖，质量粗制滥造，工程成本大幅度提高，经济效益越来越差。

2) 充分、合理利用工作面

在市政工程施工中，工作面的利用既要充分又要合理，这样可以缩短工程的工期，提高施工的经济效益。

(4) 组织流水作业的步骤

1) 划分流水施工段

将拟建的工程对象，根据已选择的施工方案和工程结构特点、空间位置及施工工艺过程（工序），确定出可以组织流水作业的施工段。如一个标段上有若干小涵洞，可以把每一个小涵洞看作是一个施工段，这就自然形成了若干施工段。如果把一个标段的路线工程部分划分成 1km 一段，就属于人为地把劳动对象划分成了若干施工段。

2) 划分工序

将组织流水作业的劳动对象（工程项目），从工艺上分解为若干工序，确定其工艺上的顺序，每道工序或操作过程分别按工艺原则建立专业班组来进行施工。

3) 确定施工顺序

确定施工顺序就是各个专业班组按照一定的施工顺序，依次、连续地由一个施工段转移到下一个施工段，不断地完成同类施工。

4) 确定流水作业参数

流水作业法组织施工生产过程的协调性和节奏性，取决于一系列参数的确定，以及它们之间的相互关系，反映这些关系的参数称为流水参数。

4.2.3 流水作业法的主要参数

为了说明组织流水施工时，各施工过程在时间和空间上的开展情况及相互依存关系，这里引入描述工艺流程、空间布置和时间安排等方面的状态参数——流水作业法参数，包括工艺参数、空间参数和时间参数。

1. 工艺参数

任何一项施工任务的施工，都由若干不同种类和特性的施工过程数（工序数）组成，每一道工序都有其特定的施工工艺。在组织流水作业时，用施工过程数（工序数）和流水强度这两个参数来表达流水作业施工工艺开展顺序及特征，这些参数称为工艺参数。

(1) 施工过程数（工序数）

根据具体情况，把一个工程项目（分部工程）划分为若干道具有独自施工工艺特点的个别施工过程，称为工序。如桥梁钻孔灌注桩工程可分为：埋护筒、钻孔、下放钢筋笼、灌注混凝土三道工序。施工过程数（工序数）常用 n 来表示。

每一道工序由一个专业班组来施工。

施工过程数（工序数）要根据构造物的复杂程度和施工方法来确定，划分工序时，应注意以下问题：

1）施工过程（工序）划分的粗细程度，应以流水作业进度计划的性质为依据。对于实施性的流水作业进度计划，应划分得细一些，可划分到分项工程。对于控制性的进度计划，应划分得粗一些，可以是单位工程，甚至是单项工程。

2）结合所选择的施工方案划分工序。如现浇挡土墙与石砌挡土墙，两者划分施工工序的差异是很大的。

3）划分工序应重点突出，抓住主要工序，不宜太细，使流水作业进度计划简明扼要。如：市政工程中路基工程可以划分为路堤填筑、路堑开挖、防护加固、排水工程、小型构造物等。

4）一个流水作业进度计划内的所有施工过程（工序）应按施工先后顺序排列，所采用的工序名称应与现行定额的项目名称一致。

（2）流水强度

流水强度是指流水施工的某施工过程在单位时间内所完成的工程量，也称为流水能力或生产能力，一般用 V 表示。例如，浇筑混凝土施工过程的流水强度是指每工作班浇筑的混凝土立方数。流水强度越大，专业队应配备的机械、需用的人工及材料等也就越多，工作面相应增大，施工期限将会缩短。

流水强度可用式（4-1）计算求得：

$$V = \sum_{i=1}^{X} R_i \cdot C_i \tag{4-1}$$

式中　V——某施工过程（队）的流水强度；

　　　R_i——投入该施工过程中的第 i 种资源量（施工机械台数或工作数）；

　　　C_i——投入该施工过程中第 i 种资源的产量定额；

　　　X——投入该施工过程中的资源种类数。

2. 空间参数

执行任何一项施工任务，都要占用一定范围的空间。在组织流水作业时。用工作面、施工段数这两个参数表达流水作业在空间布置上所处的状态，这些参数称为空间参数。

（1）工作面

工作面是指供某专业工种的工人或某种施工机械进行施工的活动空间。工作面的大小，表明能安排施工人数或机械台数的多少。每个作业的工人或每台施工机械所需工作面的大小，取决于单位时间内完成的工程量和安全施工的要求。工作面确定的合理与否，直接影响专业工作队的生产效率。因此，必须合理确定工作面。

最小工作面，指一个工人或一台机械设备充分发挥其劳动效率时所需的空间大小。劳动力及机械设备的投入，应考虑最小工作面的影响；否则，必然会导致劳动效率的下降。

（2）施工段数

将施工对象在平面或空间上划分为若干个劳动量大致相等的施工段数,称为施工段或流水段。它的数目一般以"m"表示,是流水施工的主要参数之一。

1) 划分施工段的目的

划分施工段的目的是为了组织流水施工,保证不同的施工班组能在不同的施工段上同时施工,并使各施工班组能按一定的时间间隔转移到另一个施工段进行连续施工,既消除等待、停歇现象,又互不干扰。

2) 施工段的划分原则

① 为便于各段落的组织管理及相互协调,段落的划分不能过小,应适合采用现代化的施工方法和施工工艺,即采用目前市场上拥有的效率高、能保证施工质量的施工机械,保证正常的流水作业和必要的工序间隔,从而保证施工质量;也不能过大,过大起不到方便管理的作用;段落的大小应根据单位本身的技术能力、管理水平、机械设备状况结合现场情况综合考虑。

② 各段落之间工程量基本平衡,投入的劳动力、材料、施工设备及技术力量基本一致,都能够在一个合理的(或最短的)工期内完成工程。

③ 避免造成段落之间的施工干扰,如施工交通、施工场地、临时用地干扰等。即各段落之间应有独立的施工道路及临时用地,土石方填、挖数量基本平衡,避免或减少跨段落调配,以避免造成段落之间相互污染或损坏修建的工程及影响工效等。

④ 工程性质相同的地段(如石方、软土段)或施工复杂难度较大而施工技术相同的地段尽可能避免化整为零,以免既影响效率,又影响工程质量。

⑤ 保持构造物的完整性,除了特大桥之外,尽可能不肢解完整的工程构造物。

3. 时间参数

每一施工过程(工序)的完成,都要消耗时间。在组织流水作业时,用流水节拍、流水步距、技术间歇时间、组织间歇时间、流水作业施工工期5个参数来表达流水作业在时间排列上所处的状态,这些参数称为时间参数。在此,主要介绍流水节拍、流水步距、流水作业施工工期。

(1) 流水节拍

流水节拍 t_i 是指从事某一施工过程的施工班组在一个施工段上完成施工任务所需的时间。

流水节拍的大小直接关系到投入的劳动力、材料和机械的多少,决定着施工速度和施工的节奏。因此,合理确定流水节拍,具有重要意义。流水节拍的确定通常有两种方法:一种是根据工期要求确定;另一种是根据现有能够投入的资源(劳动力、机械台数和材料量)确定。

1) 定额法

流水节拍可用式(4-2)或式(4-3)计算求得。

$$t_i = \frac{P_i}{R_i n} = \frac{Q_i}{C_i R_i n} \tag{4-2}$$

或
$$t_i = \frac{P_i}{R_i n} = \frac{Q_i S_i}{R_i n} \quad (4\text{-}3)$$

式中　t_i——某施工过程的流水节拍；
　　　P_i——在一个施工段上完成某施工过程所需的劳动量（工日数）或机械台班量（台班数）；
　　　R_i——某施工过程的施工班组人数或机械台数；
　　　n——每天工作班数；
　　　Q_i——某施工过程在某施工段上的工程量；
　　　C_i——某施工过程的每工日（或每台班）产量定额；
　　　S_i——某施工过程采用的时间定额。

2）工期反算法

如果施工任务紧迫，必须在规定日期内完成施工任务，可采用倒排进度的方法求流水节拍。首先根据要求的总工期 T 倒排进度，确定某一施工过程（工序）的施工作业总持续时间 T_i，再根据施工段数 m 反求流水节拍 t_i，由式（4-4）计算求得：

$$t_i = \frac{T_i}{m} \quad (4\text{-}4)$$

然后检查反求的流水节拍 t_i 是否大于最小流水节拍 $t_{\min}$，如果不满足可通过调整施工段数和专业队人数及作业班次，再综合考虑其他因素，重新确定。$t_{\min}$ 的计算公式为：

$$t_{\min} = \frac{A_{\min} \cdot Q_i \cdot S_i}{A} \quad (4\text{-}5)$$

式中　$A_{\min}$——每个人或每台机械所需的最小工作面；
　　　A——一个施工段实际具有的工作面数值；
　　　Q_i——某施工段的工程数量；
　　　S_i——某施工过程采用的时间定额。

3）确定流水节拍的要点

① 施工班组人数应符合该施工过程最少劳动组合人数的要求。
② 要考虑工作面的大小或某种条件的限制。
③ 要考虑各种机械台班的效率或机械台班产量的大小。
④ 要考虑各种材料、构件等施工现场堆放量、供应能力及其他有关条件的制约。
⑤ 要考虑施工及技术条件的要求。
⑥ 确定一个分部工程各施工过程的流水节拍时，首先应考虑主要的工程量大的施工过程的节拍，其次确定其他施工过程的节拍值。
⑦ 要考虑工作班次数及工效的影响。
⑧ 节拍值一般取整数，必要时可保留 0.5 天（台班）的小数值。

（2）流水步距

流水作业法中，相邻两个施工班组先后进入第一施工段开始施工的间隔时间，称为流水步距，通常以 $K_{i,i+1}$ 表示（i 表示前一个施工过程，$i+1$ 表示后一个施工过程）。流水步距的数目取决于参加流水的施工过程数。如果施工过程数为 n，则流水步距的总数为 $n-1$ 个。

流水步距的大小，对工期有着较大的影响。一般说来，在施工段不变的条件下，流水步距越大，工期越长；流水步距越小，工期越短。确定流水步距的基本要求是：

1）技术间歇的需要。有些施工过程完成后，后续施工过程不能立即投入作业，必须有足够的时间间歇，用 t_j 表示。例如，钢筋混凝土的养护。

2）主要专业队连续施工的需要。流水步距的最小长度，必须使专业队进场以后，不发生停工、窝工的现象。

3）保证每个施工段的正常作业程序，不发生前一个施工过程尚未全部完成，而后一个施工过程便提前介入的现象。有时为了缩短时间，在工艺技术条件许可的情况下，某些次要专业队也可以搭接进行，其搭接时间用 t_d 表示。

4）组织间歇的需要。组织间歇是指考虑组织技术因素，两相邻施工过程在规定流水步距之外所增加的必要时间间歇，以便对前道工序进行检查验收，对下道工序做必要的准备工作，用 t_j 表示。

（3）流水作业施工工期

流水作业施工工期是指完成一项工程任务或一个流水组施工所需的时间，一般可采用式（4-6）计算得到：

$$T=\sum K_{i,i+1}+T_N \qquad (4-6)$$

式中　$\sum K_{i,i+1}$——流水施工中各流水步距之和；

　　　T_N——流水施工中最后一个施工过程的持续时间。

4.2.4　流水作业法的分类及总工期

1. 流水作业法的分类

根据流水作业施工节拍特征的不同，流水作业法可分为有节奏流水和无节奏流水，如图 4-2 所示。有节奏流水是指同一施工过程在各施工段上的流水节拍都相等的流水施工方式。无节奏流水是指同一施工过程在各施工段上的流水节拍不完全相等的流水施工方式。

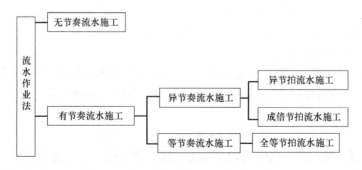

图 4-2　流水作业法分类图

2. 有节奏流水施工

有节奏流水施工分为全等节拍流水施工、异节拍流水施工和成倍节拍流水施工。

(1) 全等节拍流水施工

1) 概念

全等节拍流水施工是各个施工过程的流水节拍均为常数的一种流水施工方式。即同一施工过程在各施工段上的流水节拍都相等,并且不同施工过程之间的流水节拍也相等的一种流水施工方式。

2) 全等节拍流水特点

① 所有施工过程在各个施工段上的流水拍均相等。

② 相邻施工过程的流水步距的相等,且等于流水节拍。

③ 专业工作队数等于施工过程数,即每一个施工过程成立一个专业工作队,由该队完成相应施工过程所有施工段上的任务。

④ 各个专业工作队在各施工段上能够连续作业,施工段之间没有空闲时间。

3) 类型及工期计算

全等节拍流水根据其间歇与否又可分为无间歇全等节拍流水和有间歇全等节拍流水。

① 无间歇全等节拍流水施工

无间歇全等节拍流水施工是指各个施工过程之间没有技术和组织间歇时间,且流水节拍均相等的一种流水施工方式。

在无间歇全等节拍流水施工方式中,同一施工过程流水节拍相等,不同施工过程流水节拍也相等。并且各施工过程之间的流水步距等于流水节拍。

流水步距计算公式如下:

$$K_{i,i+1}=t_i \tag{4-7}$$

工期计算公式如下:

$$T=\sum K_{i,i+1}+T_n=(n-1)t_i+mt_i=(m+n-1)t_i \tag{4-8}$$

【例 4-1】 某市政工程划分为 A、B、C、D 四个施工过程,每个施工过程分为 5 个施工段,流水节拍为 3d,试组织全等节拍流水施工。

【解】 计算工期:

$$T=(m+n-1)t_i=(5+4-1)\times 3=24d$$

用横道图绘制流水进度计划,如图 4-3 所示。

② 有间歇全等节拍流水施工

有间歇全等节拍流水施工是指各个施工过程之间有的需要技术间歇或组织间歇时间 t_j,有的需要搭接时间 t_d,而流水节拍相等的一种流水施工方式。

工期计算公式如下:

$$T=(m+n-1)t_i+\sum t_j-\sum t_d \tag{4-9}$$

【例 4-2】 某市政道路分为四个施工过程:路基施工、水泥稳定基层施工、面层施工和附属设施施工,分为两个施工段,各个施工过程的流水节拍及人数见表 4-1。水泥稳定基层施工后,应养护 7d 才能进行面层施工,请组织流水施工。

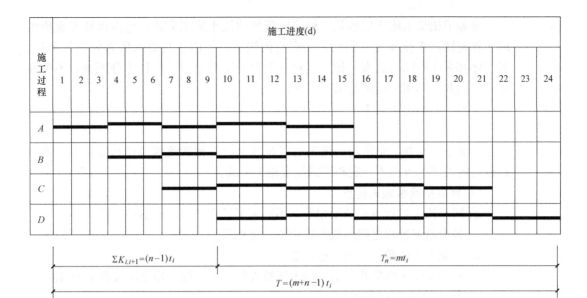

图 4-3 无间歇全等节拍流水施工进度计划

某市政道路流水节拍表　　　　　　　　　表 4-1

施工过程	劳动量	工作班制	人数	流水节拍
路基施工	40	1	20	2
水泥稳定基层施工	26	1	13	2
面层施工	42	1	21	2
附属设施施工	20	1	10	2

【解】 计算工期

$$T=(m+n-1)t_i+\sum t_j-\sum t_d=(2+4-1)\times 2+7-0=17\text{d}$$

用横道图绘制流水施工进度计划，如图 4-4 所示。

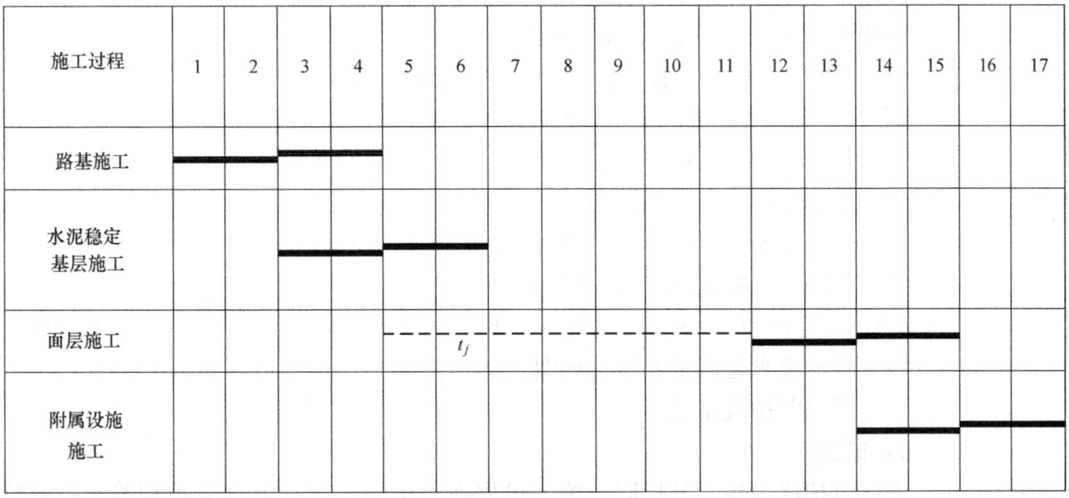

施工过程	1	2	3	4	5	6	7	8	9	10	11	12	13	14	15	16	17
路基施工	━	━	━	━													
水泥稳定基层施工			━	━	━	━											
面层施工					┄	┄	┄	┄	┄	┄	┄	━	━	━	━		
附属设施施工														━	━	━	━

图 4-4 有间歇全等节拍流水施工进度计划

全等节拍流水施工虽然是一种比较理想的流水施工方式，它能保证专业班组的工作连续，工作面充分利用，实现均衡施工，但由于它要求所划分的各部位、各工序都采用相同的流水节拍，这对一个单位工程来说，往往十分困难，不容易达到。因此，其实际应用范围不广泛。

(2) 异节拍流水施工

1) 概念

异节拍流水施工是指同一施工过程在各个施工段的流水节拍相等，不同施工过程之间的流水节拍不一定相等的流水施工方式。

2) 异节拍流水施工特点

① 同一施工过程流水节拍相等，不同施工过程流水节拍不一定相等。

② 各个施工过程之间的流水步距不一定相等。

③ 专业工作队数等于施工过程数。

④ 各个专业工作队在各施工段上能够连续作业，施工段之间没有空闲时间。

3) 异节拍流水步距的确定

$$K_{i,\ i+1}=t_i+(t_j-t_d) \qquad (当\ t_i \leqslant t_{i+1}\ 时) \qquad (4\text{-}10)$$

$$K_{i,\ i+1}=mt_i-(m-1)t_{i+1}+(t_j-t_d) \quad (当\ t_i > t_{i+1}\ 时) \qquad (4\text{-}11)$$

4) 异节拍流水施工工期的计算

$$T_L=\sum K_{i,\ i+1}+T_n=\sum K_{i,\ i+1}+mt_n \qquad (4\text{-}12)$$

异节拍流水施工方式适用于部位和单位工程流水施工，它允许不同施工过程采用不同的流水节拍。因此，在进度安排上比全等节拍流水灵活，实际应用范围较广泛。

【例 4-3】 某工程划分为 A、B、C、D 4 个施工过程，分 4 个施工段组织流水施工，各施工过程的流水节拍分别为 $t_A=3d$，$t_B=4d$，$t_C=5d$，$t_D=3d$；施工过程 B 完成后需有 2d 的技术和组织间歇时间。试求各施工过程之间的流水步距及该工程的工期。

【解】 根据上述条件，各流水步距计算如下：

因为 $t_A < t_B$，$t_j=0$，$t_d=0$，所以
$$K_{A \cdot B}=t_A+(t_j-t_d)=3+0=3d$$

因为 $t_B < t_C$，$t_j=2$，$t_d=0$，所以
$$K_{B \cdot C}=t_B+(t_j-t_d)=4+(2-0)=6d$$

因为 $t_C > t_D$，$t_j=0$，$t_d=0$，所以
$$K_{C \cdot D}=mt_C-(m-1)t_D+(t_j-t_d)=4 \times 5-(4-1) \times 3+(0-0)=11d$$

该工程的工期按式 (4-12) 计算如下：

$$T=\sum K_{i,\ j+1}+T_N=K_{A \cdot B}+K_{B \cdot C}+K_{C \cdot D}+mt_D=(3+6+11)+(4 \times 3)=32d$$

该工程的流水施工进度安排如图 4-5 所示。

(3) 成倍节拍流水施工

1) 概念

成倍节拍流水施工是指同一施工过程在各个施工段的流水节拍相等，不同施工过程之间的流水节拍不完全相等，但各个施工过程的流水节拍均为其中最小流

水节拍的整数倍的流水施工方式。成倍节拍流水施工实际是异节拍流水施工的特例。

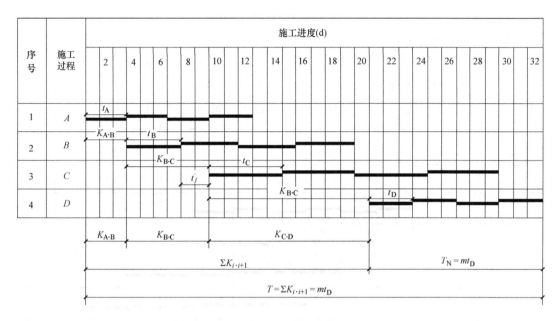

图 4-5 某工程流水施工进度计划

2) 成倍节拍流水施工特征

① 同一施工过程在各施工段的流水节拍相等，不同施工过程之间的流水节拍不完全相等。

② 施工专业队数大于施工过程数。

③ 各专业工作队在各施工段上能够连续作业，施工段之间没有空闲时间。

3) 成倍节拍公共流水步距的确定

$$K_K = \{t_i, t_{i+1} \cdots\cdots\}_{最大公约数} \tag{4-13}$$

4) 施工专业队数

$$b_i = \frac{t_i}{K_K} \tag{4-14}$$

5) 成倍节拍流水工期计算

$$T = (m + N' - 1)K_K \tag{4-15}$$

式中 N'——各施工过程专业工作队数和，即 $N' = \sum b_i$。

【例 4-4】 已知某工程划分为 6 个施工段和 3 个施工过程（$N=3$），各施工过程的流水节拍分别为 $t_1 = 1d$，$t_2 = 3d$，$t_3 = 2d$，试组织成倍节拍流水施工。

【解】 因为 $K_K = \{1, 3, 2\}_{最大公约数} = 1$

则 $b_1 = \dfrac{t_1}{K_K} = \dfrac{1}{1} = 1$ 个

$$b_2 = \frac{t_2}{K_K} = \frac{3}{1} = 3 \text{ 个}$$

$$b_3 = \frac{t_3}{K_K} = \frac{2}{1} = 2 \text{ 个}$$

专业工作队总数为：
$$N' = \sum b_i = b_1 + b_2 + b_3 = 1 + 2 + 3 = 6 \text{ 个}$$

该工程的工期为：$T = (m + N' - 1) K_K = (6 + 6 - 1) \times 1 = 11d$

根据所确定的流水参数绘制施工进度表，如图 4-6 所示。

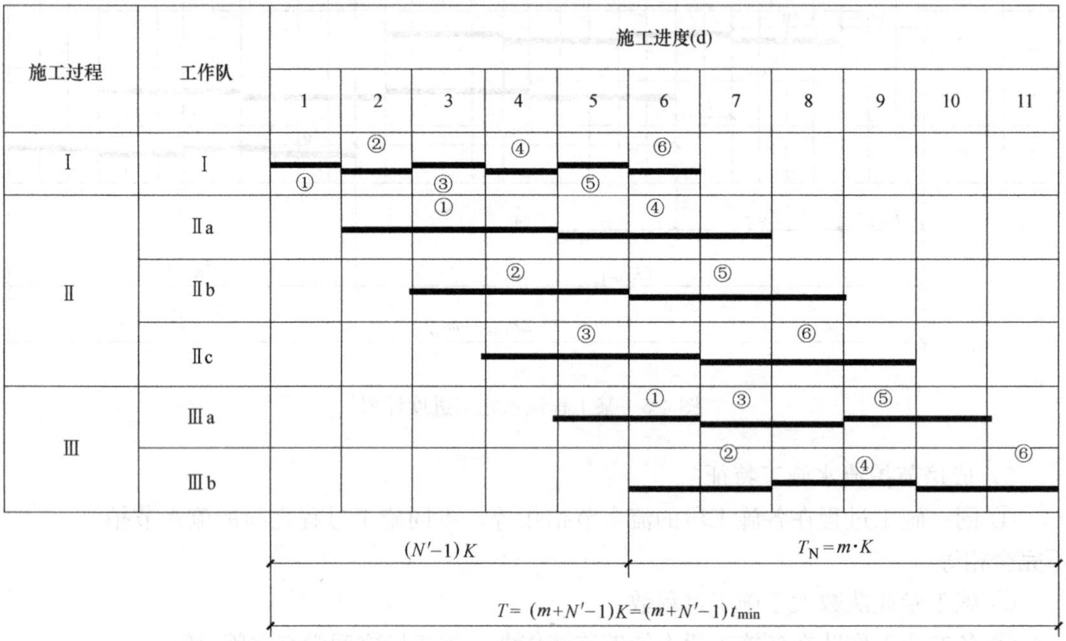

施工过程	工作队	施工进度(d)										
		1	2	3	4	5	6	7	8	9	10	11
Ⅰ	Ⅰ	①	②	③	④	⑤	⑥					
Ⅱ	Ⅱa			①				④				
	Ⅱb					②				⑤		
	Ⅱc						③				⑥	
Ⅲ	Ⅲa							①	③		⑤	
	Ⅲb								②	④		⑥

$T = (m + N' - 1)K = (m + N' - 1)t_{\min}$

图 4-6 某工程成倍流水节拍施工进度计划

3. 无节奏流水施工

(1) 概念

无节奏流水施工是指相同或不相同的施工过程的流水节拍不完全相等的一种流水施工方式。

在实际工程中，无节奏流水施工是较常见的一种流水施工方式。因为它不像有节奏流水那样有一定的时间规律约束，在进度安排上比较灵活、自由。

(2) 无节奏流水施工特征

1) 同一施工过程流水节拍不完全相等，不同施工过程流水节拍也不完全相等。

2) 各个施工过程之间的流水步距不完全相等。

(3) 流水步距的确定

流水步距的计算是采用"累加数列错位相减取大差法"，即：

第一步：将每个施工过程的流水节拍逐段累加。

第二步：错位相减，即从前一个施工班组由加入流水起到完成该段工作止的持续时间和,减去后一个施工班组由加入流水起到完成前一个施工段工作止的持续时间和(即相邻斜减),得到一组差数。

第三步:取上一步斜减差数中的最大值作为流水步距。

第四步:若施工过程之间存在搭接、间歇时间,对流水步距做出相应的调整。

【例 4-5】 某工程由 3 个施工过程组成,分为 4 个施工段进行流水施工,其流水节拍见表 4-2,试确定流水步距。

某工程流水节拍表 (d)　　　表 4-2

施工过程	施工段			
	①	②	③	④
Ⅰ	2	3	2	1
Ⅱ	3	2	4	2
Ⅲ	3	4	2	2

【解】 ① 求各施工过程流水节拍的累加数列

施工过程Ⅰ:2,5,7,8
施工过程Ⅱ:3,5,9,11
施工过程Ⅲ:3,7,9,11

② 错位相减求得差数列

Ⅰ 与 Ⅱ: 2, 5, 7, 8
　　　－) 　 3, 5, 9, 11
　　　―――――――――――――
　　　　2, 2, 2, －1 －11

Ⅱ 与 Ⅲ: 3, 5, 9, 11
　　　－) 　 3, 7, 9, 11
　　　―――――――――――――
　　　　3, 2, 2, 2 －11

③ 在差数列中取最大值求得流水步距

施工过程Ⅰ与Ⅱ之间的流水步距:$K_{Ⅰ,Ⅱ} = \max[2,2,2,-1,-11] = 2d$

施工过程Ⅱ与Ⅲ之间的流水步距 $K_{Ⅱ,Ⅲ} = \max[3,2,2,2,-11] = 3d$

(4) 流水施工工期的确定

流水施工工期可按式(4-16)计算:

$$T = \sum K_{i,i+1} + \sum t_n \quad (4-16)$$

式中　T——流水施工工期;

$\sum K_{i,i+1}$——各施工过程之间流水步距之和;

$\sum t_n$——最后一个施工过程在各施工段流水节拍之和。

【例 4-6】 某市政桥梁有 4 个独立基础,施工过程包括基础开挖、基础处理和浇筑混凝土。因基础的工程量与基础施工条件等不同,使得 4 个独立基础(施工段)的各施工过程有着不同的流水节拍,见表 4-3。

基础工程流水节拍表（周）　　　　表 4-3

施工过程	施 工 段			
	基础 A	基础 B	基础 C	基础 D
基础开挖	2	3	2	2
基础处理	4	4	2	3
浇筑混凝土	2	3	2	3

【解】 从流水节拍的特点可以看出，本工程应按无节奏流水施工方式组织施工。

(1) 确定施工流向由基础 $A \to B \to C \to D$，施工段数 $m=4$。

(2) 确定施工过程 $n=3$，包括基础开挖、基础处理和浇筑混凝土。

(3) 采用"累加数列错位相减取大差法"求流水步距

　　2，　5，　7，　9
－)　　4，　8，　10，　13
──────────────────

$K_{1,2}=\max[2,\ 1,\ -1,\ -1\ -13]=2$

　　4，　8，　10，　13
－)　　2，　5，　7，　10
──────────────────

$K_{2,3}=\max[4,\ 6,\ 5,\ 6,\ -10]=6$

(4) 计算流水施工工期
$$T=\sum K+\sum t_n=(2+6)+(2+3+2+3)=18 \text{ 周}$$

(5) 绘制非节奏流水施工进度计划，如图 4-7 所示。

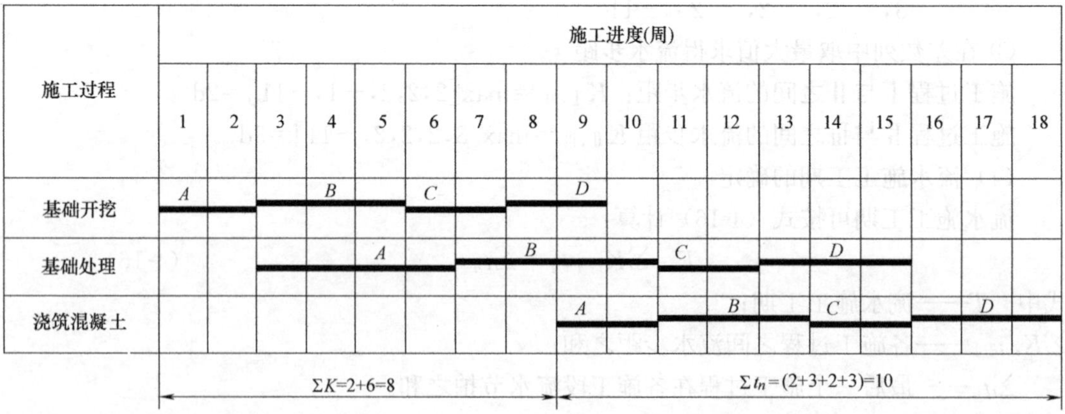

图 4-7　某桥梁基础的施工进度计划

4.3 网络计划技术

为了适应生产发展和科技进步的要求，自 20 世纪 50 年代中期开始，国外陆续出现了一些用网络图形表达的计划管理新方法。我国从 20 世纪 60 年代中期开始引进这种方法，经过多年的实践与应用，该方法得到了不断的推广和发展。为了使网络计划在计划管理中遵循统一的技术标准，做到概念一致，计算原则和表达方式统一，以保证计划管理的科学性，提高企业管理水平和经济效益，住房城乡建设部于 2015 年颁发了《工程网络计划技术规程》JGJ/T 121—2015。网络图是由箭线和节点组成的有向、有序的网状图形。

4.3.1 网络计划特点及分类

1. 网络计划的基本原理

（1）把一项工程的全部建造过程分解为若干项工作，并按其开展顺序和相互制约、相互依赖的关系，绘制出网络图。

（2）进行时间参数计算，找出关键工作和关键线路。

（3）利用网络计划最优化原理，改进初始方案，寻求最优网络计划方案。

（4）在网络计划执行过程中，进行有效监督与控制，力求以最少的消耗，获最佳的经济效果。

2. 网络图的特点

网络图和横道图都是时间组织的成果，所有横道图都可以改画成网络计划图。相比横道图，网络图主要有以下特点：

（1）能充分反映出各项工作之间的相互制约、相互依赖关系。

（2）可以区分关键工作和非关键工作，并能反映出各项工作的机动时间。

（3）可以更好地运用和调配人、材料、机械等各种物资。

（4）可以利用计算机进行计算工作。

（5）能够进行计划的优化比较，选出最优方案。

3. 网络计划的分类

按照不同的分类原则，可以将网络计划分成不同的类别。

（1）按表示方法分类

1) 双代号网络计划是以双代号表示法绘制的网络计划。网络图中，箭线用来表示工作并用在箭线两端的代号来标记该项工作。目前，我国的施工企业多采用这种网络计划。

2) 单代号网络计划是以单代号表示法绘制的网络计划。在网络图中，每个节点表示一项工作，箭线仅用来表各项工作间相互制约、相互依赖的关系。

（2）按有无时间坐标分类

1) 非时标网络计划是不按时间坐标绘制的网络计划。在网络图中，工作箭线长度与持续时间无关，可按需要绘制。通常绘制的网络计划都是非时标网络计划。

2) 时标网络计划是以时间坐标为尺度绘制的网络计划。在网络图中，每项工作箭线的水平投影长度，与其持续时间成正比。如编制资源优化的网络计划即为时标网络计划。

4.3.2 双代号网络计划的绘制

1. 双代号网络图的组成及表示方法

双代号网络图主要由箭线、节点和线路三个要素组成。双代号网络图是用一条箭线及其两端编号表示一个施工过程的网络图。施工过程名称写在箭线上面，施工持续时间写在箭线下面，箭头表示施工过程结束，箭尾表示施工过程开始。在箭线的两端分别画一个圆圈作为节点，并在节点内进行编号，用箭尾节点号码和箭头节点号码作为这个施工过程的代号，如图 4-8 所示。由于各施工过程均用两个代号表示，所以称为双代号表示方法。

图 4-8 双代号表示方法

(1) 箭线

1) 一个箭线表示一个施工过程（或一项工作）。箭线表示的施工过程可大可小：在总体网络计划中，箭线可表示一个单位工程或一个工程项目；在单位工程网络计划中，一个箭线可表示一个分部工程；在施工性网络计划中，一个箭线可表示一个分项工程（如绑扎钢筋、支模等）。

2) 每个施工过程的完成都要消耗一定的时间及资源。只消耗时间不消耗资源的混凝土养护、道路基层干燥等技术间歇，如单独考虑时，也应作为一个施工过程来对待。各施工过程均用实箭线来表示。

3) 在双代号网络图中，为了正确表达施工过程的逻辑关系，有时必须使用一种虚箭线。虚箭线是既不消耗时间，也不消耗资源的一个虚拟的施工过程，一般不标注名称，持续时间为零。它用于反映施工过程的逻辑关系或受绘图规则的要求，起施工过程之间逻辑连接或逻辑断路作用。

4) 箭线的长短一般不表示持续时间的长短（时标网络除外）。箭线的方向表示施工过程的进行方向，应保持自左向右的总方向。一般来说，为保证图形整齐，箭线最好画成水平箭线或由水平线段和竖直线段组成的折线箭线。

5) 网络图中，与某箭线的箭尾紧接的各项工作，称为该施工过程的"紧前工作"；与某箭线的箭头紧接的各项工作，称为该施工过程的"紧后工作"。

(2) 节点

1) 在双代号网络图中，用圆圈表示的各箭线之间的连接点，称为节点。节点有起点节点、终点节点、中间节点。节点不需要消耗时间和资源。

2) 起点节点是网络图的第一个节点，表示整个工作计划的开始。网络图中只能有一个起点节点。终点节点是网络图的最后一个节点，表示整个工作计划的完成。网络图中只能有一个终点节点。其余节点都称为中间节点，表示紧前工作的结束和紧后工作的开始。

3) 网络图的每一个节点都要编号。编号的顺序是：从起点节点开始，依次向终点节点进行。编号的原则是：每一个箭线的箭尾节点代号必须小于箭头节点代号，所有节点的代号不能重复出现。

（3）线路

1）线路是指沿着箭线方向顺序从网络图的起点节点到终点节点通过一系列箭线与节点的通路。网络图中的线路可依次用该线路上的节点代号来记述。

2）网络图中每条不同的线路所需的时间之和往往各不相等，其中时间之和最大者称为"关键线路"，其余的线路为非关键线路。位于关键线路上的施工过程称为关键施工过程，这些施工过程的持续时间直接影响整个计划完成的时间。

2. 双代号网络图的绘制

网络图的绘制是网络计划方法应用的关键。要正确绘制网络图，必须正确反映逻辑关系，遵守绘图的基本规则。

（1）双代号网络图的逻辑关系

逻辑关系是指网络计划中所表示的各个施工过程之间的先后顺序关系。这种顺序关系可划分为两大类：一类是由施工工艺所决定的各个施工过程之间客观上存在的先后顺序关系，称为工艺逻辑。对于一个具体的分部工程来说，当确定了施工方法以后，则该分部工程的各个施工过程的先后顺序一般是固定的，有的是绝对不能颠倒的；另一类是施工组织安排中，考虑劳动力、机具、材料或工期等影响，在各施工过程之间主观上安排的先后顺序关系，称为组织逻辑。这种顺序关系在保证施工质量、安全和工期等前提下，可以人为安排。

（2）双代号网络图逻辑关系的正确表示

在网络图中，各施工过程之间有多种逻辑关系。在绘制网络图时，必须正确反映各施工过程之间的逻辑关系。

1）施工过程 A、B、C 依次完成，其逻辑关系如图 4-9 所示。

2）施工过程 B、C 在 A 完成后才开始，其逻辑关系如图 4-10 所示。

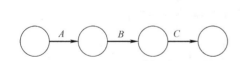

图 4-9　A、B、C 依次施工的逻辑关系

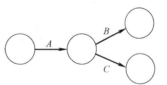

图 4-10　A 完成后 B、C 才能开始的逻辑关系

3）施工过程 C、D 在 A、B 完成后即开始，逻辑关系如图 4-11 所示。

4）施工过程 C 在 A、B 完成后才开始，而施工过程 D 则在 B 完成后就可开始，即 C 受控于 A 和 B，而 D 与 A 无关。此时必须引进虚箭线，使 B、C 两个施工过程连接起来，如图 4-12 所示。这里，虚箭线起到了逻辑连接作用。

5）施工过程 C 随 A 后、E 随 B 后，施工过程

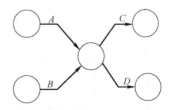

图 4-11　A、B 完成后 C、D 才能开始的逻辑关系

A、B 完成后 D 才开始，即 D 受控于 A、B，而 C 与 B 无关，E 与 A 无关。此时，应分别引入虚箭线连接 A、D 和 B、D，才能正确反映它们的逻辑关系，如图 4-13 所示。

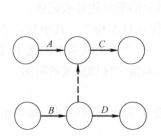

图 4-12　虚箭线的逻辑连接（一）

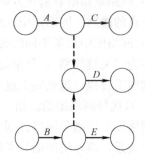

图 4-13　虚箭线的逻辑连接（二）

6）用网络图表示流水施工时，在两个没有关系的施工过程之间（如图 4-14 的路基 2 与面层 1），有时会产生有联系的错误。此时，必须用虚箭线切断不合理的联系（如图 4-15 所示），消除逻辑上的错误。

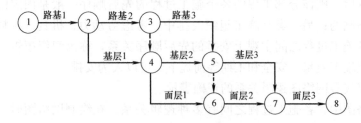

图 4-14　逻辑关系错误的画法

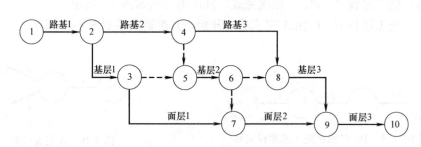

图 4-15　逻辑关系正确的画法

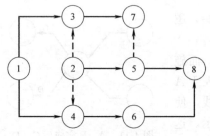

图 4-16　只允许有一个起点节点（或终点节点）

(3) 双代号网络图绘制的基本规则

1) 在一个网络图中，只允许有一个起点节点和一个终点节点。如图 4-16 所示，出现了两个起点节点是错误的，出现了两个终点节点也是错误的。

2) 在网络图中，不允许出现循环回路，即不允许从一个节点出发，沿箭线方向再返回到原来的节点。图 4-17 中出现了循环回路的错误。

3）在一个网络图中，不允许出现同样编号的节点或箭线以及一对节点出现两根及以上的箭线，如图 4-18 所示。

4）在一个网络图中，不允许出现一个代号代表一个施工过程（即箭线不能引出线），如图 4-19 所示。

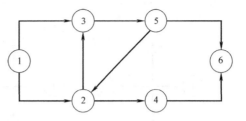

图 4-17　不允许出现循环回路

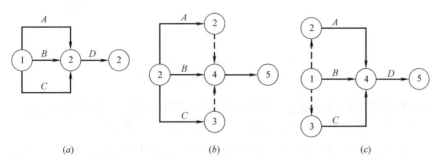

图 4-18　不允许出现相同编号的节点或箭线
（a）错误；（b）、（c）正确

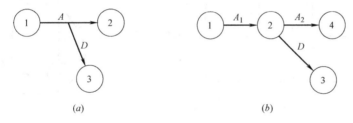

图 4-19　不允许出现一个代号代表一项工作
（a）错误；（b）正确

5）在网络图中，不允许出现无指向箭头或有双向箭头的联系，如图 4-20 所示。

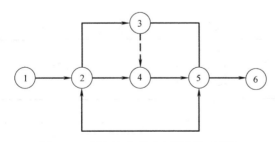

图 4-20　不允许出现双向箭头及无箭头

6）在网络图中，应尽量减少交叉箭线，当无法避免时，应采用过桥法、断线法或指向法表示，如图 4-21 所示。

7）在网络图中，不允许出现没有箭尾节点的箭线和没有箭头节点的箭线。

（4）双代号网络图的绘制要求

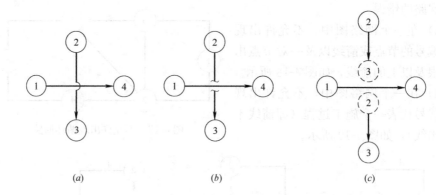

图 4-21 箭杆交叉的处理方法
(a) 过桥法；(b) 断线法；(c) 指向法

遵循网络图的绘图规则是保证网络图绘制正确的前提。为了使图面布置合理，层次分明，重点突出，在绘图时还应注意网络图的构图形式。

1) 通常网络图的箭线应以水平线为主，竖线和斜线为辅，如图 4-22 (a) 所示。不应画成曲线，如图 4-22 (b) 中的箭线②→⑦。

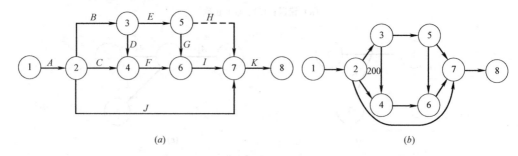

图 4-22 绘制要求（一）
(a) 较好；(b) 较乱

2) 在网络图中，箭线应保持自左向右的方向，尽量避免"反向箭线"。在图 4-23 (a) 中，④→⑤为反向箭线。正确的画法如图 4-23 (b) 所示。

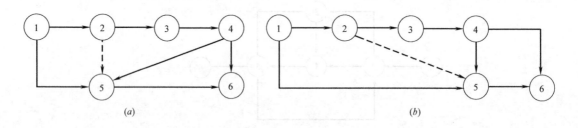

图 4-23 绘制要求（二）
(a) 较差；(b) 较好

3) 在网络图中应力求减少不必要的虚箭线。如图 4-24 (a) 中，⑧→⑩、⑨→⑩为不必要的虚箭线。正确的画法应如图 4-24 (b) 所示。

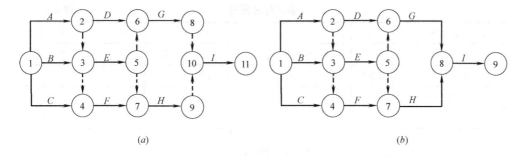

图 4-24 绘制要求（三）
(a) 错误；(b) 正确

(5) 双代号网络图绘制步骤

1) 根据工程要求编制工作逻辑关系表

在进行作业时，客观上存在一种先后顺序关系。在绘制网络图时要首先明确这种关系。

2) 由已知的紧前工作确定紧后工作。

3) 确定各工作的开始节点位置号和结束节点位置号。

① 无紧前工作的工作，其开始节点位置号为"0"。

② 有紧前工作的工作，其开始节点位置号为其紧前工作的起始节点位置号的"最大值加1"。

③ 有紧后工作的工作，其结束节点的位置号为其紧后工作的开始节点位置号的"最小值"。

④ 无紧后工作的工作，其结束节点的位置号为网络图中各个工作的结束节点位置号的"最大值加1"。

4) 根据逻辑关系表示方法编制双代号网络图，并按逻辑关系作一些调整，绘制正确的网络图。

【例 4-7】 某市政工程，将该工程分解若干工作，并确定每个工作逻辑关系，见表 4-4。绘制双代号网络图。

工作逻辑关系 表 4-4

工作名称	A	B	C	D	E	F	G	H	I
紧前工作	—	—	—	A	AB	AB	C	DE	FG

【解】 (1) 根据已知条件完善工作逻辑关系中紧后工作，见表 4-5。

工作逻辑关系 表 4-5

工作名称	A	B	C	D	E	F	G	H	I
紧前工作	—	—	—	A	AB	AB	C	DE	FG
紧后工作	DEF	EF	G	H	H	I	I	—	—

(2) 确定各工作位置号，见表 4-6。

表 4-6 各工作位置号

工作名称	A	B	C	D	E	F	G	H	I
紧前工作	—	—	—	A	AB	AB	C	DE	FG
紧后工作	DEF	EF	G	H	H	I	I	—	—
开始节点位置号	0	0	0	1	1	1	1	2	2
结束节点位置号	1	1	1	2	2	2	2	3	3

(3) 绘制双代号网络图，如图 4-25 所示。

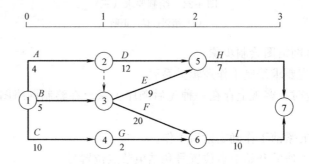

图 4-25　双代号网络图

4.3.3　双代号网络计划时间参数的计算

网络计划的时间参数是确定工程项目计划工期和关键工作的基础，也是确定非关键工作机动时间和进行网络计划优化、科学合理地对工程进行计划管理的依据。

1. 双代号网络图时间参数

双代号网络图时间参数包括持续时间、节点时间参数（2 个）和工作时间参数（6 个）。

(1) 参数符号及含义

D_{i-j}——工作 i-j 的持续时间；

ET_i——i 节点的最早时间；

ET_j——j 节点的最早时间；

LT_i——i 节点的最迟时间；

LT_j——j 节点的最迟时间；

ES_{i-j}——i-j 工作的最早开始时间；

LS_{i-j}——i-j 工作的最迟开始时间；

EF_{i-j}——i-j 工作的最早结束时间；

LF_{i-j}——i-j 工作的最迟结束时间；

FF_{i-j}——i-j 工作的自由时差；

TF_{i-j}——i-j 工作的总时差。

(2) 时间参数的标注形式，如图 4-26 所示。

2. 双代号网络图时间参数计算方法

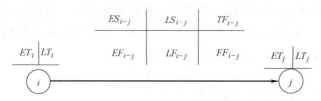

图 4-26 双代号网络上计算标注形式

计算双代号网络图的时间参数的方法有：分析计算法、图上计算法、表上计算法、矩阵计算法、电算法等。图上计算法具有方便快捷、直观明确、便于检查和修改的特点，故在实际中比较常用。

(1) 时间参数计算规则

1) 计算节点最早时间（ET_j）

节点的最早时间就是该节点前面工作全部完成，后面工作最早可能开始的时间。一般规定网络起点节点的最早开始时间为零，其他节点的最早时间等于从起点顺向该节点的各线路各项工作作业时间之和中的最大者。其计算公式如下：

① 起节点最早时间为：

$$ET_1 = 0 \tag{4-17}$$

② 其他节点最早时间为：

$$ET_j = \max[ET_i + D_{i\text{-}j}] \tag{4-18}$$

2) 计算节点最迟时间（LT_i）

节点的最迟时间就是在不影响终点节点的最迟时间前提下，结束于该节点的各工序最迟必须完成的时间。一般终点节点的最迟完成时间应以工程总工期为准，当无规定的情况下，终点节点最迟结束时间等于终点节点的最早时间，其他节点的最迟时间等于从终点节点逆向该节点的各线路中终点节点最迟时间与各个工序作业时间之差中的最小者。其计算公式如下：

① 终点节点最迟时间为：

$$LT_n = ET_n （当未规定工期时） \tag{4-19}$$

$$LT_n = T_r （当规定工期为 T_r 时） \tag{4-20}$$

② 其他节点最迟时间为：

$$LT_i = \min[LT_j - D_{i\text{-}j}] \tag{4-21}$$

3) 计算各工作的最早开始时间（$ES_{i\text{-}j}$）

工作最早开始时间是指各紧前工作全部完成后，本工作有可能开始的最早时间。工作最早开始时间等于该工作左节点的最早时间，不必重新计算，即：

$$ES_{i\text{-}j} = ET_i \tag{4-22}$$

4) 计算各工作的最早结束时间（$EF_{i\text{-}j}$）

工作最早结束时间是指各紧前工作全部完成后，本工作有可能完成的最早时间。工作最早结束时间等于该工作最早开始时间与本工作作业时间之和。其计算公式如下：

$$EF_{i\text{-}j} = ES_{i\text{-}j} + D_{i\text{-}j} \tag{4-23}$$

5) 计算各工作的最迟结束时间（$LF_{i\text{-}j}$）

工作最迟结束时间就是该工作最迟必须结束的时间,若超过此时间,会影响计划总工期并导致其后续各工作不能按时开工。工作最迟结束时间就是该工作的右节点的最迟结束时间,也不必另计算,即:

$$LF_{i\text{-}j}=LT_j \tag{4-24}$$

6)计算各工作的最迟开始时间($LS_{i\text{-}j}$)

工作最迟开始时间就是该工作最迟必须开始的时间。工作最迟开始时间等于该工作最迟结束时间减去本工作作业时间。其计算公式如下:

$$LS_{i\text{-}j}=LF_{i\text{-}j}-D_{i\text{-}j} \tag{4-25}$$

7)计算工作自由时差 $FF_{i\text{-}j}$

工作自由时差是在不影响后续工作的最早开始时间的条件下,工序所拥有的机动时间。自由时差计算公式如下:

$$FF_{i\text{-}j}=ET_j-ET_i-D_{i\text{-}j}$$

或
$$FF_{i\text{-}j}=\{ES_{j\text{-}k}-EF_{i\text{-}j}\}_{\min} \tag{4-26}$$

以上两式表明,对于任何一项工作 $i\text{-}j$,其自由时差可能出现以下两种情况:

① $FF_{i\text{-}j}>0$,说明工作有自由利用的机动时间;

② $FF_{i\text{-}j}=0$,说明工作无自由利用的机动时间。

8)计算工作总时差

工作总时差简称总时差,它是各项工作在不影响工程总工期的前提下,所具有的机动时间(富余时间)。其计算公式如下:

$$TF_{i\text{-}j}=LT_j-ET_i-D_{i\text{-}j}$$

或 $TF_{i\text{-}j}=LF_{i\text{-}j}-EF_{i\text{-}j}=LS_{i\text{-}j}-ES_{i\text{-}j} \tag{4-27}$

由以上两式看出,对于任何一项工作 $i\text{-}j$,其总时差可能有以下三种情况:

① $TF>0$,说明该项工作存在机动时间,为非关键工作;

② $TF=0$,说明该项工作不存在机动时间,为关键工作;

③ $TF<0$,说明该项工作有负时差,计划工期长于规定工期,应进行调整。

(2)关键工作和关键线路的确定

在网络计划中总时差最小的工作称为关键工作。在网络图中一般用双线表示,关键工作连成的自始至终的线路,就是关键线路。它是进行工作进度管理的重点。

关键线路的特点为:

1)若合同工期等于计划工期时,关键线路上的工作总时差等于0;

2)关键线路是从网络计划起点节点到结束节点之间持续时间最长的线路;

3)关键线路在网络计划中不一定只有一条,有时存在两条以上;

4)关键线路以外的工作称为非关键工作,如果使用了总时差时,非关键线路就变成关键线路;

5)在非关键线路上的工作时间延长超过它的总时差时,关键线路就变成非关键线路。

在工程进度管理中,应把关键工作作为重点来抓,保证各项工作如期完成,同时要注意挖掘非关键工作的潜力,合理安排资源,节省工程费用。

(3)图上计算法计算时间参数

1) 计算节点最早时间

起点节点：网络图中一般规定起点节点的最早时间为 0，把 0 注在起点节点的左上方位置上，如图 4-27 中的①节点。

中间节点和终点节点：网络图的中间节点和终点节点的最早时间可采用"沿线累加，逢圈取大"的计算方法，也就是从网络的第一个节点起，沿着每条线路将各工作的作业时间累加起来，在每一个圆圈（即节点）处取到达该圆圈的各条线路累计时间的最大值，就是该节点的最早开始时间。将计算结果直接标注在相应的节点左上方，如图 4-27 所示。

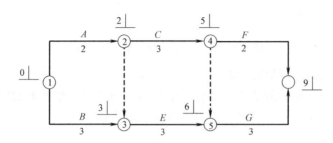

图 4-27　图上计算节点最早时间

2) 计算节点最迟时间

节点最迟时间的计算是以网络图的终点节点逆箭头方向，从右到左逐个节点进行计算，并将计算的结果标注在相应节点右上方。

终点节点：当网络计划有规定工期时，终点节点的最迟时间就等于规定工期。当没有规定工期时，终点节点的最迟时间等于终点最早时间。

中间节点和起点节点：网络图的中间节点和起点节点的最迟时间采用"逆线累减、逢圈取小"的计算方法，也就是以网络图的终点节点 n 逆着每条线路将计划总工期依次减去各工作的作业时间，在每一圆圈处取其后续线路累减时间的最小值，就是该节点的最迟时间。将计算结果标注在相应节点的右上方，如图 4-28 所示。

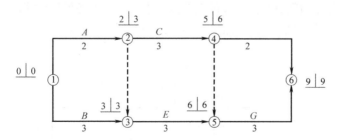

图 4-28　图上计算节点最迟时间

3) 计算工作最早开始时间

工作的最早开始时间也就是该工作左节点的最早时间，不必重新计算，可依照各工作左节点的最早时间，直接标注在本箭线上方的第一行第一格内，如图 4-29 所示。

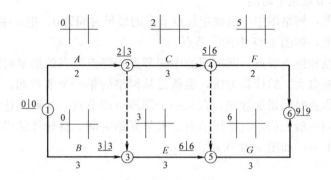

图 4-29　图上计算工作最早开始时间

4) 计算工作最早结束时间

工作的最早结束时间等于该工作最早开始时间与本工作作业时间之和，计算结果标注在箭线上方第二行第一格内，如图 4-30 所示。

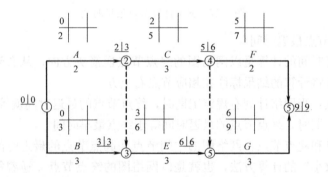

图 4-30　图上计算工作最早结束时间

5) 计算工作最迟结束时间

工作最迟结束时间就是该工作的右节点最迟时间，不必另行计算，可直接根据各工作的右节点的最迟时间，将其标注在箭线上方第二行第二格内，如图 4-31 所示。

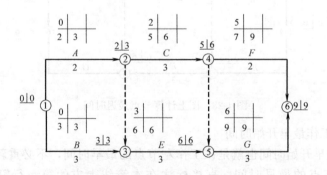

图 4-31　图上计算工作最迟结束时间

6) 计算工作最迟开始时间

工作最迟开始时间等于该工作最迟结束时间减去本工作作业时间，计算结果标注在箭线上方第一行第二格内，如图 4-32 所示。

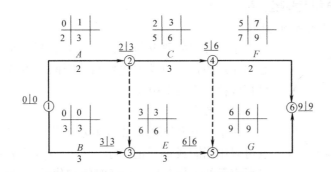

图 4-32　图上计算工作最迟开始时间

7) 计算自由时差

自由时差等于本道工作右节点最早时间减去左节点最早时间再减去本道工作作业时间，将其计算结果标在箭线上方第二行第三格内，如图 4-33 所示。

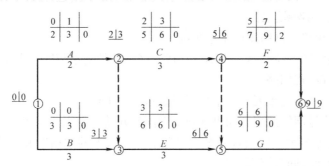

图 4-33　图上计算工作自由时差

8) 计算总时差

总时差等于该工作的最迟开始时间减去最早开始时间或本工作右节点最迟时间减去左节点最早时间再减去本道工作作业时间，或等于紧前公共时差加紧后公共时差再加独立时差。将其结果标注在箭线上方第一行第三格内，如图 4-34 所示。

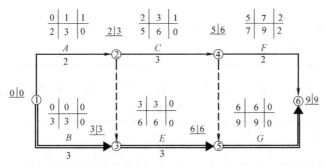

图 4-34　图上计算工作总时差

9) 关键线路

图 4-34 中总时差为零的工作即为关键工作,用双线表示,由此而连成的线路为关键线路。

4.3.4 单号代号网络计划

1. 单代号网络图的构成

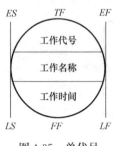

图 4-35 单代号网络图节点

单代号网络图也是由许多节点和箭线组成的图形。但必须注意的是,构成单代号网络图的基本符号含义与双代号相应符号不完全相同。

(1) 节点

在单代号网络图中节点表示工作,单代号网络图的节点可以用圆圈或矩形框表示。一个节点代表一道工作。节点所表示的工作名称、持续时间和代号一般标注在圆圈内,时间参数一般标注在节点的两侧,如图 4-35 所示。

(2) 箭线

单代号网络图中箭线表示工作之间的逻辑关系,不消耗时间,又不消耗资源。在单代号网络图中没有虚箭线,箭线的箭头表示工作的前进方向。

2. 单代号网络图绘制

(1) 绘制单代号网络图的基本规则

单代号网络图的绘制基本规则与双代号网络图的基本相同,主要表现如下:

1) 不允许出现回路。

2) 工作代号不能重复,一个号码只表示一项工作。

3) 在单代号网络图中,如果几项工作同时开始,应引入一个"始"节点;如果几项工作同时结束,应引入一个"终"节点。引入的"始"和"终"节点都是虚拟的,不消耗时间和资源。

(2) 单代号网络图的绘制步骤

1) 根据工程要求编制工作逻辑关系表。

2) 由已知的紧前工作确定紧后工作。

3) 根据逻辑关系表示方法编制单代号网络图。

【例 4-8】 某市政工程,将该工程分解若干工作,并确定每个工作逻辑关系,见表 4-7。绘制单代号网络图。

工作逻辑关系　　　　　　表 4-7

工作名称	A	B	C	D	E	F	G	H	I
紧前工作	—	—	—	A	AB	AB	C	DE	FG

【解】 (1) 根据已知条件完善工作逻辑关系中的紧后工作,见表 4-8。

工作逻辑关系　　　　　　表 4-8

工作名称	A	B	C	D	E	F	G	H	I
紧前工作	—	—	—	A	AB	AB	C	DE	FG
紧后工作	DEF	EF	G	H	H	I	I	—	—

（2）绘制单代号网络图，如图 4-36 所示。

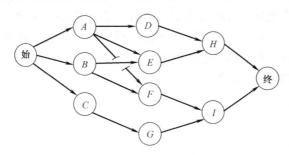

图 4-36　单代号网络图

3. 单代号网络图时间参数计算

单代号网络图时间参数（ES、LS、EF、LF、TF、FF）的计算可参照双代号网络时间参数计算。

4.4　市政工程项目施工进度控制的方法和措施

4.4.1　市政工程施工进度控制的主要方法

1. 进度控制的行政方法

用行政方法控制进度，是指上级单位及上级领导人、本单位的领导层及领导人，利用其行政地位和权力，通过发布进度指令，进行指导、协调、考核，利用激励手段监督、督促等方式进行进度控制。

使用行政方法进行进度控制的优点是直接、迅速、有效，但应当注意其科学性，防止武断、主观、片面的瞎指挥。

行政方法应结合政府监理开展工作，指令要少些，指导要多些。

行政方法控制进度的重点应是进度控制目标的决策或指导，在实施中应尽量让实施者自行进行控制，尽量少进行行政干预。

国家通过行政手段审批项目建设和可行性研究报告，对重大项目或大中型项目的工期进行决策，批准年度基本建设计划，制定工期定额并督促其贯彻、实施，招标投标办公室批准标底文件中的开竣工日期及总工期等，都是行之有效的控制进度的行政方法。实施单位应执行正确的行政控制措施。

2. 进度控制的经济方法

进度控制的经济方法，是指用经济类的手段对进度控制进行影响和制约，包括以下几种方法：银行通过对投资的投放速度控制工程项目的实施进度；在承发包合同中写入有关工期和进度的条款；建设单位通过招标的进度优惠条件鼓励施工单位加快进度；建设单位通过提前奖励和延期罚款实施进度控制；通过物资的供应数量和进度实施进行控制等。

用经济方法控制进度应在合同中明确，辅之以科学的核算，使进度控制产生的效果大于由此而产生的投入。

3. 进度控制的技术方法

进度控制的管理技术方法是指通过各种计划的编制、优化、实施、调整而实现进度控制的方法，包括：流水作业方法、科学排序方法、网络计划方法、滚动计划方法、电子计算机辅助进度管理等。

4.4.2 施工进度控制的措施

1. 施工进度控制的组织措施

（1）组织是目标能否实现的决定因素，为实现项目的进度目标，应充分重视健全项目管理的组织体系。

（2）在项目组织结构中应有专门的工作部门和符合进度控制岗位资格的专人负责进度控制工作。

（3）进度控制的主要工作环节包括进度目标的分析和论证、编制进度计划、定期跟踪进度计划的执行情况，采取纠偏措施，以及调整进度计划。

这些工作任务和相应的管理职能应在项目管理组织设计的任务分工表和管理职能分工表中标示并落实。

（4）应编制项目进度控制的工作流程。

1）确定项目进度计划系统的组成；

2）各类进度计划的编制程序、审批程序和计划调整程序等。

（5）进度控制工作包含了大量的组织和协调工作，而会议是组织和协调的重要手段，应进行有关进度控制会议的组织设计，并明确以下内容：

1）会议的类型；

2）各类会议的主持人及参加单位和人员；

3）各类会议的召开时间；

4）各类会议文件的整理、分发和确认等。

2. 施工进度控制的管理措施

（1）建设工程项目进度控制的管理措施涉及管理思想、管理方法、管理手段、承发包模式、合理管理和风险管理等。在理顺组织的前提下，科学、严谨的管理十分重要。

（2）建设工程项目进度控制在管理观念方面存在的主要问题

1）缺乏进度计划系统的观念，分别编制各种独立而互不联系的计划，形成不了计划系统。

2）缺乏动态控制的观念，只重视计划的编制，而不重视及时进行计划的动态调整。

3）缺乏进度计划多方案比较和优选的观念，合理的进度计划应体现资源的合理使用、工作面的合理安排、有利于提高建设质量、有利于文明施工和有利于合理地缩短建设周期。

4）缺乏合同索赔意识或索赔意识淡薄，在工程实施过程中，不能及时发现工期索赔机会，更不能及时组织工期索赔。

（3）用工程网络计划的方法编制进度计划必须很严谨地分析和考虑工作之间的逻辑关系，通过工程网络的计算可发现关键工作和关键线路，也可知道非关键工作可使用的时差，工程网络计划的方法有利于实现进度控制的科学化。

（4）承发包模式的选择直接关系到工程实施的组织和协调。为了实现进度目标，应选择合理的合同结构，以避免过多的合同交界面而影响工程的进展，工程物资的采购模式对进度也有直接的影响，对此应作比较分析。

（5）为实现进度目标，不但应进行进度控制，还应注意分析影响工程进度的风险，并在分析的基础上采取风险管理措施，以减少进度失控的风险量。常见的影响工程进度的风险如：组织风险、管理风险、合同风险、资源风险、技术风险等。

（6）重视信息技术在进度控制中的应用。虽然信息技术对进度控制而言只是一种管理手段，但它的应用有利于提高进度信息处理的效率、有利于提高进度信息的透明度、有利于促进进度信息的交流和项目各参与方的协同工作。

3. 施工进度控制的经济措施

（1）建设工程项目进度控制的经济措施涉及资金需求计划、资金供应计划的条件和经济鼓励措施等。

（2）为确保进度目标的实现，应编制与进度计划相适应的资源需求计划，包括资金需求计划和其他资源需求计划，以反映工程实施的各时段所需要的资源。通过资源需求的分析，可发现所编制的进度计划实现的可能性，若资源条件不具备，则应调整进度计划。资金需求计划也是工程融资的重要依据。

（3）资金供应条件包括可能的资金总供应量、资金来源以及资金供应的时间。

（4）在工程预算中应考虑加快工程进度所需要的资金，其中包括为实现进度目标将要采取的经济鼓励措施所需要的费用。

4. 施工项目进度控制的技术措施

（1）建设工程项目进度控制的技术措施涉及对实现进度目标有利的设计技术和施工技术的选用。

（2）不同的设计理念、设计技术线路、设计方案会对工程进度产生不同的影响，在设计工作的前期，特别是在设计方案评审和选用时，应对设计技术与工程进度的关系作分析比较。在工程进度受阻时，应分析是否存在设计技术的影响因素，为实现进度目标有无设计变更的可能性。

（3）施工方案对工程进度有直接的影响，在决策其选用时，不仅应分析技术的先进性和经济合理性，还应考虑其对进度的影响。在工程进度受阻时，应分析是否存在施工技术的影响因素，为实现进度目标有无改变施工技术、施工方法和施工机械的可能性。

本教学单元小结

本教学单元介绍了施工进度控制基本概念、基本原理；流水施工组织及参数的确定与计算；网络计划的编制与时间参数计算；进度控制的方法与措施。通过上述内容学习，能提高进度控制的管理水平与能力。施工进度控制是一项复杂系统工程，是一个动态的实施过程。通过进度控制，不仅能保证施工工期，减少各单位和部门之间的相互干扰；而且能更好地落实施工单位各项施工计划，合理使用资源、保证施工项目各项目标的实现。

思考题与习题

1. 市政工程施工进度控制的含义是什么？
2. 为什么要进行施工进度控制？
3. 简述施工项目进度控制的原理和基础工作。
4. 施工项目组织施工的方式有哪几种？
5. 施工进度控制的组织措施和管理措施有哪些？
6. 什么是双代号网络图？
7. 组成双代号网络图的三要素是什么？
8. 网络计划有哪两种逻辑关系？
9. 简述绘制双代号网络图的基本规则。
10. 双代号网络图时间参数有哪几种？如何计算？
11. 什么是线路、关键工作、关键线路？
12. 已知某工程任务划分为 5 个施工过程，分 5 段组织流水施工，流水节拍均为 2d，在第 2 个施工过程结束后有 1d 技术和组织间歇时间。试计算其工期并绘制进度计划。
13. 某市政工程需在某一路段修建 4 个结构形式与规模完全相同的涵洞，施工过程包括基础开挖、预制涵管、安装涵管和回填压实。各施工过程流水节拍见表 4-9，试组织成倍节拍流水施工。

表 4-9

施工过程	流水节拍（周）	施工过程	流水节拍（周）
基础开挖	2	安装管涵	6
预制管涵	4	回填压实	2

14. 某市政基础工程包括挖基槽、做垫层、砌基础和回填土 4 个施工过程，分为 4 个施工段组织流水施工，各施工过程在各施工段的流水节拍见表 4-10（时间单位：d）。根据施工工艺要求，在砌基础与回填土之间的间歇时间为 2d。试确定相邻施工过程的流水步距及流水施工工期，并绘制流水施工进度计划。

表 4-10

施工过程	施 工 段			
	①	②	③	④
挖 基 础	2	2	3	3
做 垫 层	1	1	2	2
砌 基 础	3	3	4	4
回 填 土	1	1	1	1

15. 按下列工作的逻辑关系，分别绘制其双代号网络图。

(1) A、B 均完成后进行 C、D；C 完成后进行 E；D、E 完成后进行 F。

(2) A、B 均完成后进行 C；B、D 完成后进行 E；C、E 完成后进行 F。

(3) A、B、C 完成后进行 D；B、C 完成后进行 E；D、E 完成后进行 F。

(4) A 完成后进行 B、C、D；B、C、D 完成后进行 E；C、D 完成后进行 F。

16. 根据表 4-11 中各施工过程的逻辑关系，绘制双代号网络图并进行节点编号。

表 4-11

施工过程	A	B	C	D	E	F	G	H	I	J	K
紧前工作	—	A	A	B	B	E	A	DC	E	FGH	IJ
紧后工作	BCG	DE	H	H	FI	J	J	J	K	K	—

17. 某网络计划的有关资料见表 4-12，试绘制双代号网络计划，并据此判定各项工作的 6 个时间参数以及节点的时间参数。最后用双箭线标明关键线路。

表 4-12

工作	A	B	C	D	E	G	H	I	J	K
持续时间	2	3	4	5	6	3	4	7	2	3
紧前工作	—	A	A	A	B	CD	D	B	EHK	G

教学单元 5　市政工程施工项目成本管理

【教学目标】 了解市政工程施工项目成本管理的相关概念，熟悉施工成本管理的原则、内容和管理措施；熟悉制定市政工程施工项目成本目标的工作内容及要求，了解成本目标预测方法，掌握成本计划的编制程序和方法；熟悉市政工程施工项目成本控制的依据，掌握成本控制的内容及方法，能够有针对性地提出合理的施工成本控制措施；熟悉有关市政工程施工项目成本核算、分析和考核的分析评价过程，掌握工程项目成本分析的基本方法。

5.1　市政工程施工项目成本管理概述

5.1.1　市政工程施工项目成本的概念

市政工程施工项目成本，是指市政工程施工企业在以施工项目作为成本核算对象的施工过程中，所产生的全部生产费用的总和，包括所消耗的主、辅材料，构配件、周转材料的摊销或租赁费，施工机械的台班费或租赁费，支付给生产工人的工资、奖金以及进行施工组织和管理所发生的全部费用支出。项目施工成本不包括劳动者为社会所创造的价值（如税金和计划利润），也不应包括不构成施工项目价值的一切非生产性支出。项目施工成本在总成本中的比重通常可达90%以上，因此项目的成本控制从某种意义上说就是施工成本的控制。

施工成本是项目经理部和施工企业各种控制措施的核心因素之一，根据成本的经济性质，分为直接成本和间接成本两部分。其中，直接成本是指施工过程中直接耗费的构成工程实体或有助于工程形成的各项支出，包括人工费、材料费、机械使用费和其他直接费。间接成本是指企业的各项目经理部为施工准备、组织和管理施工生产所分摊到该项目上的全部施工间接费或经营管理性支出。

根据市政工程项目特点和成本管理要求，施工项目成本还可根据不同标准及其应用范围进行以下划分：

(1) 按成本计价的定额标准，施工项目成本可分为预算成本、计划成本和实际成本。

(2) 按计算项目成本对象，施工项目成本可分为建设工程成本、单项工程成本、单位工程成本、分部工程成本和分项工程成本。

(3) 按工程完成程度的不同，施工项目成本可分为本期施工成本、已完工程施工成本、未完工程成本和竣工施工工程成本。

(4) 按生产费用与工程量关系，施工项目成本可分为固定成本和变动成本。

5.1.2　市政工程施工项目成本管理的概念与特点

1. 市政工程施工项目成本管理概念

市政工程施工项目成本管理是施工企业结合市政工程行业特点，对项目自开工到竣工全过程所发生的各项收支进行全面系统的管理，以保证整体项目的经济效益，实现项目施工成本最优化的过程，即在保证工期和质量满足要求的情况下，利用组织措施、经济措施、技术措施、合同措施，将整个实施过程的项目成本控制在计划范围内，最大程度成本节约。

2. 市政工程施工项目成本管理特点

根据市政工程项目管理的自身特征、内容范围以及成本管理在项目管理中所发挥的重要作用，市政工程施工项目成本管理体现出以下特点：

（1）前瞻性。由于市政工程建设项目的一次性特征，其成本管理过程也表现出不可重复性。这就要求项目成本管理必须是事先的、能动性的、自为的管理。市政工程项目一般在项目管理的起始点就要对成本进行预测，明确目标并制定工作计划，对可能存在的隐患和问题作出事先预判，从而通过各项组织、经济、技术及合同等管理措施保证目标得以顺利达成。

（2）针对性。市政工程项目成本管理的目标和内容应当与其管理对象和范围密切相关。市政工程项目的任务重、专业分项多、影响因素复杂，在成本管理过程中应加强管理内容及措施的针对性，以优化成本投入、提高生产效率。通常情况下，市政工程成本管理是针对工程项目直接成本和间接成本的控制而进行，不涉及相关内容之外的其他管理范畴，并且不能盲目与企业成本核算对口。

（3）动态控制性。市政工程项目工期较长，施工过程的不确定因素多，其成本状况会随原材料价格、天气条件以及周边社会关系等客观因素的变化而呈现较大波动。因此，为实现预期的成本目标，争取应有的经济效益，在市政工程项目管理过程中应动态跟踪各种不稳定因素的变化情况，并及时采取预算调整、合同索赔、增减账管理等针对性措施，有效控制成本。

（4）综合优化性。为了生产出有效益的合格项目产品，市政工程的成本管理过程必然要与项目的进度、质量、技术、安全及分包等管理内容相结合，从而构建项目成本管理的完整网络。只有把各项管理职能、管理对象和管理要素均纳入成本管理体系中，整个项目才能收到综合优化的功效。

5.1.3 市政工程施工项目成本管理的原则

施工项目的成本管理必须遵循以下基本原则：

1. 成本最优化原则。施工项目成本管理的根本目的，是借助于成本管理的各种手段，科学合理地实现最低的目标成本要求。即在追求成本最低化过程中，应密切结合实际，形成通过主观努力可实现的合理最低化成本目标，并充分挖掘自身潜能，制定科学的成本计划及实施方案，落实相应措施，促使成本水平不断降低，将可能性转变为现实。

2. 全面成本管理原则。全面成本管理是全企业、全员和全过程的管理，也称"三全"管理。坚持全面成本管理原则，就是既要注重实际成本计算和分析，也要关注全过程的成本管理及其关键影响因素的控制；既要注重施工成本的核算分析，也要关注采购成本、工艺成本和质量成本；既要注重财会人员的管理，也要关注群众性的日常管理。

3. 成本责任制原则。成本责任制是对施工项目成本进行层层分解，建立分级、分工、分人的成本责任制度。其关键是划清责任，结合定期奖惩制度将各部门、班组及个人的权利、责任和利益分配到成本形成过程中。在成本责任制原则下，项目经理部应对企业下达的成本目标负责，班组和个人对项目经理部的成本目标负责，由此层层保证，确保全面成本管理的实施及最低化成本目标的实现。

4. 成本管理有效化原则。成本管理有效化主要体现在两方面，一是以最少的投入获取最大的产出；二是以最少的人力、物力或财力完成更多的管理工作。提高成本管理有效性的途径包括：(1) 行政方法，基于行政隶属关系下达指标、进行组织机构优化、制定管理措施并定期检查监督；(2) 经济方法，利用经济杠杆、经济手段实施成本管理；(3) 法制方法，根据国家政策和规定将成本管理制度化、具体化。

5. 成本管理科学化原则。实行科学化的成本管理，必须把自然及社会科学中的相关理论和方法应用于管理过程中。其关键是如何选取适用性强且成效显著的方法，这要根据项目的特点和管理的要求具体确定。其中，可运用的科学方法包括预测与决策方法、目标管理方法、量本利分析方法和价值工程方法等。

5.1.4 市政工程施工项目成本管理的内容

1. 成本预测

施工成本预测是对施工项目未来的成本水平及其可能发展趋势做出科学的描述与判断。成本预测过程通常是结合自身的生产管理水平，参照近期已完工或即将完工的类似施工案例，分析施工项目计划工期内各因素对工程成本的影响，估算出工程的单位成本或总成本。通过施工成本预测，可以使项目经理部在满足业主和施工企业要求的前提下，选择成本低、效益好的最佳成本方案，并在成本形成过程中，针对薄弱环节加强成本控制，提高预见性，克服盲目性。

2. 成本计划

施工成本计划是在成本预测的基础上，针对计划期内生产费用、成本水平、成本降低率及其主要措施和规划的书面方案。一般来说，成本计划应包括从开工到竣工所必需的施工成本，它是对项目所制定的施工成本管理目标，是降低成本的指导文件，也是建立成本管理责任制、开展成本控制和核算的重要基础。

3. 成本控制

施工成本控制是指在施工过程中，通过有效措施对影响成本的各项因素加强管理，将所形成的实际施工成本严格控制在计划目标范围内，并开展动态跟踪控制，及时分析和比较实际成本和计划成本之间的差异，消除可能存在的损失与浪费，以实现甚至超过预期的成本目标。成本控制是施工企业全面成本管理的重要环节，应贯穿于从投标阶段开始直到项目竣工验收的全过程。

4. 成本核算

施工成本核算是将项目施工过程中发生的各种耗费按照一定的对象进行分配和归集，以计算其总成本及单位成本。其内容包含两个基本环节：一是按照规定的成本开支范围对施工费用进行归集，计算出实际发生额；二是根据成本核算对象，采用适当的方法计算出总成本和单位成本。在现代施工项目成本管理中，成本核算是对施工项目耗费进行如实反映并实施监督的过程。

5. 成本分析

施工成本分析是在施工成本形成过程中所进行的对比评价和剖析总结工作，它贯穿于施工项目成本管理的全过程。成本分析过程主要是利用施工项目的成本核算资料，与目标成本、预算成本以及类似施工项目的实际成本等进行比较，了解成本的变动情况，检验成本计划的合理性，并系统地研究施工成本变动的影响因素及变化规律，以寻求降低项目成本的有效途径。

6. 成本考核

施工成本考核是在项目完工后，对其成本形成所涉及的各责任者，按照成本目标责任制的有关规定，将成本的实际指标与计划、定额、预算进行对比和考核，评定成本计划的完成情况和各责任者的业绩，并由此给予相应奖励或处罚，实现有奖有罚、赏罚分明，从而有效调动全员参与的积极性。

基于以上主要工作任务，市政工程项目施工成本管理总体遵循以下程序：

（1）掌握生产要素的市场价格和变动状态，确定项目合同价；
（2）编制成本计划，确定成本实施目标；
（3）实施成本动态控制，保障成本目标实现；
（4）进行成本核算及工程价款结算，及时回收工程款；
（5）开展施工成本分析；
（6）完成项目成本考核，编制成本报告；
（7）积累项目成本资料。

需要指出的是，市政工程项目的施工成本管理呈现动态变化过程，各项工作内容会相互影响。例如，前期成本目标与计划的制定会指导施工过程中成本控制措施的选取；而成本核算与分析是成本控制效果的反映，同时也会为下一步的成本控制方案的形成提供依据。因此，施工成本管理应随着工程进展的各个阶段连续进行，强调过程控制，形成管理过程中计划、实施、检查、处理的循环。

5.1.5 市政工程施工项目成本管理的措施

1. 组织措施

组织是项目管理的载体及目标控制的依托，成本管理的组织措施是为实现成本目标，努力构建强有力的工程项目部和协作网络所采取的管理措施。例如实行项目经理责任制，落实或调整施工成本管理的组织机构和人员，明确各级施工成本管理人员的任务和职能分工，编制本阶段施工成本控制工作计划和详细的工作流程图等。组织措施是其他各类措施的前提和保障，在通常情况下，合理的组织措施既能有效控制费用开支，又能收到良好的管理效果。

2. 技术措施

技术措施是从设计、施工等技术角度出发，通过先进的技术手段或改进措施将技术与经济相结合，形成科学合理的工艺技术和施工方案。其目的是以技术优势降低项目成本，从而争取更大的经济效益。在技术措施应用中，首先要能提出多个不同的技术比选方案，然后在此基础上对不同方案进行技术、经济分析。先进、合理的技术措施，对成本管理目标偏差的控制和纠正发挥着重要作用，有助于最终建成高质量、低投入的优质工程项目。

3. 经济措施

经济措施就是紧密围绕各项费用支出，最大限度地降低消耗，在成本管理中通常成为最容易被接受和采取的措施。成本管理人员一是要编制资金使用计划，明确管理目标，有针对性地开展风险分析并制定防范性对策；二是要严格按照资金使用计划控制各项支出，准确记录、整理、核算实际成本，及时落实业主签证及工程款结算；三是要通过偏差分析和未完工预测，主动控制潜在性问题，防患于未然。由此可见，经济措施的运用绝不仅仅局限于财务人员的工作范畴。

4. 合同措施

成本管理必须以合同为依据，因此合同措施就显得尤为重要。通过合同措施控制施工成本，应贯穿于合同谈判开始到合同终结的整个合同周期。在进行合同谈判时应充分比选，选用与实际工程规模、性质和特点相适应的合同模式；在合同签订过程中应仔细斟酌影响成本和效益的因素，尤其是潜在的风险因素；在合同执行期间，既要密切关注对方的执行情况，也应注重自身履约情况，从而合理处理可能涉及的索赔问题。

5.2 市政工程施工项目成本目标的制定

5.2.1 市政工程项目成本预测

1. 成本预测的概念

市政工程项目的施工成本预测是参考历史资料及相关信息，对当前技术经济条件、外部环境因素以及具备可行性的管理措施进行综合分析，从而对未来的工程成本费用及其发展趋势作出定量描述和逻辑判断，其实质就是在工程项目施工前对成本水平进行科学的估算。在市政工程项目管理过程中，成本预测的作用具体表现在以下三个方面：

（1）投标决策的参考依据。市政工程施工项目是否盈利及其利润水平的高低，是施工企业判断项目可行性的关键因素。在投标决策阶段要估计项目施工成本情况，通过与施工图概预算比较分析得出项目盈利与否以及利润大小，从而做出科学的判断和决策。

（2）成本计划的编制基础。合理的计划是科学管理的第一步，而要编制正确可靠的成本计划，必须对成本作出准确合理的预测。只有在科学的成本预测基础上所形成的成本计划，才能不脱离实际，切实发挥成本控制的作用。

（3）成本管理的重要环节。成本预测反映了工程项目未来的成本水平及其可能呈现的变化趋势。它是预测与分析，以及事后反馈与事前控制的结合，有助于及时发现成本管理中的薄弱环节和潜在隐患，提前采取措施，有效控制成本。

2. 项目成本预测的内容

科学、准确的项目成本预测需要遵循合理的程序如图 5-1 所示。

成本预测的主要工作包含以下几方面内容：

（1）制定预测计划。制定预测计划是成本预测工作顺利进行的保障。预测计

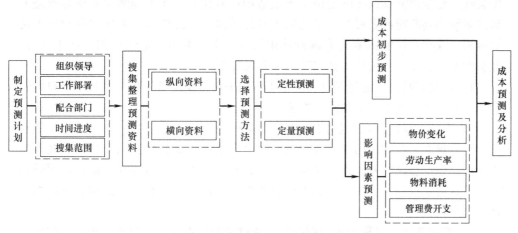

图 5-1 成本预测程序示意图

划的内容主要包括：组织领导及工作任务部署、配合工作的部门、时间进度要求、预测资料的搜集范围等。

（2）搜集整理预测资料。科学、合理并具有代表性的资料是进行预测的重要依据，通常将预测资料划分为纵向和横向两方面。其中，纵向资料是企业自身成本费用的历史数据，据此分析其发展趋势；横向资料是同类工程项目或施工企业的成本资料，据此分析相关资料与本项目的异同，并作出合理的估计。

（3）选择预测方法。成本预测的方法可分为定性预测和定量预测两类：①定性预测法是根据经验和专业知识进行判断的一种预测方法；②定量预测法是利用历史成本费用资料以及成本影响因素之间的数量关系，结合数学模型预测成本。

（4）成本初步预测。根据定性预测的方法和基于横向成本数据资料的定量预测，对成本进行初步估计。这一初步预测结果较为粗糙，为保证预测结果的质量，通常需要结合现在的成本水平进行修正。

（5）预测影响成本水平的因素及其趋势。影响成本水平的因素主要有：物价变化、劳动生产率、物料消耗指标以及项目管理费开支等。可根据近期内工程实施情况、企业及分包企业情况、市场行情等，推测不同因素影响成本费用水平的可能性及其变化趋势。

（6）成本预测及其误差分析。在初步成本预测以及对成本水平变化因素预测结果的基础上，进一步明确可能的成本水平。而成本预测往往与实际成本有出入，即出现预测误差。通过对成本预测结果及误差原因的分析，有助于积累经验，提高预测的准确程度。

3. 项目成本预测方法

（1）定性预测方法

定性的成本预测是指成本管理人员根据专业知识和实践经验，通过调查研究，利用已有资料，对成本的发展趋势及可能达到的水平所作的分析和推断。定性预测方法偏重于依靠专家经验和主观能动性，分析市场行情的发展方向以及成本影响因素。定性预测法的优点在于简便易行，可以较快地得出预测结果，在资料数据欠缺、定量预测难以实施的情况下最适用；但其缺点在于预测主要依靠管理人员的素质和判断能力来展开，结论的主观性较强，因此该方法应建立在对成本历史资料、现状及影响因素具有深刻认识的基础上。常用的定性预测方法主要有：经验判断法、专家会议法、德尔菲法和主观概率法等。

1）经验判断法。通过对过去类似工程相关数据及现有工程项目技术资料的综合分析，对项目成本作出预测的方法。

2）专家会议法。目前国内普遍采用这种定性预测方法。它的优点是简便易行，信息量大，考虑的因素比较全面，与会专家可形成良性互动和启发；其不足之处在于参加会议的专家人数总是有限，其意见不可避免地存在局限性，同时总体意见容易受权威人士或大多数人的意见影响，而忽略少数人的正确意见，即所谓"从众现象"。

3）德尔菲法，又称为函询调查法。通过函询调查的方式就所需预测问题向有关专家征求意见，由专家各自独立形成书面答复，经收集、整理和分析后将结果匿名反馈给各专家再次征求意见，通过如此形式的多次交流后，最终形成一致性的预测结果。该方法的优点是能够最大限度地发挥各位专家的能力，避免相互干扰和影响，意见真实且易于集中；其缺点就是对专家的业务水平、工作经验依赖性较高，其结果也存在局限性。

4）主观概率法。是与专家会议法和专家调查法相结合的方法。即首先由专家在预测时提出几个估计值，并评定各值出现的可能性（概率）；然后计算各个专家预测值的期望值；最后对所有预测期望值求平均值，形成预测结果。

（2）定量预测方法

定量预测方法又称为统计预测方法，是运用数学分析方法对已掌握的历史统计数据和客观实际资料进行科学的加工整理，进而揭示有关变量之间的规律性联系，用于预测未来发展变化情况的成本预测方法。定量预测方法基本上可分为两类：

1）时间序列预测，即通过一个指标本身历史数据的变化趋势去寻找市场的演变规律，并由此作为预测依据，将未来视为过去历史的延伸。

2）回归预测，即从一个指标与其他指标的历史和现实变化的相互关系中，探索相互之间的规律性联系，以此作为预测未来的依据。

总体而言，定量预测方法偏重于数值方面的分析，受主观因素影响小，能对预测结果进行准确描述；但缺点在于分析过程比较机械，不易于灵活掌握，且对信息资料的质量要求较高。

5.2.2 市政工程项目成本计划

1. 项目成本计划的概念与特点

（1）成本计划的概念

成本计划是成本预测的延续，是在多种成本预测的基础上，经过分析、比较、论证、判断之后，以货币形式预先规定计划期内的施工耗费、成本水平及预计达到的成本降低目标，并提出保证成本计划实施所需的主要措施方案。施工项目成本计划一经颁布，便具有约束力，可以作为计划期施工项目成本工作的目标，并用作检查计划执行情况、考核施工项目成本管理工作业绩的依据。

对于市政工程施工项目而言，其成本计划的编制是一个不断深化的过程。在不同阶段所形成的深度和作用不同的成本计划，可按照其发挥的作用分为三类：

1）竞争性成本计划，即施工项目投标及签订合同阶段的估算成本计划。这类成本计划以招标文件中的合同条件、投标者须知、技术规范、设计图纸、工程量清单及有关价格条件说明为依据，参考调研、现场踏勘、答疑等实际情况，密切结合施工企业自身的工料消耗标准、水平、价格资料和费用指标等，对完成投标工作所需支出的全部费用进行估算，所形成的成本计划总体上较为粗略。

2）指导性成本计划，即选派项目经理阶段的预算成本计划，它是项目经理的责任成本目标。该计划是以合同价为依据，按照企业的预算定额标准制定的设计预算成本计划，且一般情况下确定责任总成本目标。

3）实施性成本计划，即项目施工准备阶段的施工预算成本计划，它是以项目实施方案为依据，以落实项目经理责任目标为出发点，采用企业施工定额进行施工预算编制，并形成实施性施工成本计划。

以上三类成本计划相互衔接、不断深化，构成了整个工程项目施工成本的计划过程。其中，竞争性成本计划带有成本战略的性质，它奠定了施工成本的基本框架和水平。指导性成本计划和实施性成本计划，都是战略性成本计划的发展和深化，是对战略性成本计划的具体安排。

（2）成本计划的特点

市政工程项目成本计划主要具备以下几方面特点：

1）积极主动性。成本计划的形成不是被动地按照已确定的技术设计、工期、实施方案和施工环境来预算工程的成本，而是更主动地进行技术经济分析，从总体上考虑工期、成本、质量和实施方案之间的综合平衡，以寻求最优途径。

2）动态控制性。成本计划不仅仅局限于项目计划阶段，在项目实施过程更应注重成本计划和控制相结合，随设计变更或施工环境变化，适时调整或修改成本计划，对新的成本状况以及经济效益做出预测，形成动态控制过程。

3）符合全寿命周期理论。成本计划不仅针对建设成本，还要兼顾运营成本的高低。通常情况下，对确定功能要求的施工项目，其建设质量标准高，则施工成本增加，而在使用期内的运营成本会降低；反之，施工成本低，其运营费用则会提高。因此，成本计划的确定需要通过对项目全寿命期的总经济性分析及费用优化来实现。

4）目标成本最小化与项目盈利最大化相统一。积极的成本计划不仅是成本的最小化，而且它必须与项目盈利的最大化统一。盈利的最大化通常从整个项目的效益角度进行分析。例如，经过对工期和成本的优化，可以确定一个最佳工期以降低成本。如果通过增加投入适当压缩工期，使得项目提前竣工，根据合同规定所获得的奖励远高于成本增加额，那么提前完工就实现了整体效益的提升。

2. 项目成本计划编制依据与要求

（1）成本计划编制的依据

市政工程项目成本计划的编制依据包括：

1) 承包合同及相关文件，包括已签订的工程合同、分包合同，结构件外加工计划和合同等。其合同文件除合同文本之外，还包含：招标文件、投标文件、可行性研究报告和相关设计文件等。

2) 项目管理实施规划，包括施工组织设计、分部分项施工方案以及拟采取的降低施工成本的措施。不同实施条件下的技术方案和管理措施，将对工程成本产生不同的影响。

3) 生产要素的价格信息，主要包括人工、材料、机械台班的市场价。

4) 反映企业生产管理水平的数据，包括企业定额、施工预算、企业内部的材料指导价、企业内部机械台班价、劳动力内部挂牌价格、周转设备内部租赁价格、摊销损耗标准等。

5) 在施工项目成本计划中还要考虑的因素：①项目与公司签订的项目经理责任合同，其中包括项目施工责任成本指标及各项管理目标；②相关成本预测资料；③类似工程的成本资料；④有关财务成本核算制度和财务历史资料。

（2）成本计划编制的要求

市政工程项目施工成本计划由项目经理部负责编制，反映了各成本项目指标和降低成本指标，通常应满足下列要求：

1) 合同规定的项目质量和工期要求；
2) 组织对项目成本管理目标的要求；
3) 以经济合理的项目实施方案为基础的要求；
4) 有关定额及市场价格的要求；
5) 类似项目提供的启示。

3. 项目成本计划的内容

（1）成本计划编制过程

成本计划的编制应在项目实施方案不断优化的前提下进行。由于施工成本计划是施工成本预控的重要手段，因此应当在工程开工前完成，分解落实计划成本目标，并提出有针对性的控制手段和管理措施。成本计划的编制程序与项目的规模大小和管理要求相关。通常大、中型项目的成本计划采用分级编制方式，即先由各部门分别提出成本计划，再由项目经理部汇总编制全项目成本计划；小型项目一般采用集中编制方式，即各部门成本计划由项目经理部集中编制并形成全项目的成本计划。

成本计划编制程序如图5-2所示，其主要工作包含以下几方面内容：

1) 搜集和整理资料。为了获取丰富且可靠的成本资料，应当广泛搜集资料并进行归纳整理，深入分析当前情况和未来发展趋势，了解成本升降的影响因素，并研究克服不利因素、降低成本投入的具体措施。

2) 估算计划成本，即确定目标成本。财务部门在对成本资料整理分析，特别是在对基期成本计划完成情况进行分析的基础上，根据设计、施工等计划判断应投入的材料、劳动力、机械、能源及各类物资情况，结合计划期内各种因素的变化和拟采取的各项增产节约措施，经反复测算、修订、平衡后，估算生产费用支出的总水平，进而提出全项目成本计划的目标成本。通常采用工作分解法 WBS

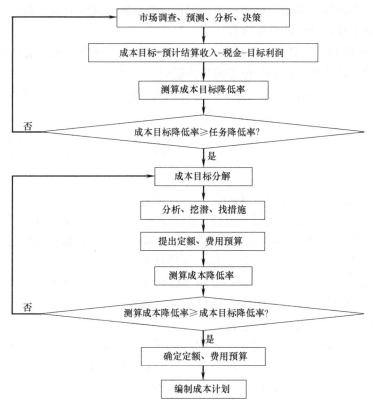

图 5-2 成本计划编制流程图

(Work Breakdown Structure)来确定目标成本并将总目标分解落实到各相关部门、班组，其步骤为：首先把整个工程项目逐级分解为内容单一，且便于进行单位工料成本估算的小项或工序，然后自下而上汇总，得到整个工程项目的估算，最后结合风险系数与物价指数，对估算结果加以修正。成本估算见式（5-1）：

$$估算成本 = 数量 \times 历史基础成本 \times 现在市场因素系数 \times 将来物价上涨系数 \tag{5-1}$$

式中，数量为可确认单位的数量，包含钢材的吨数、木材的立方米数、人工的工时数等；历史基础成本是基准年的单位成本；现在市场因素系数是指从基准年到现在的物价上涨指数。

3）编制成本计划草案。为实现项目经理部下达的成本计划指标，各职能部门应尽可能将指标分解落实到各班组或个人，充分发动群众认真讨论、反馈及再修订，找出完成本期计划的有利和不利因素，提出挖掘潜力、克服不利因素的技术经济措施，编制费用预算方案，形成各职能部门的成本计划草案，使成本计划既能够切合实际，又成为项目部共同奋斗的目标。

4）经综合平衡后形成正式的成本计划。首先在各职能部门的成本计划和费用预算基础上，项目经理部应结合各项技术经济措施，使各部门互相协调、有效衔接；然后从全局出发，在保证成本目标实现的前提下，以生产计划为中心，分析成本计划与生产计划、材料成本与物资供应计划、劳动工时计划等的相互协调平衡；最后经多次综合平衡，确定成本计划指标并编制正式的成本计划。

(2) 施工成本计划的具体内容

1) 编制说明。即有关工程范围、投标过程及合同条件、相关责任成本目标、成本计划编制的指导思想和依据等的具体说明。

2) 施工成本计划的指标。施工成本计划的指标可采用对比法、因素分析法等方法预测确定，大致可分为以下三类指标：

① 数量指标：a. 按子项汇总的工程项目计划总成本指标；b. 按分部汇总的各单位工程（或子项目）计划成本指标；c. 按人工、材料、机具等生产要素划分的计划成本指标。

② 质量指标，如成本降低率指标，其计算方法有：

a. 设计预算成本计划降低率＝设计预算总成本计划降低额/设计预算总成本；

b. 责任目标成本计划降低率＝责任目标总成本计划降低额/责任目标总成本。

③ 效益指标，如成本降低额指标，其计算方法有：

a. 设计预算成本计划降低额＝设计预算总成本－计划总成本；

b. 责任目标成本计划降低额＝责任目标总成本－计划总成本。

(3) 单位工程计划成本汇总表

单位工程计划成本汇总表可按工程量清单列出，如表 5-1 所示。根据清单项目的造价分析，分别对人工费、材料费、机械费、措施费、企业管理费和税费进行汇总，可形成按成本性质划分的单位工程成本汇总表。

按工程量清单列出的计划成本汇总表　　　　表 5-1

编号	清单项目编码	清单项目名称	合同价格	计算成本
1				
2				
……				

4. 项目成本计划的编制方法

施工成本计划的编制以成本预测为基础，其关键是确定目标成本。施工成本计划总额应当在切实可行的基础上控制在目标成本范围内。在施工总成本目标确定后，还需通过编制详细的实施性成本计划将目标成本分解落实到施工过程的具体环节，从而有效进行成本控制。施工成本计划的编制方法可分为以下三类：

(1) 按施工成本构成编制成本计划

施工成本可以按成本构成分解为人工费、材料费、施工机具使用费和企业管理费等，如图 5-3 所示。在此基础上可编制按施工成本构成分解的施工成本计划。

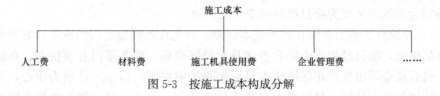

图 5-3　按施工成本构成分解

(2) 按施工项目组成编制成本计划

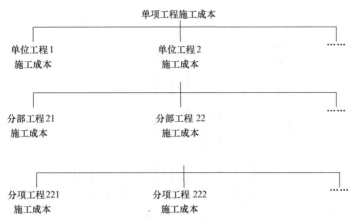

图 5-4 按项目组成分解施工成本

大、中型的工程项目通常由若干单项工程构成，每个单项工程包含多个单位工程，每个单位工程又由若干分部分项工程组成。因此，按施工项目组成编制成本计划首先要对总的施工成本按项目组成逐级分解，如图 5-4 所示。

在完成施工项目成本目标分解之后，接下来需要具体地分配施工成本，编制分项工程的详细成本计划表，见表 5-2。

分项工程成本计划表　　　　　　　　　　表 5-2

分项工程编码	工程内容	计量单位	工程数量	计划成本	本分项总计
(1)	(2)	(3)	(4)	(5)	(6)

在编制成本支出计划时，既要在项目总体层面上考虑总的预备费，也要在主要分项工程中安排适当的不可预见费，避免在编制成本计划时，可能发现个别单位工程或工程量表中某项内容的工程量计算有较大出入，偏离原来的成本预算。因此，在项目实施过程中应尽可能对其采取措施予以控制。

(3) 按施工进度编制成本计划

根据施工进度编制施工成本计划，通常可在控制项目进度的网络图基础上实现。即在建立网络图时，一方面确定各项工作进度，另一方面提出完成相应工作的施工成本支出计划。在编制网络计划时，应在充分考虑进度控制对项目划分要求的同时，兼顾施工成本支出计划对项目划分的要求。

通过对施工成本目标按时间进行分解，在网络计划基础上可获得项目进度计划的横道图，并由此编制成本计划，其具体方式分别为：①时标网络图上按月编制的成本计划直方图，如图 5-5 所示；②时间-成本累积曲线（S 形曲线），如图 5-6 所示。

其中，时间-成本累积曲线的具体绘制步骤如下：

1) 确定工程项目进度计划，编制进度计划的横道图；
2) 根据每单位时间内完成的实物工程量或投入的人力、物力和财力，计算单位时间（月或旬）的成本，在时标网络图上按时间编制成本支出计划，如图 5-5 所示。

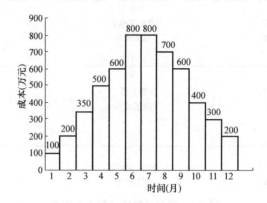

图 5-5　时标网络图上按月编制的成本计划

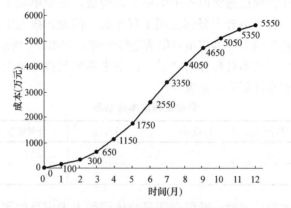

图 5-6　时间-成本累积曲线（S形曲线）

3）计算规定时间 t 内计划累计支出的成本额，即将各单位时间计划完成的成本额累加求和，可按式（5-2）计算：

$$Q_t = \sum_{n=1}^{t} q_n \tag{5-2}$$

式中　Q_t——某时间 t 内计划累计支出成本额；

　　　q_n——单位时间 n 的计划支出成本额；

　　　t——某规定计划时刻。

4）按各规定时间的 Q_t 值，绘制 S 形曲线，如图 5-6 所示。

每一条 S 形曲线将对应某一特定的工程进度计划。由于在进度计划的非关键路线中存在许多有时差的工序或工作，因而 S 形曲线必然包络在由全部工作都按最早开始时间开始和全部工作都按最迟必须开始时间开始的曲线所组成的"香蕉图"内。项目经理可根据所编制的成本计划来合理安排资金，同时也可根据筹措的资金来调整 S 形曲线，即通过调整非关键路线上工序项目的最早或最迟开工时间，将实际的成本支出有效控制在计划范围内。

一般而言，若所有工作都按最迟开始时间开始，则对节约资金贷款利息有利；但相应地也降低了项目如期竣工的保证率。因此合理的成本支出计划应达到既节约成本支出，又能保证项目如期完工的目的。

以上三种编制施工成本计划的方法并不是相互独立的。在实践中，往往是将这几种方法结合起来使用，从而达到扬长避短的效果。

5.3 市政工程施工项目成本的过程控制

5.3.1 成本控制的概念及意义

1. 成本控制的概念

市政工程项目施工成本控制是在施工项目推进过程中，项目经理部对所消耗的人力、物资及费用开支进行指导、监督、检查和调整，及时纠正可能或已经出现的偏差，把各项生产费用控制在计划成本范围内，最终保证成本目标的实现。成本的发生和形成是一个动态变化过程，这就决定了成本的控制也应是一个动态过程，因此，也可称为成本的过程控制。

2. 成本控制的意义

由于市政工程建设项目的唯一性和不可重复性，在施工期间，项目成本能否降低，有无经济效益，得失在此一举，别无回旋余地，体现出显著的风险性。而成本控制的目的，就在于降低项目成本投入，提高经济效益，因此在市政工程项目施工管理中发挥着至关重要的作用，其意义具体表现在以下几方面：

（1）监督工程收支，实现计划利润。投标阶段的计划利润是理论预估结果，只有成本控制措施有效监督工程收支，才能将计划利润真正转换为现实的利润。

（2）做好盈亏预测，指导项目实施。根据单位成本的变化，计算各分部项目的成本增降情况，不断预测工程的最终盈亏，以指导工程实施。

（3）分析收支情况，调整资金流动。根据对工程收支水平及实施情况的分析，不断调整流动资金的用量和使用时间，使得流动资金的安排更加合理，并为筹集资金和偿还借贷资金提供参考。

（4）积累经验资料，指导未来投标。积累实施过程中的成本统计资料，分析单项工程的实际成本，用以验证投标计算的正确性。该过程及相关资料对今后在该地区投标承包新的工程项目有重要参考价值。

5.3.2 施工成本控制的对象及依据

1. 成本控制对象

市政工程项目的施工成本控制对象大致分为以下四类：

（1）以项目成本形成过程作为控制对象。

根据项目成本的全过程及全面控制要求，施工过程不同阶段的控制内容分别为：①投标阶段：合理预测项目成本，提出投标决策意见，明确成本目标；②施工准备阶段：结合设计图纸及相关资料的自审、会审进行多方案比选，优化施工组织设计方案，并编制明细的成本计划，对成本进行事前控制；③施工阶段：根据施工图预算、施工预算、劳动定额、材料消耗定额和费用开支标准等，对实际的成本费用进行控制；④竣工交付使用及保修期阶段：对竣工验收过程发生的费用和保修费用予以控制。

(2) 以项目各职能部门、施工队和生产班组作为成本控制对象。

成本控制的具体内容是日常施工过程中，发生在各个职能部门、施工队和生产班组中的各项费用和损失。因此，项目职能部门、施工队和班组作为成本控制对象，应不断接受项目经理和企业有关部门的指导、监督、检查与考评；同时还应对各自承担的责任成本进行控制。应该说，这是实际工程项目中最直接、最有效的成本控制。

(3) 以分部分项工程作为成本控制对象。

为了将成本控制落到实处，应根据分部分项工程的实物量，参照施工预算定额，结合成本节约计划，编制包括工、料、机消耗量以及单价、金额在内的施工预算，以此作为分部分项工程成本控制的依据。在市政工程项目施工管理过程中，无论是完整的还是分阶段的分部分项施工预算，都是进行成本控制必不可少的依据。

(4) 以对外经济合同作为成本控制对象。

在社会主义市场经济体制下，工程项目的对外经济业务都要通过经济合同建立合约关系，以明确双方的权利和义务。在签订上述经济合同时，除了依据业务要求规定的时间、质量、结算方式和履（违）约奖惩等条款外，还必须强调将合同的数量、单价、金额控制在预算收入以内。

2. 成本控制的依据

(1) 工程承包合同。施工成本控制要以工程承包合同为依据，从预算收入和实际成本两方面，努力挖掘增收节支潜力，以求尽可能降低成本，实现经济效益最大化。

(2) 施工成本计划。施工成本计划是根据市政工程项目的具体情况制定的成本目标，及为目标实现所提出的措施和规划，是施工成本控制的指导文件。

(3) 施工进度报告。进度报告中包含工程不同阶段的实际完成量、实际施工成本支出情况等重要信息。它是成本控制工作中比较实际开支与成本计划偏差并及时进行纠偏的重要依据，同时还有助于管理者发现工程实施中可能存在的隐患，从而及时采取措施，避免损失。

(4) 工程变更。对于市政工程项目而言，由于多方面因素影响，其工程变更在所难免。而工程变更的出现，将带来工程量、工期和成本等的变化，为施工成本控制工作增加难度。因此，施工成本管理人员应根据变更要求中的各类数据开展计算分析，及时更新已发生或将要发生的工程量变化、工期是否拖延、工程款支付情况等变更信息，判断变更以及变更可能带来的索赔额度等。

除了上述几种施工成本控制工作的主要依据以外，相关施工组织设计、分包合同文本等文件资料也都是施工成本控制的依据。

5.3.3 施工成本控制的内容

1. 施工成本控制的程序

在确定了项目施工成本计划及相应地成本管理分层次目标后，必须实时采集成本数据,定期地进行施工成本计划值与实际值的比较,当实际值偏离计划值时,分析产生偏差的原因,采取适当的纠偏措施,以确保施工成本控制目标的实现。成本控制的具体过程如图 5-7 所示。

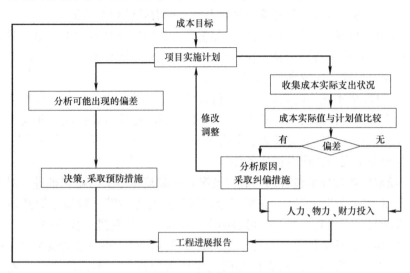

图 5-7　成本控制过程

2. 施工成本控制的实施要求

市政工程施工项目的成本控制伴随施工进程发生,因此要注意各个时期的特点和要求。

(1) 施工前期的成本控制

1) 工程投标阶段

① 在投标前,根据工程概况和招标文件,结合建筑市场和竞争对手的情况,合理进行成本预测,提出投标决策意见。

② 在中标后,根据项目的建设规模组建项目经理部,同时以"标书"为依据确定成本目标,并下达至项目经理部。

2) 施工准备阶段

① 根据设计图纸和有关技术资料,对施工方法、施工顺序、作业组织形式、机械设备类型、技术措施等进行比选,并运用以价值工程原理为代表的科学方法,制定出先进、合理的施工方案。

② 根据企业下达的成本目标,以分部分项工程实物工程量为基础,根据优化的施工组织方案,编制明确而具体的成本计划,并将责任成本分解落实到部门、施工队和班组,为今后的成本控制做好准备。

③ 间接费用预算的编制及落实。根据项目建设的周期和参与人数的规模,编制间接费用预算并进一步细化,以项目经理部有关部门(或业务人员)责任成本的形式予以落实,为今后的成本控制和绩效考核提供依据。

(2) 施工阶段的成本控制

1) 加强施工任务单和限额领料单的管理,特别要做好每一个分部分项完成后的验收(包括实际工程量、工作内容、工程质量和文明施工等),以及实际消耗的人工、材料数量核对，以保证施工任务单和限额领料单的结算资料的正确性，为成本控制提供真实可靠的数据。

2）将施工任务单和限额领料单的结算资料与施工预算进行核对，计算各分部分项工程出现的成本差异并分析原因，及时采取有效的纠偏措施。

3）做好月度成本原始资料的搜集和整理，正确计算月度成本。对于盈亏比例异常的现象则要给予特别重视，应在尽快查明原因的基础上，果断采取措施加以纠正，防止对后续作业成本产生不利影响。

4）在月度成本核算的基础上，实行责任成本核算。也就是利用原有会计核算的资料，重新按责任部门或责任者归集成本费用，每月结算一次，并与责任成本进行对比，由责任部门或责任者自行分析成本偏差及其原因，自行采取措施纠正差异，为全面实现责任成本创造条件。

5）经常检查对外承包合同的履约情况，保障整体施工的顺利推进。对于工期滞后或质量缺陷等违约情况，应根据合同规定向对方索赔；对缺乏履约能力的单位，要果断与其终止合同并寻找可靠的合作单位，以避免进一步的损失。

6）定期检查各责任部门和责任者成本控制责、劝、利的落实情况（一般为每月一次）。项目经理部应会同责任部门或责任者分析落实不到位或产生差异的原因，督促其采取有效对策，调整有关各方的关系，落实责、权、利相结合的原则，使成本控制工作顺利进行。

（3）竣工验收阶段

1）精心安排，干净利落地完成工程竣工扫尾工作。

2）重视竣工验收工作，顺利交付使用。在验收前，要准备好验收所需的完整材料送甲方备查；对于验收中甲方提出的意见，应根据设计要求和合同内容认真处理，如涉及费用，应请甲方签证以列入工程结算范畴。

3）及时办理工程结算。一般来说，工程计算造价＝原施工图预算±增减账。为防止遗漏，在办理工程结算前，要求项目预算员和成本员进行一次全面核对。

4）在工程保修期间，应由项目经理指定保修工作的责任者，并责成保修责任者根据实际情况提出保修计划，以此作为保修费用的控制依据。

5.3.4 施工成本控制的方法

成本控制的方法众多，而且有一定的随机性。在满足质量、工期、安全的前提下，控制方法主要根据控制内容来确定。

1. 理论控制方法

施工成本在理论上的控制方法有制度控制、定额控制、指标控制、价值工程和赢得值法等。

（1）价值工程

价值工程中的价值大小取决于功能和成本，价值可表示为式（5-3）：

$$V=\frac{F}{C} \tag{5-3}$$

式中　V——价值；

　　　F——工程；

C——成本。

价值工程是以功能分析为核心，使产品或作业以最低的寿命周期成本实现其必要功能的一项有组织的创造性活动，其一般工作程序见表5-3。

价值工程的工作程序　　　　　　　　　　　表5-3

工作阶段	设计程序	工作步骤	
		基本步骤	详细步骤
一、准备阶段	制定工作计划	确定目标	1. 工作对象的选择
			2. 信息资料的搜集
二、分析阶段	功能分析评价	功能分析	3. 功能定义
			4. 功能整理
		功能评价	5. 功能成本分析
			6. 功能评价
			7. 确定改进范围
三、创新阶段	初步设计方案	制定创新方案	8. 方案创造
			9. 概括评价
	评价各设计方案，改进、优化方案		10. 制定具体方案
			11. 实验及调整完善
			12. 详细评价
	方案书面化		13. 提出方案
四、实施阶段	检查实施情况，评价活动结果	方案实施与成果评价	14. 方案评审
			15. 方案实施与检查
			16. 成果评价

价值工程原理在市政工程项目成本管理过程中的应用，对于施工成本的有效控制乃至企业自身发展发挥着重要的作用。

1）通过基于价值工程原理的工程设计分析，可以深入认识建设单位的定位和要求，更加明确项目设计要求、结构特点及其所处位置的自然地理条件，这有利于指导施工方案的制定以及施工过程的控制，同时在优化内部组织管理，降低不合理消耗等方面也有积极的影响作用。

2）通过价值工程活动，可以在保证质量安全的前提下，为建设单位节约投资，提高工程项目的功能性，降低寿命周期成本，有利于甲、乙双方建立良性的协作关系，同时还能提高自身的社会知名度，增强市场竞争力。

将价值工程运用到市政工程施工方案的分析就是结合价值工程活动，制定技术先进、经济合理的施工方案，实现项目成本控制，其步骤分为：

1）通过价值工程活动，进行技术经济分析，确定最佳施工方法；

2）结合施工方法，进行材料和机械设备比选，在满足功能要求的前提下，尽可能降低材料消耗，并制定最合理的机械设备使用方案；

3）结合施工组织设计和项目所在地的自然地理条件，研究在合理的材料储备基础上，最经济的材料采购和运输方案，以降低材料库存及运输成本。

（2）赢得值法

赢得值法（Earned Value Management，EVM）作为一项先进的项目管理技术，在工程项目进度和费用的综合分析控制中得到了广泛应用。赢得值法主要是支持项目绩效管理的，最核心的目的就是比较项目实际与计划的差异，关注的是实际中各个项目任务在内容、时间、质量、成本等方面与计划所形成的差异情况，然后在此基础上对剩余任务进行预测并加以调整。

在通过赢得值法开展进度、费用的综合分析控制过程中，主要包含三个基本参数以及四项评价指标。其中的三个基本参数分别为：

① 已完成预算费用 $BCWP$（Budgeted Cost for Work Performed），这是承包人根据所完成工程量应当获得（挣得）的金额，又称赢得值或挣值。

$$已完成预算费用(BCWP) = 已完成工作量 \times 预算单价 \tag{5-4}$$

② 计划工作预算费用 $BCWS$（Budgeted Cost for Work Scheduled），一般情况下，除非合同发生变更，$BCWS$ 在工程实施过程中应保持不变。

$$计划工作预算费用(BCWS) = 计划工作量 \times 预算单价 \tag{5-5}$$

③ 已完成工作实际费用 $ACWP$（Actual Cost for Work Performed）

$$已完成工作实际费用(ACWP) = 已完成工作量 \times 实际单价 \tag{5-6}$$

在以上三个基本参数的基础上，可以确定赢得值法的四个评价指标，它们都是时间的函数。

① 费用偏差 CV（Cost Variance）

$$费用偏差(CV) = 已完成工作预算费用(BCWP) - 已完成工作实际费用(ACWP) \tag{5-7}$$

与 CV 相关的两项参数均以已完工作为基准，所以两者之差反映项目进展的费用偏差。当 CV 为正值，表示实际费用低于预算费用，项目运行节支或投入延后；反之为负值时，表明项目运行超支，即实际费用超出预算费用，投入超前。

② 进度偏差 SV（Schedule Variance）

$$进度偏差(SV) = 已完成工作预算费用(BCWP) - 计划工作预算费用(BCWS) \tag{5-8}$$

该值的两个影响参数均以预算值（计划值）作为基准，所以两者之差反映项目的进度偏差。当 SV 为正值，表示进度提前；反之为负值时，表明进度滞后。

③ 费用绩效指数 CPI（Cost Performance Index）

$$费用绩效指数(CPI) = \frac{已完成工作预算费用(BCWP)}{已完成工作实际费用(ACWP)} \tag{5-9}$$

当 $CPI>1$ 时，表示项目节支；当 $CPI<1$ 时，表明超支。

④ 进度绩效指数 SPI（Schedule Performance Index）

$$进度绩效指数(SPI) = \frac{已完成工作预算费用(BCWP)}{计划工作预算费用(BCWS)} \tag{5-10}$$

当 $SPI>1$ 时，表示进度提前；当 $SPI<1$ 时，表示进度滞后。

在以上四项评价指标中，CV 和 SV 为绝对偏差，体现费用偏差的绝对数额，其结果直观，但在不同费用总额或不同规模项目的比较中存在局限性，因此通常适用于对同一项目作偏差分析。相比而言，CPI 和 SPI 反映的是相对偏差，它们不受项目层次或实施时间的限制，在相同或不同项目的比较中均可采用。

在赢得值法应用过程中，对施工成本偏差进行分析可采用不同的表达方式，常用的有横道图法、表格法和曲线法。

1）横道图法

用横道图法进行费用偏差分析，是用不同的横道标识已完成工作预算费用（BCWP）、计划工作预算费用（BCWS）和已完成工作实际费用（ACWP），如图 5-8 所示。横道图法的优点是结果形象、直观，能够准确表达并比较费用的绝对偏差程度。但这种方法反映的信息量少，一般在项目的较高管理层中应用。

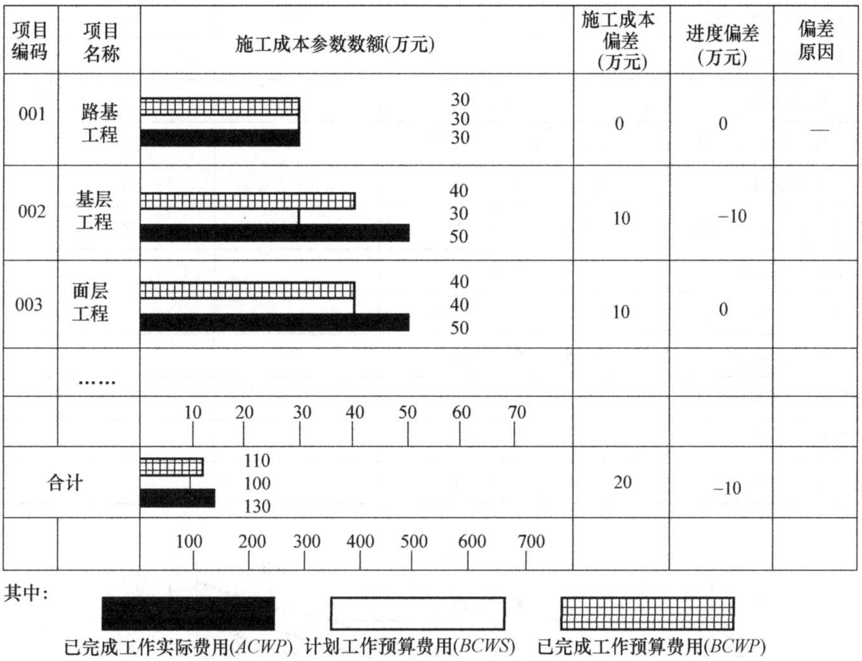

项目编码	项目名称	施工成本参数数额（万元）	施工成本偏差（万元）	进度偏差（万元）	偏差原因
001	路基工程	30 / 30 / 30	0	0	—
002	基层工程	40 / 30 / 50	10	−10	
003	面层工程	40 / 40 / 50	10	0	
	……				
		10 20 30 40 50 60 70			
	合计	110 / 100 / 130	20	−10	
		100 200 300 400 500 600 700			

其中：
已完成工作实际费用(ACWP)　　计划工作预算费用(BCWS)　　已完成工作预算费用(BCWP)

图 5-8　横道图法的施工成本偏差分析

2）表格法

表格法是进行偏差分析最常用的一种方法，它将项目编号、名称、各费用参数以及费用偏差数综合归纳入一张表格中进行比较，表 5-4 是用表格法进行偏差分析的例子。其优点主要表现在：

① 灵活，适用性强。可根据实际需要设计表格，进行增减项。

② 信息量大，可以反映偏差分析所需的资料，有利于施工成本控制人员及时采取针对性措施控制。

③ 表格处理可借助于计算机进行，有助于节约人力并提升工作效率。

3）曲线法

曲线法是用施工成本累计曲线（S 形曲线）来进行施工成本偏差分析的一种方法。在项目实施过程中，由计划工作预算费用（BCWS）、已完成工作预算费用（BCWP）和已完成工作实际费用（ACWP）三个参数所形成的评价曲线如图 5-9

所示。

某市政道路工程施工成本偏差分析　　　　表 5-4

项目编号	(1)	001	002	003
项目名称	(2)	路基工程	基层工程	面层工程
单位	(3)			
计划单位成本	(4)			
拟完工程量	(5)			
拟完工程计划施工成本	(6)=(4)×(5)	30	30	30
已完工程量	(7)			
已完工程计划施工成本	(8)=(4)×(7)	30	40	40
实际单位成本	(9)			
其他款项	(10)			
已完工程实际施工成本	(11)=(7)×(9)+(10)	30	50	50
施工成本局部偏差	(12)=(11)−(8)	0	10	10
施工成本局部偏差程度	(13)=(11)÷(8)	1	1.25	1.25
施工成本累计偏差	(14)=∑(12)			
施工成本累计偏差程度	(15)=∑(11)÷∑(8)			
进度局部偏差	(16)=(6)−(8)	0	−10	0
进度局部偏差程度	(17)=(6)÷(8)	1	0.75	1
进度累计偏差	(18)=∑(16)			
进度累计偏差程度	(19)=∑(6)÷∑(8)			

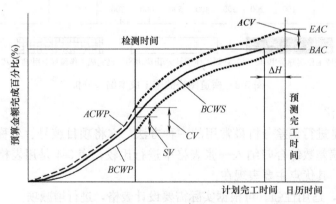

图 5-9　赢得值法评价曲线

图中的 SV 和 CV 分别为进度偏差和费用偏差。在采用赢得值法进行费用、进度综合控制时，还可根据当前的分析情况，预测项目结束时的进度、费用情况。图 5-9 中：BAC（Budget at Completion）为项目完工预算，指编制计划时预计的项目完工费用；EAC（Estimate at Completion）为预测的项目完工估算，指计划执行过程中根据当前的进度、费用偏差情况预测的项目完工总费用；ACV（at Completion Variance）为项目完工时的费用偏差预测，$ACV=BAC-EAC$。

以上偏差分析的一个重要目的就是找出引起偏差的原因，从而有针对性地采取措施控制偏差，减少或避免类似问题再次出现。表 5-5 为赢得值法参数分析与对应措施表。

赢得值法参数分析与对应措施表　　　　　　　　表 5-5

序号	图形	参数关系	分析情况	对应措施
1		$ACWP>BCWS>BCWP$ $SV<0; CV<0$	效率低 进度较慢 投入超前	用工作效率高的人员替换效率低的人员
2		$BCWP>BCWS>ACWP$ $SV>0; CV>0$	效率高 进度较快 费用节余	若偏离不大，维持现状
3		$BCWP>ACWP>BCWS$ $SV>0; CV>0$	效率较高 进度快 费用节余	抽出部分人员，放慢进度
4		$ACWP>BCWP>BCWS$ $SV>0; CV<0$	效率较低 进度较快 投入超前	抽出部分人员，增加少量骨干人员
5		$BCWS>ACWP>BCWP$ $SV<0; CV<0$	效率较低 进度慢 投入超前	增加高效人员投入
6		$BCWS>BCWP>ACWP$ $SV<0; CV>0$	效率较高 进度较慢 投入延后	迅速增加人员投入

2. 根据成本目标实施过程控制的方法

施工阶段是市政工程项目成本发生的主要阶段，相关成本控制主要通过确定成本目标并按计划成本合理配置资源组织施工，对施工过程中产生的各项成本费用实施有效控制。市政工程项目大多采用施工图预算控制成本支出，实行"以收定支"，或叫"量入为出"，具体的控制方法如下：

(1) 人工费的控制

人工费的影响因素包括社会平均工资水平、生产消费指数、劳动力市场供需变化以及政府相关政策等。以不超出施工图预算人工费指标为控制目标，加强劳动定额管理，提高劳动生产率，降低工程耗用人工工日，是控制人工费支出的主要手段。此外，人工费的控制还应结合"量价分离"方法，将作业用工及零星用工按定额工日的一定比例综合确定用工数量与单价，并通过劳务合同进行控制。

(2) 材料费的控制

材料费控制同样按照"量价分离"原则，控制材料用量和材料价格。

1) 材料用量的控制

在保证设计和质量要求的前提下，对于材料用量的控制涉及以下几方面：

① 定额控制：以材料消耗定额为依据，按照分项工程、分项工程以及单位工程等不同划分形式，相对应地分别以施工班组、施工专业队和项目经理部或分包单位为对象实行限额领料制度。其中，限额领料的依据包括准确的工程量、现行施工预算定额或企业内部消耗定额、施工组织设计以及相关工程变更。

② 指标控制：对于没有消耗定额的材料，则实行计划管理和按指标控制的办法。根据以往项目经验，结合施工项目的具体内容和要求，制定材料领用指标以控制发料。

③ 计量控制：做好材料物资的收发计量检查和投料计量检查。

④ 包干控制：在材料使用过程中，对部分小型及零星材料（如钢钉、钢丝等）根据工程量计算出所需材料量，将其折算成费用后由作业者包干使用。

2) 材料价格的控制

材料价格主要由材料采购部门控制。材料价格是由采购价、运杂费、运输损耗等组成，因此材料价格的控制，需要材料管理人员应利用现代化信息手段，密切关注价格的变动，积累全面系统的市场信息，并应用招标和询价等方式控制材料、设备的采购价格。此外，在有条件的情况下，企业可适当购买一定数量的"期货"，以平衡项目间需求的时差和价差。

(3) 施工机具使用费的控制

具体工程中的施工机具使用费应从台班数量和台班单价两方面进行控制：① 台班数量。根据施工方案及现场实际情况，应当在满足施工需求的基础上制定设备需求计划，合理选择机具，充分利用现有机械设备，并加强资源调配，有效提高生产效率；② 台班单价。加强施工机具的维修保养以及相关配件的管理，降低大修或经常性修理等费用开支，提高机械设备的完好率。

由于市政工程施工的特殊性，实际机具使用率往往难以达到预算定额的取定水平，再加上预算定额所设定的施工机具原值（包括机具维修费）和折旧率存在较大滞后性，因而实际发生的机具使用费往往高于施工图预算水平，形成机具使用费超支。在这种情况下，承包方在与发包方及时沟通并取得谅解的情况下，在工程合同中明确规定一定数额的机具费补贴，从而通过施工图预算和增加的机具费补贴机具费用支出进行控制。

(4) 支架、脚手架、模板等周转设备使用费的控制

"施工图预算中的周转设备使用费＝使用数×市场价格"，而"实际发生的周转设备使用数＝使用数×企业内部的租赁单价或摊销价。"由于二者的计量基础和计价方法各不相同，只能以周转设备预算收费的总量来控制实际发生的周转设备使用费用。

（5）构件加工费和施工分包费用的控制

市政公用工程在施工过程中有关木制成品、混凝土构件、金属构件和成形钢筋的加工，以及桩基础、土方、吊床、安装和专项工程的分包，都可能通过委托合同等方式交由专业单位完成。根据相关资料的分析测算，其合同金额的总和约占全部工程造价的 55％～70％。在签订经济合同以明确双方权利与义务时，必须将合同金额控制在施工图预算范围以内。

5.4　市政工程施工项目成本的分析评价

在市政工程项目的施工成本管理过程中，通过施工成本核算、成本分析及成本考核等相关工作，对施工成本进行评价分析，以真实反映项目成本管理的成效，为企业和项目部成本管理控制措施的提出与改进提供参考与指导，从而更好地实现工程项目的成本目标，促进成本管理工作健康发展。

5.4.1　市政工程项目成本核算

1. 成本核算的概念及特点

施工成本核算是按照规定的成本开支范围，按照一定的核算对象归集、分配施工实际发生的各种耗费，以进行施工的总成本和单位成本计算。成本核算既是工程项目进行成本预测、制订成本计划及实施成本控制所需信息资料的主要来源，也是检验成本计划是否实现，进行成本分析和成本考核的重要依据。

市政工程项目施工成本核算的特点有：①所涉及的内容繁杂、周期长；②需全员分工协作，共同完成；③要实现形象进度、产值统计、实际成本归集"三同步要求的难度较大"；④在项目总分包制条件下，难以把握分包商的实际成本；⑤核算过程中的数据处理工作量巨大，信息化水平要求高。

2. 成本核算的内容与方法

（1）施工成本核算的对象及内容

市政工程项目的成本核算的对象一般为每个独立编制施工图预算的单位工程，但也可按照项目的规模、工期、结构类型、施工组织和现场情况，结合成本控制要求进行灵活划分。针对不同情况，成本核算对象可划分为以下几类：

1) 某单位工程由多个施工单位共同施工时，各施工单位应以同一单位工程为成本核算对象，分别核算各自所完成的部分。

2) 对于规模大、工期长的单位工程，可将其划分为若干部分，以单位工程下的各分部工程作为成本核算对象。

3) 某建设项目由同一施工单位施工，可将在同一施工地点、属于同一结构类型、开竣工时间接近的若干单位工程，合并为一个成本核算对象。

4) 改建、扩建的零星工程，可以将开工竣工时间接近，属于同一建设项目的各个单位工程合并为一个成本核算对象。

5）土石方工程、桩基工程，可根据实际情况和管理需要，以各单项工程为成本核算对象，或将相同施工地点的若干个工程量较少的单项工程合并为一个成本核算对象。

市政工程项目施工成本的核算过程，实际上也是各成本项目的归集和分配过程，其主要工作从以下方面展开：

1）工程开工后记录、审核实际生产费用支出，包含各分项工程中消耗的人工费、材料费、周转材料费、机械台班数量及费用等。

2）根据市政工程特点和项目成本管理的要求，确定成本计算对象和成本项目，并根据确定的成本计算对象开设产品成本明细账。

3）成本计算期内工程完成状况的量度。在实际成本核算时，对于已完工程的量度较为明确，而对已开始但未完成的工作包，其已完成成本和程度的客观估算难度较大，可以按照工作包中各工序的完成进度计算。

4）工程现场管理费及项目部管理费实际开支的汇总、核算和分摊。为了明确责任划分，分清成本费用的可控区域，应将工地现场与项目部的管理费用分开核算，以正确反映施工管理的经济效益。

5）根据各分项工程以及总工程的各个项目费用核算与盈亏核算，提出工程成本核算报表。

在上述的各项费用开支中，许多费用是经过分摊进入分项工程或工程总成本中的，如周转材料费、工地管理费和项目管理费等。其核算和经济指标的选取受主观因素影响较大，常常会影响成本核算的准确性。所以，在成本归集和分摊过程中，应尽量采用直接核算的方法，尽可能减少分摊费用并缩小分摊范围。

（2）成本核算的方法

最常用的核算方法有会计核算方法、业务核算方法与统计核算方法，三种方法互为补充，各具特点，形成完整的项目成本核算体系。

1）会计核算

会计核算主要是价值核算，它是财务部门采用会计方法，以货币为主要计量尺度，对整个企业已经发生或完成的经济活动所进行的事后核算，也就是会计工作中记账、算账与报账的总称。在市政工程成本管理过程中，会计核算的不足之处表现为：它由企业财务部组织实施，其数据难以与施工现场的实际成本目标及控制过程建立有效联系，同时相关成本核算资料只有在报告期结算（如月末）时才形成信息，这些都不利于施工成本的优化管理及过程控制。此外，会计核算科目划分往往不够具体，难以达到项目成本控制的精度要求。

2）业务核算

业务核算是各业务部门根据具体业务工作的需要而建立的核算制度。与会计、统计核算相比，业务核算的范围更广。因为会计和统计核算主要是进行事后核算，而业务核算不仅可以对已经发生的，而且还可对正在进行或尚未发生的经济活动进行核算，对可行性和经济效果作出判断。业务核算的特点是针对具体业务工作进行单项核算，例如各种技术措施、新工艺等项目，其核算范围并不固定，方法也更为灵活。业务核算的目的在于迅速取得资料，以便及时采取调整措施。

3）统计核算

统计核算是利用会计核算和业务核算资料，把企业生产经营活动客观现状的大量数据，按统计方法加以系统整理，表明其规律性。相比于会计核算，统计核算的计量尺度更宽，既可用货币计算，也可用实物或劳动量计量。它通过全面调查和抽样调查等特有的方法，对大量的经济现象进行分析，也对个别先进事例与典型事例进行研究。

综合来看，施工核算通过会计核算、业务核算和统计核算的"三算"方法，获得成本的第一手资料，并将总成本和各个分成本进行实际值与计划目标值的对比，用以观察分析成本升降情况，同时作为考核的依据。

5.4.2 市政工程项目成本分析

1. 成本分析的概念和内容

施工成本分析，就是根据会计核算、业务核算和统计核算提供的资料，正确评价成本计划的执行情况，对施工成本的形成过程和影响因素进行分析，以寻求进一步降低成本的途径；另一方面，通过成本分析，可从账簿、报表反映的成本现象看清成本的实质，从而增强项目成本的透明度和可控性，为加强成本控制，实现成本目标创造条件。

一般来说，市政工程项目成本分析内容包括：①人工费用水平的合理性；②材料、能源及机械设备利用效果；③施工质量水平的高低；④专业分包工程的收支和盈亏情况；⑤其他影响因素，包括措施费以及施工准备、组织施工和管理所需要的费用。

根据不同的划分依据，市政工程项目成本分析可分为三类：

（1）按施工进展进行的成本分析。包括：分部分项工程分析、月（季）度成本分析、年度成本分析、竣工成本分析，相关分析主要针对多种生产因素的综合成本进行。

（2）按成本项目进行的成本分析。包括：人工费分析、材料费分析、机具使用费分析、其他直接费分析、间接成本分析。

（3）针对特定问题和与成本有关事项的分析。包括：施工索赔分析、成本盈亏异常分析、工期成本分析、资金成本分析、技术组织效果分析、其他有利或不利因素对成本影响的分析。

2. 施工成本分析的方法

（1）成本分析的基本方法

成本分析的基本方法包括：比较法、因素分析法、差额计算法、比率法等。

1）比较法

比较法又称指标对比分析法，是通过技术经济指标的对比，检查目标的完成情况，分析差异产生的原因，进而挖掘内部潜力的方法。该方法通俗易懂、简单易行，但在应用过程中应特别注意各技术经济指标之间的可比性。比较法的应用形式有：将实际指标与目标指标对比；本期实际指标与上期实际指标对比；与本行业平均水平、先进水平对比。

2) 比率法

比率法是指用两个以上指标的比例进行分析的方法，即先把对比分析的数值变成相对数，再观察其相互之间的关系。常用的比率法有以下几种：

① 相关比率法。就是将性质不同而又相关的指标加以对比，求出比率，并据此考察管理成效。例如：产值和工资是两个不同的概念，但它们的关系又是投入与产出的关系。通常都希望能以最少的工资支出完成最大的产值。因而，用产值工资率指标来考核人工费的支出水平，就很能说明问题。

② 构成比率法。通过构成比率，可以考察成本总量的构成情况及各成本项目占成本总量的比重，同时也可说明量、本、利的比例关系（即预算成本、实际成本和降低成本的比例关系），从而明确降低成本的有效途径。

③ 动态比率。就是将同类指标不同时期的数值进行对比，求出比率，用以分析该项指标的发展方向和发展速度。动态比率的计算，通常采用基期指数（分析期指标/固定基期指标×100%）和环比指数（分析期指标/分析前期指标×100%）两种方法。

3) 因素分析法

因素分析法是根据分析指标与其影响因素之间的关系，按照一定的程序和方法，分析各因素对成本形成的影响程度。使用因素分析法时应当注意：①因素分解的关联性；②因素替代的顺序性；③顺序替代的连环性；④计算结果的假定性。在市政工程成本管理中，连环替代法和差额计算法为两种代表性的分析方法。

① 连环替代法

连环替代法应用于多因素对成本指标综合发生作用的情况下，首先将其中一个因素当作可变因素，而其他因素为不变因素，然后逐个替换，并分别比较其计算结果，以确定各个因素变动对成本的影响程度。其具体计算分析步骤如下：

a. 确定分析对象（即所分析的技术经济指标），并计算出实际与目标（或预算）值的总差异。

b. 确定该指标由哪几个因素组成，并根据其相互关系进行排序。

c. 以目标（或预算）值为基础，将各因素的目标（或预算）值相乘，作为分析替代的基数。

d. 将各个因素的实际值按照步骤 b 中的排列顺序进行替换，将每次替换计算所得结果与前一次结果进行比较，用两者的差值可评价该因素对成本的影响程度。

e. 各个因素的影响程度之和，应与分析对象的总差异相等。

必须说明，在应用"连环替代法"时，各个因素的排列顺序应该固定不变，否则就会得出不同的计算结果，也会产生不同的结论。因此该计算结果不免带有假定性，即它不可能使每个因素计算的结果都达到绝对准确。分析过程中的因素替换顺序应当根据分析目的、各因素的依据关系和重要程度来确定，主要表现为：基本因素在前，次要、从属因素在后；数量因素在前，质量因素在后；实物量指标在前，价值量（货币）指标在后。

【例 5-1】 某市政施工企业承包一工程，计划砌砖工程量 $1200m^3$，根据预算定额，每立方米耗用空心砖 510 块，每块空心砖单价为 0.12 元；而实际砌砖工程量却达 $1500m^3$，每立方米实耗空心砖 500 块，每块空心砖实际购入价为 0.18 元。

试用连环代替法进行成本分析。砌砖工程的空心砖成本计算公式为：

$$\text{空心砖成本} = \text{砌砖工程量} \times \text{每立方米空心砖消耗量} \times \text{空心砖价格}$$

采用连环代替法就以上三个因素分别对施工成本的影响进行分析，计算过程及结果见表 5-6。

砌砖工程空心砖成本分析表　　　　　　　　　　　　表 5-6

计算顺序	砌砖工程量	每立方米空心砖消耗量(块)	空心砖价格(元)	空心砖成本(元)	差异数(元)	差异原因
计划数	1200	510	0.12			
第一次代替	1500	510	0.12	73440	18360	由于工程量增加
第二次代替	1500	500	0.12	91800	－1800	由于空心砖节约
第三次代替	1500	500	0.18	90000	45000	由于价格提高
合　计				135000	61560	

以上分析结果表明，实际空心砖成本比计划超出 61560 元，主要原因是由于工程量增加和空心砖价格提高引起的；另外，由于节约空心砖消耗，使空心砖成本节约了 1800 元，这是降低施工成本的有利因素。

② 差额计算法

差额计算法是连环替代法的一种简化形式，它利用各个因素的目标与实际的差额来计算其对成本的影响程度。将差额计算法应用到例 5-1 中，其计算结果为：

砌砖工程量增加对成本的影响程度：$(1500-1200) \times 510 \times 0.12 = 18360$ 元

空心砖用量对成本的影响程度：$(500-510) \times 1500 \times 0.12 = -1800$ 元

空心砖单价对成本的影响程度：$(0.18-0.12) \times 500 \times 1500 = 45000$ 元

以上三项合计 $18360 - 1800 + 45000 = 61560$ 元

(2) 联系工程实际的成本分析方法

市政工程项目的施工成本涉及的内容多、范围广，在不同的情况下、针对不同的对象应采取不同的分析方式。结合上述基本分析手段，根据实际施工进程中成本分析内容的不同，其分析方法可分为以下三类：

1) 综合成本的分析方法

所谓综合成本，是指涉及多种生产要素，并受多种因素影响的成本费用，主要体现在按施工进程进行的成本分析中，如分部分项工程成本，月（季）度、年度成本以及竣工成本等。相关的成本都是随施工进展而逐步形成的，与生产经营有着密切的关系。因此，科学合理的综合成本分析方法，对于提高项目的经济效益至关重要。

2) 成本项目的分析方法

成本项目的分析方法，就是对于不同类型的各成本项目，采用比较法、因素分析法等基本方法，分析成本变化及各因素的影响作用。从分析内容来看：

① 人工费。在实行管理层和作业层两层分离的情况下，施工所需人工及人工费由项目经理部与施工队签订劳务承包合同，明确承包范围、金额及双方的权利

和义务。此外，项目经理部应结合劳务合同的管理，对合同规定之外的人工费增减进行分析。

② 材料费。材料费包括：主要材料和结构件费用、周转材料使用费、采购保管费以及材料储备资金等。

③ 机械使用费。主要是针对机械设备的租赁使用过程中，按使用时间（台班）进行计算的成本支出。不同于按产量进行承包，以完成产量计算费用的情况，如土方工程。

④ 工程其他直接费。包括二次搬运费、工程用水电费、冬雨期施工增加费、夜间施工增加费、临时设施摊销费、检验试验费等。

⑤ 间接成本。它是指为施工准备、组织施工生产和管理所需要的费用，主要包括现场管理人员的工资及进行现场管理所需要的费用。

3）专项成本分析方法

针对与成本有关的特定事项的分析，包括成本盈亏异常分析、工期成本分析和资金成本分析等内容。

① 成本盈亏异常分析

施工项目成本盈亏异常分析，应从经济核算的"三同步"入手，充分考虑完成产值、消耗资源、发生成本之间的同步关系。"三同步"检查可以通过5个方面来展开：产值与施工任务单的实际工程量和形象进度是否同步；资源消耗与施工任务单的实耗人工、限额领料单的实耗材料，当期租用的周转材料和施工机械是否同步；其他费用（如材料价差、超高费、井点抽水的打拔费和台班费等）的产值统计与实际支付是否同步；预算成本与产值统计是否同步；实际成本与资源消耗是否同步。若把以上方面的同步情况查明，成本盈亏的原因也就一目了然。

② 工期成本分析的方法

工期成本分析就是采用比较法将计划工期内所耗用的计划成本，与实际工期中耗用的实际成本的进行比较，然后通过"因素分析法"分析各个因素变动所产生的影响作用。

③ 资金成本分析

通过对"成本支出率"的分析，可以看出资金收入中用于成本支出的比重。结合储备金和结存资金的比重，分析资金使用的合理性。

$$成本支出率 = \frac{计算期实际成本支出}{计算期实际工程款收入} \times 100\% \tag{5-11}$$

5.4.3 市政工程项目成本考核

1. 成本考核的概念和内容

成本考核，是指对项目成本目标完成情况和成本管理工作业绩两方面的考核。市政工程项目成本考核是项目落实成本控制目标的关键，其考核可以分为两个层次展开：一是企业对项目经理的考核；二是项目经理对所属各部门、施工队和班组的考核。通过层层考核，督促项目经理、各责任部门及其责任者更好地完成自己的责任成本，从而形成实现项目成本目标的保证体系，其内容主要包括：

（1）项目经理的考核内容：①成本目标的完成情况；②以项目经理为核心的成本管理责任制的落实情况；③成本计划的编制和落实情况；④对各部门、各作业队及班组责任成本的检查和考核情况；⑤管理过程中贯彻权责利相结合原则的执行情况情况。

（2）各部门、施工队和班组的考核内容：①对于各部门的考核，包括责任成本的完成情况以及成本管理责任的执行情况；②对于各施工队的考核，包括劳务合同的执行情况，合同之外的补充收费情况，以及对班组的管理、考核情况；③对于各施工班组的考核，即以分部分项工程成本为责任成本，以施工任务单和限额领料单的结算资料为依据，由作业队考核班组责任成本的完成情况。

市政工程项目成本考核的目的在于贯彻落实权责利相结合的原则，促进成本管理工作的健康发展，更好地完成工程项目的成本目标。通过定期和不定期的成本考核，即可形成对项目经理和所属部门、施工队、生产班组的有效监督，也可调动他们对成本管理的积极性。成本考核的具体要求为：

（1）应根据项目成本管理制度，确定成本考核目的、时间、范围、对象、方式、依据、指标、组织领导、评价与奖惩原则。

（2）应以项目成本降低额及降低率作为对项目管理机构成本考核的主要指标。

（3）应对项目管理机构的成本和效益进行全面评价、考核与奖惩。

（4）应根据项目管理成本考核结果对相关人员进行奖惩。

2. 成本考核的方法

（1）项目成本考核采取评分制。市政工程项目的成本考核可采取评分制方法，即根据责任成本完成情况和成本管理工作业绩确定权重后，按照考核的内容评分。例如：按照考核内容评分，以7：3作为假设比例进行加权平均，即责任成本完成情况的评分为7，成本管理工作业绩的评分为3。此处7：3的假设比例可在实际工程项目中根据实际情况合理调整。与此同时，项目的成本考核要与相关指标（进度、质量、安全和现场标准化管理）的完成情况相结合。

（2）项目的成本考核要与相关指标的完成情况相结合。与成本考核相结合的相关指标有进度、质量、安全和现场标准化管理等。

（3）强调项目成本的中间考核。中间考核通常有月度考核和阶段考核，它对具有一次性特点的市政工程项目来说尤为重要，能够更好地带动下一步成本管理工作的进行，保证项目成本目标的实现。

（4）正确考核项目的竣工成本。竣工成本是项目成本管理水平和经济效益的最终反映，也是考核承包经营情况、实施奖惩的依据，因此必须做到核算无误、考核正确。

（5）项目成本的奖惩。为贯彻权责利相结合原则，应在成本考核的基础上推行奖惩制度，并通过经济合同的形式明确规定、及时兑现。而项目成本奖罚标准的制定，必须从项目客观实际出发，在考虑项目成本承受能力的基础上，充分调动项目部的积极性，为项目成本的实现发挥积极作用。

本教学单元小结

本教学单元主要阐述了市政工程项目成本管理的相关概念以及成本管理的原则、内容和管理措施，重点介绍了施工成本目标的制定、成本过程控制及其分析评价。施工成本是反映施工企业经营管理水平和施工技术水平的一项综合性指标，所涉及的内容非常广泛。因此，施工成本控制应贯彻于施工经营活动的全过程，只有在科学合理的成本目标和计划的指导下，不断优化生产技术，降低工程成本，提高劳动生产率和工程质量，厉行增产节约，全面加强成本控制，并且充分调动广大职工的积极性，才能不断提高企业自身活力，最终在激烈的市场竞争中取得一席之地。

思考题与习题

1. 试比较工程项目成本与造价之间的区别与联系，并简述市政工程项目施工成本的概念及其管理内容的构成情况。
2. 简述施工成本计划的编制流程及其涉及的主要内容。
3. 施工项目成本的理论控制方法有哪些？
4. 某市政工程项目的施工任务由某分包商承担，计划于6个月内完工。在该工程进行了3个月后，发现某些工作项目与原计划出现偏差，具体工程量表及偏差情况见表5-7。

该项目工程量表　　　　　　　　　　　　　表5-7

工作名称	单位	计划工作量（3个月）	计划单价（元/单位）	已完成工作量（3个月）	实际单价（元/单位）
A	100m²	150	16	150	16
B	100m²	20	46	18	46
C	100m²	100	1520	70	1800

问题：

（1）试采用表格法计算并列出第3个月月末时各工作的计划工作预算费用（BCWS）、已完工作预算费用（BCWP）、已完工作实际费用（ACWP），并分析费用局部偏差值、费用绩效指数 CPI、进度局部偏差值、进度绩效指数 SPI，以及费用累计偏差和进度累计偏差。

（2）试用横道图法表明各项工作的进展以及偏差情况，分析并在图上标明其偏差情况。

（3）试用曲线法标明该项施工任务总的计划和实际进度情况，标明其费用及进度偏差情况（假定各工作项目在3个月内是以均匀、等值进行）。

5. 施工项目成本分析的基本方法有哪些？

6. 某市政道路浇筑商品混凝土,请根据表 5-8 所提供的资料,采用因素分析法分析成本增加的原因。

商品混凝土目标成本与实际成本对比表　　　　表 5-8

项目	计划	实际	差额
产量(m^3)	400	485	85
单价(元)	600	650	50
损耗率(%)	3	2.3	−0.7
成本(元)	249600	322500.75	72900.75

教学单元6 市政工程施工项目安全控制与现场管理

【教学目标】 熟悉市政工程施工项目安全控制的概念、特点；掌握市政工程施工项目安全控制的方针、目标；熟悉市政工程施工项目安全控制实施程序；了解市政工程施工单位的安全责任；熟悉市政工程施工单位安全管理制度；了解市政工程施工项目现场的不安全因素；掌握市政工程施工项目安全技术措施计划的实施；熟悉市政工程施工项目安全检查内容、形式、方法；熟悉市政工程施工项目安全事故处理的程序；熟悉施工现场管理的内容与基本要求；熟悉市政工程施工项目现场环境保护。

6.1 市政工程施工项目安全控制概述

6.1.1 市政工程施工安全控制的概念

1. 安全生产的概念

安全生产是指生产过程处于避免人身伤害、设备损坏及其他不可接受的损害风险（危险）的状态。不可接受的损害风险（危险）是指：超出了法律、法规和规章的要求；超出了方针、目标和企业规定的其他要求；超出了人们普遍接受（通常是隐含）要求。

2. 安全控制的概念

安全控制是对生产过程中涉及的计划、组织、指挥、监控、调节和改进等一系列致力于满足生产安全的管理活动。

6.1.2 市政工程施工安全控制的特点

1. 安全控制涉及面广、涉及单位多

由于市政工程规模大，专业类别多，生产工艺复杂、工序多，在建造过程中流动作业多，地下、高处作业多，作业位置多变，遇到不确定因素多，所以安全控制工作涉及范围大，控制面广。安全控制不仅是施工单位的责任，还包括建设单位、勘察设计单位、监理单位，这些单位也要为安全管理承担相应的责任与义务。

2. 安全控制的动态性

（1）由于建设工程项目的单件性，使得每项工程所处的条件不同，所面临的危险因素和防范措施也会有所改变，例如员工在转移工地后，熟悉一个新的工作环境需要一定的时间，有些制度和安全技术措施会有所调整，员工同样有个熟悉的过程。

（2）工程项目施工的分散性。因为现场施工是分散于施工现场的各个部位，尽管有各种规章制度和安全技术交底的环节，但是面对具体的生产环境时，仍然需要自己判断和处理，有经验的人员还必须适应不断变化的情况。

3. 安全系统的交叉性

市政工程项目是开放系统，受自然环境和社会环境影响很大，安全生产管理需要把工程系统和环境系统及社会系统结合。

4. 安全控制的严谨性

安全状态具有触发性，安全控制措施必须严谨，一旦失控，就会造成损失和伤害。

6.1.3 市政工程施工安全控制的方针和目标

1. 安全控制的方针

安全控制的目的是为了安全生产，因此安全控制的方针也应符合安全生产的方针，即："安全第一，预防为主，综合治理"。

"安全第一"是原则和目标，是把人身安全放在首位，安全为了生产，生产必须保证人身安全，充分体现了"以人为本"的理念。"安全第一"的方针，就是要求所有参与工程建设的人员，包括管理者和操作人员以及对工程建设活动进行监督管理的人员都必须树立安全的观念，不能为了经济的发展牺牲安全，当安全与生产发生矛盾时，必须先解决安全问题，在保证安全的前提下从事生产活动，也只有这样才能使生产正常进行，促进经济的发展，保持社会的稳定。

"预防为主"是实现安全第一的最重要的手段，在工程建设活动中，根据工程建设的特点，对不同的生产要素采取相应的管理措施，从而减少甚至消除事故隐患，尽量把事故消灭在萌芽状态，这是安全生产管理的最重要的思想。

"综合治理"是落实安全生产方针政策、法律法规的最有效手段。综合治理，是指适应我国安全生产形势的要求，自觉遵循安全生产规律，正视安全生产工作的长期性、艰巨性和复杂性，抓住安全生产工作中的主要矛盾和关键环节，综合运用经济、法律、行政等手段，人管、法治、技防多管齐下，并充分发挥社会、职工、舆论的监督作用，有效解决安全生产领域的问题，体现了安全生产方针的新发展。

2. 安全控制的目标

安全控制的目标是减少和消除生产过程的事故，保证人员健康安全和财产免受损失。具体可包括：

（1）减少或消除人的不安全行为的目标；

（2）减少或消除设备、材料的不安全状态的目标；

（3）改善生产环境和保护自然环境的目标；

（4）安全管理的目标。

6.1.4 市政工程施工安全控制实施程序

施工安全控制的程序如图 6-1 所示

1. 确定项目的安全目标

按"目标管理"方法在以项目经理为首的项目管理系统内进行分解，从而确定每个岗位的安全目标，实现全员安全控制。

2. 编制项目安全技术措施计划

对生产过程中的不安全因素，用技术手段加以消除和控制，并用文件化的方

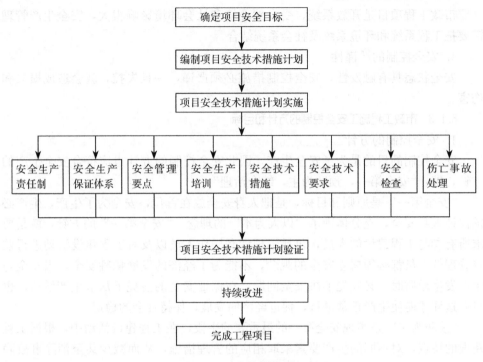

图 6-1 施工安全控制的程序

式表示，这是落实"预防为主"方针的具体体现，是进行工程项目安全控制的指导性文件。

3. 安全技术措施计划的落实和实施

包括建立健全安全生产责任制、设置安全生产设施、进行安全教育和培训、沟通和交流信息、通过安全控制使生产作业的安全状况处于受控状态。

4. 安全技术措施计划的验证

包括安全检查、纠正不符合情况，并做好检查记录工作。根据实际情况补充和修改安全技术措施。

5. 持续改进

持续改进，直至完成建设工程项目的所有工作。

6.1.5 市政工程施工单位的安全责任

施工单位在建设工程安全生产中处于核心地位，《建筑法》第四十五条明确规定了建筑施工企业负责施工现场安全，实行施工总承包的，由总承包单位负责。《建设工程安全生产管理条例》（以下简称《条例》）进一步对施工单位的安全责任作了全面、具体的规定，包括施工单位主要负责人和项目负责人的安全责任、施工总承包和分包单位的安全生产责任等。同时，《条例》规定施工单位必须建立企业安全生产管理机构和配备专职安全管理人员，应当在施工前向作业班组和人员作出安全施工技术要求的详细说明，应当对施工可能造成损害的毗邻建筑物、构筑物和地下管线采取专项防护措施，应当向作业人员提供安全防护用具和安全防护服装，并书面告知危险岗位操作规程。《条例》还对施工现场安全警示标志的使用、作业和生活环境标准等作了明确规定。

6.1.6 市政工程施工单位的安全管理制度

《条例》规定了施工单位应建立健全建设工程安全管理制度。

1. 安全生产许可制度

《条例》规定施工单位应当具备安全生产条件。同时，《安全生产许可证条例》进一步明确规定，国家对矿山企业、建筑施工企业和危险化学品、烟花爆竹、民用爆破器材生产企业实行安全生产许可制度，上述企业未取得安全生产许可证的，不得从事生产活动。国务院建设主管部门负责中央管理的建筑施工企业安全生产许可证的颁发和管理。省、自治区、直辖市人民政府建设主管部门负责前款规定以外的建筑施工企业安全生产许可证的颁发和管理，并接受国务院建设主管部门的指导和监督。

2. 安全生产责任制度

安全生产责任制度是指企业中各级领导、各个部门、各类人员所规定的在他们各自职责范围内对安全生产应负责任的制度。其内容应充分体现责、权、利相统一的原则。建立以安全生产责任制为中心的各项安全管理制度，是保障安全生产的重要手段。安全生产责任制应根据"管生产必须管安全"，"安全生产，人人有责"的原则，明确各级领导，各职能部门和各类人员在施工生产活动中应负的安全责任。

3. 安全生产教育培训制度

安全生产教育培训制度是指对从业人员进行安全生产的教育和安全生产技能的培训，并将这种教育和培训制度化、规范化，以提高全体人员的安全意识和安全生产的管理水平，减少、防止生产安全事故的发生。安全教育主要包括安全生产思想教育、安全知识教育、安全技能教育、安全法制教育等方面，其中对于新职工的三级安全教育，是安全生产基本教育制度。培训制度主要包括对施工单位的管理人员和作业人员的定期培训，特别是在采用新技术、新工艺、新设备、新材料时，对作业人员的培训。

4. 安全生产费用保障制度

安全生产费用是指建设单位在编制建设工程概算时，为保障安全施工确定的费用，建设单位根据工程项目的特点和实际需要，在工程概算中要确定安全生产费用，并全部、及时地将这笔费用划转给施工单位。安全生产费用保障制度是指施工单位对安全生产费用必须用于施工安全防护用具及设施的采购和更新，安全施工措施的落实，安全生产条件的改善。

5. 安全生产管理机构和专职人员制度

安全生产管理机构是指施工单位专门负责安全生产管理的内设机构，其人员即为专职人员。管理机构的职责是负责落实国家有关安全生产的法律法规和工程建设强制性标准，监督安全生产措施的落实，组织施工单位进行内部的安全生产检查活动，及时整改各种安全事故隐患，做好日常的安全生产检查。

专职安全生产管理人员是指施工单位专门负责安全生产管理的人员，是国家法律、法规、标准在本单位实施的具体执行者,其职责是负责对安全生产进行现场监督检查,发现安全事故隐患,应当及时向项目负责人和安全生产管理机构报告,对于违章指挥,违章操作,应当立即制止。

6. 特种人员持证上岗制度

特种作业人员是指从事特殊岗位作业的人员,不同于一般的施工作业人员。特种作业人员所从事的岗位,有较大的危险性,容易发生人员伤亡事故,对操作者本人、他人及周围设施的安全有重大危害。特种作业人员必须按照国家有关规定经过专门的安全作业培训,并取得特种作业操作资格证书后,方可上岗作业。

7. 安全技术措施制度

安全技术措施制度是指为防止工伤事故和职业病的危害,采取技术措施进行预防。在工程施工中,具体针对工程特点、环境条件、劳动组织、作业方法、施工机械、供电设施等制定确保安全施工的措施。安全技术措施也是建设工程项目管理实施规划或施工组织设计的重要组成部分。

8. 专项施工方案专家论证审查制度

对于结构复杂、危险性较大、特性较多的特殊工程,如深基坑,即开挖深度超过5m的基坑(槽),或深度未超过5m但地质情况和周围环境较复杂的基坑(槽);地下暗挖工程,即不扰动上部覆盖层面修建地下工程的一种施工方法;高大模板工程,即模板支撑系统高度超过8m,或者跨度超过18m,或者施工总荷载大于$10kN/m^2$,或者集中线荷载大于$15kN/m^2$的模板支撑系统等,要求必须在施工前编制专项安全施工方案,并附安全验算结果,经施工单位技术负责人、总监理工程师签字后,还应当组织专家进行审查,经审查同意后,方可施工。

9. 施工前详细说明制度

施工前详细说明制度,即安全技术交底制度,指在施工前,施工单位技术负责人将工程概况、施工方法、安全技术措施等情况向作业工长、作业班组、作业人员进行详细讲解和说明。施工前详细说明制度主要内容如下:本施工项目的施工作业特点和危险点;针对危险点的具体预防措施;应注意的安全事项;相应的安全操作规程和标准;发生事故后应及时采取的避难和急救措施。

10. 消防安全责任制度

消防安全责任制度指施工单位确定消防安全责任人,制定用火、用电、使用易燃易爆材料等各项消防安全管理制度和操作规程,施工现场设置消防通道、消防水源,配备消防设施和灭火器材,并在施工现场入口处设置明显标志。

11. 防护用品及设备管理制度

防护用品及设备管理制度是指施工单位采购、租赁的安全防护用具、机械设备、施工机具及配件,应当具有生产(制造)许可证、产品合格证,并在进入现场前进行查验。同时,作好防护用品和设备的维修、保养、报废和资料档案管理。

12. 起重机械和设备设施验收登记制度

施工单位在使用施工起重机械和设备设施(如盾构、管道顶进设备)架设施工前,应当组织有关单位进行验收,也可以委托具有相应资质的检验检测机构进行验收;使用承租的机械设备和施工机具及配件的,由施工总承包单位、分包单位、出租单位和安装单位共同进行验收。验收合格的方可使用，施工单位应自验收合格之日起 30 日之内，向建设行政主管部门或者其他有关部门登记。

13. 三类人员考核任职制度

三类人员是指施工单位的主要负责人、项目负责人和安全生产管理人员。施工单位的主要负责人对本单位的安全生产工作全面负责，项目负责人对所承包的项目安全生产工作全面负责，安全生产管理人员直接、具体承担本单位日常的安全生产管理工作。三类人员在施工安全方面的知识水平和管理能力直接关系本单位、本项目的安全生产管理水平。三类人员必须经建设行政主管部门对其安全知识和管理能力考核合格后方可任职。

14. 意外伤害保险制度

意外伤害保险是法定的强制性保险，由施工单位作为投保人与保险公司订立保险合同，支付保险费，以本单位从事危险作业的人员作为被保险人，当被保险人在施工作业发生意外伤害事故时，由保险公司依照合同约定向被保险人或者受益人支付保险金。该项保险是施工单位必须办理的，以维护施工现场从事危险作业人员的利益。

15. 安全事故应急救援制度

施工单位应制定本单位生产安全事故应急救援预案，建立应急救援组织或者配备应急救援人员，配备必要的应急救援器材、设备，并定期组织演练。同时，施工单位应制定施工现场生产安全事故应急救援预案，并根据建设工程施工的特点、范围，对施工现场易发生重大事故的部位、环节进行监控。

实行施工总承包的，由总承包单位统一组织编制建设工程生产安全事故应急救援预案，工程总承包单位和分包单位按照应急救援预案，各自建立应急救援组织或者配备应急救援人员，配备救援器材、设备，并定期组织演练。

16. 安全事故报告制度

施工单位按照国家有关伤亡事故报告和调查处理的规定，及时、如实地向负责安全生产监督管理部门、建设行政主管部门或者其他有关部门报告；特种设备发生事故的，还应当同时向特种设备安全监督管理部门报告。实行施工总承包的建设工程，由总承包单位负责上报事故。

6.2 市政工程施工项目安全控制的方法

6.2.1 市政工程施工现场的不安全因素

1. 人的不安全因素

人的不安全因素是指影响安全的人的因素，即能够使系统发生故障或发生性能不良的事件的人员个人的不安全因素和违背设计和安全要求的错误行为。人的不安全因素可分为个人的不安全因素和人的不安全行为两个大类。

个人的不安全因素是指人员的心理、生理、能力中所具有不能适应工作、作业岗位要求的影响安全的因素。个人的不安全因素主要包括：

（1）心理上的不安全因素，是指人在心理上具有影响安全的性格、气质和情绪，如懒散、粗心等。

(2) 生理上的不安全因素，包括视觉、听觉等感觉器官、体能、年龄、疾病等不适合工作或作业岗位要求的影响因素。

(3) 能力上的不安全因素，包括知识技能、应变能力、资格等不能适应工作和作业岗位要求的影响因素。

人的不安全行为是指造成事故的人为错误，是人为地使系统发生故障或发生性能不良事件，是违背设计和操作规程的错误行为。不安全行为在施工现场的类型，按《企业职工伤亡事故分类》GB 6441—1986，可分为13个大类：

(1) 操作失误、忽视安全、忽视警告；
(2) 造成安全装置失效；
(3) 使用不安全设备；
(4) 手代替工具操作；
(5) 物体存放不当；
(6) 冒险进入危险场所；
(7) 攀坐不安全位置；
(8) 在起吊物下作业、停留；
(9) 在机器运转时进行检查、维修、保养等工作；
(10) 有分散注意力行为；
(11) 没有正确使用个人防护用品、用具；
(12) 不安全装束；
(13) 对易燃易爆等危险物品处理错误。

不安全行为产生的主要原因是：系统、组织的原因；思想责任性的原因；工作的原因。其中，工作原因产生不安全行为的影响因素包括：工作知识的不足或工作方法不适当；技能不熟练或经验不充分；作业的速度不适当；工作不当，但又不听或不注意管理提示。

分析事故原因，绝大多数事故不是因技术解决不了造成的，都是违章所致。由于没有安全技术措施，缺乏安全技术措施，不作安全技术交底，安全生产责任制不落实，违章指挥、违章作业造成事故，所以必须重视和防止产生人的不安全因素。

2. 物的不安全状态

物的不安全状态是指能导致事故发生的物质条件，包括机械设备等物质或环境所存在的不安全因素。

(1) 物的不安全状态的内容

1) 物（包括机器、设备、工具、物质等）本身存在的缺陷；
2) 防护保险方面的缺陷；
3) 物的放置方法的缺陷；
4) 作业环境场所的缺陷；
5) 外部的和自然界的不安全状态；
6) 作业方法导致的物的不安全状态；

7）保护器具信号、标志和个体防护用品的缺陷。

（2）物的不安全状态的类型

1）防护等装置缺乏或有缺陷；

2）设备、设施、工具、附件有缺陷；

3）个人防护用品用具缺少或有缺陷；

4）施工生产场地环境不良。

3. 管理上的不安全因素

管理上的不安全因素，通常也称为管理上的缺陷，也是事故潜在的不安全因素，作为间接的原因共有以下几方面：

（1）技术上的缺陷；

（2）教育上的缺陷；

（3）生理上的缺陷；

（4）心理上的缺陷；

（5）管理工作上的缺陷；

（6）教育和社会、历史上的原因造成的缺陷。

6.2.2 市政工程施工安全技术措施计划

1. 市政工程施工安全技术措施计划基本内容

（1）建设工程施工安全技术措施计划的主要内容包括：工程概况，控制目标，控制程序，组织机构，职责权限，规章制度，资源配置，安全措施，检查评价，奖惩制度等。

（2）编制施工安全技术措施计划时，对于某些特殊情况应考虑：

1）对结构复杂、施工难度大、专业性较强的工程项目，除制定项目总体安全保证计划外，还必须制定单位工程或各专项工程的安全技术措施计划。

2）对高处作业、井下作业等专业性强的作业，电器、压力容器等特殊工种作业，应制定单项安全技术规程，并应对管理人员和操作人员的安全作业资格和身体状况进行检查。

（3）制定和完善施工安全操作规程，编制各施工工种，特别是危险性较大工种的安全施工操作要求，作为规范和检查考核员工安全生产行为的依据。

（4）施工安全技术措施：施工安全技术措施包括安全防护设施的设置和安全预防措施，主要有17方面的内容，如防火、防毒、防爆、防洪、防尘、防雷击、防触电、防坍塌、防物体打击、防机械伤害、防起重设备滑落、防高空坠落、防交通事故、防寒、防暑、防疫、防环境污染方面措施。

2. 市政工程施工安全技术措施计划的实施

（1）建立安全生产责任制

建立安全生产责任制是施工安全技术措施计划实施的重要保证。安全生产责任制是指企业对项目经理部各级领导、各个部门、各类人员所规定的在他们各自职责范围内对安全生产应负责任的制度。

（2）安全教育培训

1）安全教育培训的内容

安全教育培训的主要内容包括：安全生产思想、安全知识、安全技能、安全规程标准、安全法规、劳动保护、环境保护和典型事例分析。

2）安全教育培训的要求

① 广泛开展安全生产的宣传教育，使全体员工真正认识到安全生产的重要性和必要性，懂得安全生产和文明施工的科学知识，牢固树立"安全第一"的思想，自觉遵守各项安全生产法律法规和规章制度。

② 把安全知识、安全技能、设备性能、操作规程、安全法规等作为安全教育培训的主要内容。

③ 建立经常性的安全教育培训考核制度，考核成绩要记入员工档案。

④ 电工、电焊工、架子工、司炉工、爆破工、机操工、起重工、机械司机、机动车辆司机等特殊工种工人，除一般安全教育外，还要经过专业安全技能培训，经考试合格持证后，方可独立操作。

⑤ 采用新技术、新工艺、新设备施工和调换工作岗位时，也要进行安全教育，未经安全教育培训的人员不得上岗操作。

3）施工现场安全教育的主要形式

① 新工人"三级安全教育"：三级安全教育是企业必须坚持的安全生产基本教育制度。对新工人，包括新招收的合同工、临时工、农民工、实习和代培人员等，必须进行公司、项目、作业班组三级安全教育，时间不得少于40h。经教育考试合格者才准许进入生产岗位；不合格者必须补课、补考。对新工人的三级安全教育情况，要建立档案。新工人工作一个阶段后还应进行重复性的安全再教育；加深安全感性、理性知识的认识。

a. 公司进行安全生产基本知识、法规、法制教育，主要内容是：国家的安全生产、劳动保护、环保方针政策法规；建设工程安全生产法规、技术规定、标准；本单位施工生产安全生产规章制度、安全纪律；本单位安全生产形势、历史上发生的重大事故及应吸取的教训；发生事故后如何抢救伤员、排险、保护现场和及时进行报告。

b. 项目进行现场规章制度和遵章守纪教育，主要内容是：本单位、本项目施工生产特点及施工生产安全基本知识；劳动保护和环保管理制度；本单位、本项目安全生产制度、规定及安全注意事项；本工种的安全技术操作规程；机械设备、电气安全及高处作业等安全基本知识；防火、防雷、防尘、防爆知识及紧急情况安全处置和安全疏散知识；防护用品发放标准及防护用具、用品使用的基本知识。

c. 班组安全生产教育，主要内容是：必要的安全和环保知识；本班组作业特点及安全操作规程；班组安全活动制度及纪律；爱护和正确使用安全防护装置（设施）及个人劳动防护用品；本岗位易发生事故的不安全因素及其防范对策；本岗位的作业环境及使用的机械设备、工具的安全要求。

② 变换工种安全教育：凡改变工种或调换工作岗位的工人必须进行变换工种安全教育，变换工种安全教育时间不得少于4h，教育考核合格后方可上岗。教育内容包括：新工作岗位或生产班组安全生产概况、工作性质和职责；新工作岗位必要的安全知识、各种机具设备及安全防护设施的性能和作用；新工作岗位、新

工种的安全技术操作规程；新工作岗位容易发生的事故及有毒有害的地方；新工作岗位个人防护用品的使用和保管。

③ 转场安全教育：新转入施工现场的工作必须进行转场安全教育，教育时间不得少于 8h，其内容：本工程项目安全生产状况及施工条件；施工现场中危险部位的防护措施及典型事故案例；本工程项目的安全管理体系、制度。

④ 特种作业安全教育：从事特种作业的人员必须经过专门的安全技术培训，经考试合格取得上岗操作证后方可独立作业。对于特种作业人员的培训、取证及复审等工作严格执行国家、地方政府的有关规定。

对从事特种作业的人员进行经常性的安全教育，时间为每月一次，每次教育 4h，教育内容为：

a. 特种作业人员所在岗位的工作特点，可能存在的危险、隐患和安全注意事项；

b. 特种作业岗位的安全技术要领及个人防护用品的正确使用方法；

c. 本岗位曾发生的事故案例及经验教训。

(3) 安全技术交底

安全技术交底是指导工人安全施工的技术措施，是工程项目安全技术方案的具体落实。安全技术交底一般由项目经理部技术管理人员根据分部分项工程的具体要求、特点和危险因素编写，是操作者的指令性文件，因此安全技术交底要具体、明确、针对性强。

1) 安全技术交底的实施，应符合以下规定：

① 安全交底实行分级交底制度。开工前，项目技术负责人要将工程概况、施工方法、安全技术措施等情况向工地负责人、工长交底，必要时向全体职工进行交底；工长安排班组长工作前，必须进行书面的安全技术交底，两个以上施工队和工种配合时，工长应按工程进度定期或不定期向有关班组长进行交叉作业的安全交底；班组长应每天对工人进行施工要求、作业环境等全方面交底。

② 结构复杂的分部分项工程施工前，项目经理、技术负责人应有针对性地进行全面、详细的安全技术交底。

2) 安全技术交底的基本要求：

① 项目经理部必须实行逐级安全技术交底制度，纵向延伸到班组全体作业人员。

② 技术交底必须具体、明确、针对性强。

③ 技术交底的内容应针对分部分项工程施工中给作业人员带来的潜在隐含危险因素和存在问题。

④ 应优先采用新的安全技术措施。

⑤ 应将工程概况、施工方法、施工程序、安全技术措施等向工长、班组长、作业人员进行详细交底。

⑥ 定期向由两个以上作业队伍和多工种进行交叉施工的作业队伍进行书面交底。

⑦ 保留书面安全技术交底等签字记录。

3) 安全技术交底主要内容：
① 本工程项目的施工作业特点和危险点；
② 针对危险点的具体预防措施；
③ 应注意事项；
④ 相应的安全操作规程和标准；
⑤ 发生事故后应及时采取的避难和急救措施。
3. 常见市政工程施工安全措施
（1）防止基坑开挖时坍塌、淹埋的安全措施
1) 技术要求
① 根据土的分类、物理力学性质确定边坡坡度（放坡开挖时），或根据土质、深度确定围护方案（采用围护开挖时）。
② 在基坑顶边弃土时，任何情况下，弃土堆坡脚至挖方上边缘的距离不得小于1.2m，堆土高度不得超过1.5m。
③ 要做好降水措施，确保基坑开挖期间的稳定。
④ 机械开挖和人工开挖不支撑基坑时，每次挖方修坡深度不得超过1m。
⑤ 机械开挖和人工开挖有支撑围护基坑时，要及时做好支撑，按相关要求做好基坑围护。
2) 应急措施
① 及早发现坍塌和淹埋事故的预兆，及时抢险，避免事故的发生。
② 及早发现坍塌和淹埋事故的凶兆，以人身安全为第一要务，及早撤离现场。
③ 要熟悉各种抢险支护和抢险堵漏方法。
（2）人工挖孔灌注桩的适用范围、挖孔工艺安全措施
人工挖孔灌注桩适用于无地下水或少量地下水，且较密实的土层或风化岩层。挖孔时孔内产生空气污染物不得超过现行《环境空气质量标准》GB 3095—2012规定的三级标准浓度限值，否则必须采取通风措施。
挖孔施工应根据地质和水文地质情况，因地制宜，选择的孔壁支护方案需报批，并应经过计算，确保施工安全。
挖孔内须进行爆破时，应专门设计，宜采用浅眼松动爆破法，严格控制炸药用量，并在炮眼加强支护。孔深大于5m时，必须采用电雷管引爆。爆破后应先通风排烟15min，并检查无有害气体后方可继续作业。
孔深大于15m时，通风比较困难，一般不宜人工挖孔，必须人工挖时，应加强机械通风和安全措施。
孔内有较大渗水量时，可能导致孔壁坍塌，故必须加强支护。
挖孔前必须严密制定工艺方案，确定提升方法和安全措施，确定挖掘程序，确定爆破方案，确定其他安全措施和降排水措施。
（3）掌握隧道掘进施工的安全控制
1) 开式和闭式盾构始发推进和到达接收的安全控制要点。盾构进、出洞是盾构法施工的重要环节，涉及工作井洞门形式、盾构内设备的布置、进出洞施工的

土体加固方法、防止及减少地面沉降等技术方案。

盾构进、出洞必须要有一个始发的和接收的机座、洞口密封装置、井底运输的调度车场地、井底排水设备、施工人员上下楼梯、必要的工作平台。

盾构基座一般采用钢筋混凝土或钢结构，设置在工作井底板上，用作安装及正确稳妥地搁置盾构，基座具有足够的强度、刚度和精度，基座上的导轨根据隧道设计轴线及施工要求定出平面、高程和坡度，使盾构在出洞时具有正确的导向。

盾构后盾支撑体系必须有足够强度、刚度和整体稳定性，后盾面应垂直于隧道设计轴线，水平孔口应满足施工垂直运输的需要。

工作井洞圈直径与盾构外径存有一定的建筑间隙，为了防止盾构出洞时及施工期间土体从该间隙中流失，在洞圈周围安装橡胶帘布带、圆环板、铰链板等组成的密封装置，并设置注浆孔，作为洞口防水堵漏的预防措施。

2) 喷锚暗挖法隧道施工时围岩监控量测的内容和方法。现场监控量测应根据围岩条件、隧道工程规模、支护类型和施工方法等来选择测试项目。

现场监控量测项目分为必测项目（A 类量测）和选测项目（B 类量测）两大类。

① 现场监控量测项目

a. 地质和支护情况观察描述。

b. 周边位移，采用各类收敛计量测。

c. 拱顶下沉，采用水平仪、水准尺、钢尺或测杆。

d. 锚杆或锚索内力及抗拔力，使用各类电测锚杆、锚杆测力计及拉拔器。

e. 下沉，使用水平仪和水准尺。

f. 围岩体内位移（洞内设点），采用洞内钻孔中安设单点、多点杆式或钢丝式位移计。

g. 围岩内位移（地表设点），从地面钻孔中安设各类位移计。

h. 围岩压力及两层支护间压力，使用各种类型压力盒。

i. 钢支撑内力及外力，用支柱压力计或测力计。

j. 支护、衬砌内应力、表面和外应力及裂缝量测，使用各类混凝土内应变计、应力计、测缝计及表面应力解除法。

k. 围岩弹性波测试，使用各种声波仪及配套探头。

其中 a~d 为必测项目，e~k 为选择项目。

做好施工围岩监控量测的关键是保证数据的准确性。

② 现场监测的目的

a. 提供监控设计的依据和信息：掌握围岩力学形态的变化和规律；掌握支护的工作状态信息并及时反馈，指导施工作业。

b. 预报和监视险情。

c. 校核地下工程理论计算结果、完善工程类比法。

（4）箱涵顶进穿越结构物的主要安全防护措施

箱涵在穿越铁路、桥涵和管线等结构物时可采取以下安全防护措施：

1）铁路路基下顶进箱涵时，为确保行车与施工安全，必须进行铁道线路加固，并限制行车速度；

2）小型箱涵可用调轨梁、轨束梁加固线路；

3）孔径较大的箱涵可用横梁加盖、纵横梁加固、工字轨束梁及钢板脱壳法，同时应严格控制车速；

4）在土质差、承载力低、土壤含水量高，铁路行车繁忙，不允许限速太多的情况下，可采用低高度施工便梁的方法；

5）箱涵穿越管线时可采用暴露管线和加强施工监测的保护方法。

6.2.3 市政工程施工安全检查

1. 安全检查的目的

（1）预防伤亡事故或把事故发生率降下来，把伤亡事故频率和经济损失降到低于社会允许的范围及国际同行业的先进水平。

（2）不断改善生产条件和作业环境，达到最佳安全状态。由于安全隐患是与生产同时存在的，因此危及劳动者的不安全因素也同时存在，事故的原因也是复杂和多方面的。为此，必须通过安全检查对施工（生产）中存在的不安全因素进行预测、预报和预防。

2. 安全生产检查的意义

（1）通过检查，可以发现施工（生产）中的不安全（人的不安全行为和物的不安全状态）问题，从而采取对策，消除不安全因素，保障安全生产。

（2）利用安全生产检查，进一步宣传、贯彻、落实党和国家安全生产方针、政策和各项安全生产规章制度。

（3）安全检查实质也是一次群众性的安全教育。通过检查，增强领导和群众安全意识，纠正违章指挥、违章作业，提高安全生产的自觉性和责任感。

（4）通过检查可以互相学习，总结经验，取长补短，有利于进一步促进安全生产工作。

（5）通过安全生产检查，了解安全生产状态，为分析安全生产形势，研究加强安全管理提供信息和依据。

3. 安全检查的形式

（1）主管部门（包括中央、省、市级建设行政主管部门）对下属单位进行的安全检查。这类检查，能对本行业的特点、共性和主要问题进行检查，并有针对性、调查性，也有批评性。同时通过检查总结，扩大（积累）安全生产经验，对基层推动作用较大。

（2）定期安全检查。企业内部必须建立定期分级安全检查制度，由于企业规模、内部建制等不同，要求也不能千篇一律。一般中型以上的企业（公司），每季度组织一次安全检查；工程处（项目部、附属厂）每月或每周组织一次安全检查。每次安全检查应由单位领导或总工程师（技术领导）带队，有工会、安全、动力设备、保卫等部门派人参加。这种制度性的定期检查内容，属全面性和考核性的检查。

（3）专业性安全检查。专业安全检查应由企业有关业务部门组织有关人员对某项专业（如垂直提升机、脚手架、电气、塔吊、压力容器、防尘防毒等）的安全问题或在施工（生产）中存在的普遍性安全问题进行单项检查。这类检查专业性强，也可结合单方面评比进行，参加专业安全检查的人员，主要有专业技术人员、懂行的安全技术人员和有实际操作、维修能力的工作人员。

（4）经常性的安全检查。在施工（生产）过程中进行经常性的预防检查。能及时发现隐患，消除隐患，保证施工（生产）的正常进行，通常包括：

1）班组进行班前、班后岗位安全检查；

2）各级安全员及安全值班人员日常巡回安全检查；

3）各级管理人员在检查生产同时检查安全。

（5）季节性及节假日前后安全检查。季节性安全检查是针对气候特点（如冬季、夏季、雨季、风季等）可能给施工（生产）带来危害而组织的安全检查。节假日（特别是重大节日，如元旦、劳动节、国庆节）前、后防止职工纪律松懈、思想麻痹等进行的检查。检查应由单位领导组织有关部门人员进行。节日加班，更要重视对加班人员的安全教育，同时认真检查安全防范措施的落实。

（6）施工现场还要经常进行自检、互检和交接检查。

1）自检：班组作业前、后对自身所处的环境和工作程序进行安全检查，可随时消除安全隐患。

2）互检：班组之间开展的安全检查。可以做到互相监督、共同遵章守纪。

3）交接检查：上道工序完毕，交给下道工序使用前，应由工地负责人组织工长、安全员、班组及其他有关人员参加，进行安全检查或验收，确认无误或合格，方能交给下道工序使用。如脚手架、井字架与龙门架、塔吊等，在使用前，都要经过交接检查。

4. 安全检查的主要内容

（1）查思想。主要检查企业的领导和职工对安全生产工作的认识。

（2）查管理。主要检查工程的安全生产管理是否有效。主要内容包括：安全生产责任制，安全技术措施计划，安全组织机构，安全保证措施，安全技术交底，安全教育，持证上岗，安全设施，安全标识，操作规程，违规行为，安全记录等。

（3）查隐患。主要检查作业现场是否符合安全文明生产的要求。

（4）查事故处理。对安全事故的处理应达到查明事故原因、明确责任并对责任者作出处理、明确和落实整改措施等要求。同时还应检查对伤亡事故是否及时报告、认真调查、严肃处理。

安全检查的重点是违章指挥和违章作业。安全检查后应编制安全检查报告，说明已达标项目，未达标项目，存在问题，原因分析，纠正和预防措施。

5. 安全检查的注意事项

（1）安全检查要深入基层，紧紧依靠职工，坚持领导与群众相结合的原则，组织好检查工作。

（2）建立检查的领导组织机构，配备适当的检查力量，挑选具有较高技术业务水平人员参加。

（3）做好检查的各项准备工作，包括思想、业务知识、法规政策和检查设备、奖金的准备。

（4）明确检查的目的和要求。既要严格要求，又要防止一刀切，要从实际出发，分清主、次矛盾，力求实效。

（5）把自查与互查有机结合起来，基层以自检为主，企业内相应部门间互相检查，取长补短，相互学习和借鉴。

（6）坚持查改结合。检查不是目的，只是一种手段，整改才是最终目的。发现问题，要及时采取切实有效的防范措施。

（7）建立检查档案。结合安全检查表的实施，逐步建立健全检查档案，收集基本的数据，掌握基本安全状况，为及时消除隐患提供数据，同时也为以后的职业健康安全检查奠定基础。

（8）在制定安全检查表时，应根据用途和目的具体确定安全检查表的种类。安全检查表的主要种类有：公司安全检查表；项目部安全检查表；班组及岗位安全检查表；专业安全检查表等。制定安全检查表要在安全技术部门的指导下，充分依靠职工来进行。初步制定出来的检查表，要经过群众的讨论，反复试行，再加以修订，最后由安全技术部门审定后方可使用。

6.3 市政工程施工项目安全事故的处理

6.3.1 伤亡事故的定义与分类

1. 伤亡事故的定义

事故是指人们在进行有目的的活动过程中，发生了违背人们意愿的不幸事件，使有目的的行动暂时或永久地停止。伤亡事故是指职工在劳动生产过程中发生的人身伤害、急性中毒事故。

2. 伤亡事故分类

（1）按事故产生的原因分类

按照我国《企业职工伤亡事故分类》GB 6441—1986 标准规定，职业伤害事故分为 20 类：

1）物体打击：指落物、滚石、锤击、碎裂、崩块、砸伤等造成的人身伤害，不包括因爆炸而引起的物体打击。

2）车辆伤害：指被车辆挤、压、撞和车辆倾覆等造成的人身伤害。

3）机械伤害：指被机械设备或工具绞、碾、碰、割、戳等造成的人身伤害，不包括车辆、起重设备引起的伤害。

4）起重伤害：指从事各种起重作业时发生的机械伤害事故，不包括上下驾驶室时发生的坠落伤害，起重设备引起的触电及检修时制动失灵造成的伤害。

5）触电：由于电流经过人体导致的生理伤害，包括雷击伤害。

6）淹溺：由于水或液体大量从口、鼻进入肺内，导致呼吸道阻塞，发生急性缺氧而窒息死亡。

7）灼烫：指火焰引起的烧伤、高温物体引起的烫伤、强酸或强碱引起的灼伤、放射线引起的皮肤损伤，不包括电烧伤及火灾事故引起的烧伤。

8）火灾：在火灾时造成的人体烧伤、窒息、中毒等。

9）高处坠落：由于危险势能差引起的伤害，包括从架子、屋架上坠落以及平地坠入坑内等。

10）坍塌：指建筑物、堆置物倒塌以及土石塌方等引起的事故伤害。

11）冒顶片帮：指矿井作业面、巷道侧壁由于支护不当、压力过大造成的坍塌（片帮）以及顶板垮落（冒顶）事故。

12）透水：指从矿山、地下开采或其他坑道作业时，有压地下水意外大量涌入而造成的伤亡事故。

13）放炮：指由于放炮作业引起的伤亡事故。

14）火药爆炸：指在火药的生产、运输、储藏过程中发生的爆炸事故。

15）瓦斯爆炸：指可燃气体、瓦斯、煤粉与空气混合，接触火源时引起的化学爆炸事故。

16）锅炉爆炸：指锅炉由于内部压力超出炉壁的承受能力而引起的物理性爆炸事故。

17）容器爆炸：指压力容器内部压力超出容器壁所能承受的压力引起的物理爆炸，容器内部可燃气体泄漏与周围空气混合遇火源而发生的化学爆炸。

18）其他爆炸：化学爆炸、炉膛、钢水包爆炸等。

19）中毒和窒息：指煤气、油气、沥青、化学、一氧化碳中毒等。

20）其他伤害：包括扭伤、跌伤、冻伤、野兽咬伤等。

（2）按事故后果严重程度分类

1）轻伤事故：造成职工肢体或某些器官功能性器质性轻度损伤，表现为劳动能力轻度或暂时丧失的伤害，一般每个受伤人员休息1个工作日以上，105个工作日以下。

2）重伤事故：一般指受伤人员肢体残缺或视觉、听觉等器官受到严重损伤，能引起人体长期存在功能障碍或劳动能力有重大损失的伤害，或者造成每个受伤人员损失105工作日以上的失能伤害。

3）死亡事故：一次事故中死亡职工1～2人的事故。

4）重大伤亡事故：一次事故中死亡3人以上（含3人）的事故。

5）特大伤亡事故：一次死亡10人以上（含10人）的事故。

6）急性中毒事故：指生产性毒物一次或短期内通过人的呼吸道、皮肤或消化道大量进入人体内，使人体在短时间内发生病变，导致职工立即中断工作，并须进行急救或死亡的事故，急性中毒的特点是发病快，一般不超过1个工作日，有的毒物因毒性有一定的潜伏期，可在下班后数小时发病。

6.3.2 市政工程施工安全事故的处理程序

发生伤亡事故后，负伤人员或最先发现事故的人应立即报告领导。企业对受伤人员歇工满1个工作日以上的事故，应填写伤亡事故登记表并及时上报。

企业发生伤亡和重大伤亡事故，必须立即将事故概况（包括伤亡人数、发生事故的时间、地点、原因）等，用快速方法分别报告企业主管部门、行业安全管理部门和当地公安部门、人民检察院。发生重大伤亡事故，各有关部门接到报告后应立即转报各自的上级主管部门。

对于事故的调查处理，必须坚持"事故原因不清不放过，事故责任者和群众没受到教育不放过，没有防范措施不放过，事故责任人和责任领导不处理不放过"的"四不放过"原则，按照下列步骤进行：

1. 迅速抢救伤员并保护好事故现场

事故发生后，现场人员不要惊慌失措，要有组织、听指挥，首先抢救伤员和排除险情，制止事故蔓延扩大，同时，为了事故调查分析需要，保护好事故现场，确因抢救伤员和排险，而必须移动现场物品时，应作出标识。因为事故现场是提供有关物证的主要场所，是调查事故原因不可缺少的客观条件。要求现场各种物件的位置、颜色、形状及其物理、化学性质等尽可能保持事故结束的原来状态。必须采取一切可能的措施，防止人为或自然因素的破坏。

2. 组织调查

接到事故报告后的单位领导，应立即赶赴现场组织抢救，并迅速组织调查组开展调查。轻伤、重伤事故，由企业负责人或其指定人员组织生产、技术、安全等部门及工会组成事故调查组，进行调查；伤亡事故，由企业主管部门会同企业所在地区的行政安全部门、公安部门、工会组成事故调查组，进行调查。重大死亡事故，按照企业的隶属关系，由省、自治区、直辖市企业主管部门或者国务院有关主管部门会同同级行政安全管理部门组成事故调查组，进行调查。应邀请人民检察院参加，还可邀请有关专业技术人员参加。与发生事故有直接利害关系的人员不得参加调查组。

3. 现场勘察

在事故发生后，调查组应速到现场进行勘察。现场勘察是技术性很强的工作，涉及广泛的科技知识和实践经验，对事故的现场勘察必须及时、全面、准确、客观。现场勘察的主要内容有：

（1）现场笔录

1）发生事故的时间、地点、气象等；

2）现场勘察人员姓名、单位、职务；

3）现场勘察起止时间、勘察过程；

4）能量失散所造成的破坏情况、状态、程度等；

5）设备损坏或异常情况及事故前后的位置；

6）事故发生前劳动组合、现场人员的位置和行动；

7）散落情况；

8）重要物证的特征、位置及检验情况等。

（2）现场拍照

1）方位拍照，能反映事故现场在周围环境中的位置；

2）全面拍照，能反映事故现场各部分之间的联系；

3）中心拍照，反映事故现场中心情况；

4）细目拍照，提示事故直接原因的痕迹物、致害物等；

5）人体拍照，反映伤亡者主要受伤和造成死亡伤害部位。

(3) 现场绘图

1) 建筑物平面图、剖面图；

2) 事故时人员位置及活动图；

3) 破坏物立体图或展开图；

4) 涉及范围图；

5) 设备或工、器具构造简图等。

4. 分析事故原因

(1) 通过全面的调查，查明事故经过，弄清造成事故的原因，包括人、物、生产管理和技术管理等方面的问题，经过认真、客观、全面、细致、准确的分析，确定事故的性质和责任。

(2) 事故分析步骤，首先整理和仔细阅读调查材料，按《企业职工伤亡事故分类》GB 6441—1986 标准附录 A，对受伤部位、受伤性质、起因物、致害物、伤害方法、不安全状态和不安全行为等七项内容进行分析，确定直接原因、间接原因和事故责任者。

(3) 分析事故原因，应根据调查所确认事实，从直接原因入手，逐步深入到间接原因。通过对直接原因和间接原因的分析，确定事故中的直接责任者和领导责任，再根据其在事故发生过程中的作用，确定主要责任者。

(4) 事故性质类别

1) 责任事故，就是由于人的过失造成的事故；

2) 非责任事故，即由于人们不能预见或不可抗力的自然条件变化所造成的事故，或是在技术改造、发明创造、科学试验活动中，由于科学技术条件的限制发生的无法预料的事故。但是，对于能够预见并可以采取措施加以避免的伤亡事故，或没有经过认真研究解决技术问题而造成的事故，不能包括在内；

3) 破坏性事故，即为达到既定目的而故意制造的事故。对已确定为破坏性事故的，应由公安机关认真追查破案，依法处理。

5. 制定预防措施

根据对事故原因分析，制定防止类似事故再次发生的预防措施。同时，根据事故后果和事故责任应负的责任提出处理意见。对于重大未遂事故不可掉以轻心，也应严肃认真按上述要求查找原因，分清责任，严肃处理。

6. 写出调查报告

调查组应着重把事故发生的经过、原因、责任分析和处理意见以及本次事故的教训和改进工作的建议等写成报告，经调查组全体人员签字后报批。如调查组内部意见有分歧，应在弄清事实的基础上，对照法律法规进行研究，统一认识。对于个别同志仍持有不同意见的允许保留，并在签字时写明自己的意见。

7. 事故的审理和结案

(1) 事故调查处理结论，应经有关机关审批后，方可结案。伤亡事故处理工作应当在 90 日内结案，特殊情况不得超过 180 日。

(2) 事故案件的审批权限，同企业的隶属关系及人事管理权限一致。

(3) 对事故责任的处理，应根据其情节轻重和损失大小，确定主要责任，次要责任、重要责任、一般责任,还是领导责任等,按规定给予处分。

(4) 要把事故调查处理的文件、图纸、照片、资料等记录长期完整地保存起来。

8. 员工伤亡事故登记记录

(1) 员工重伤、死亡事故调查报告书,现场勘察资料(记录、图纸、照片);

(2) 技术鉴定和试验报告;

(3) 物证、人证调查材料;

(4) 医疗部门对伤亡者的诊断结论及影印件;

(5) 事故调查组人员的姓名、职务,并应逐个签字;

(6) 企业或其主管部门对该事故所作的结案报告;

(7) 受处理人员的检查材料;

(8) 有关部门对事故的结案批复等。

6.4 市政工程施工项目现场管理

6.4.1 施工现场管理的概念和意义

1. 施工现场管理概念

(1) 施工现场的概念

施工现场是指从事工程项目建设活动经批准占用的施工场地。它既包括红线以内占用的建筑用地和施工用地,又包括红线以外现场附近经批准占用的临时施工用地。

(2) 施工现场管理的概念

施工现场管理是指对施工现场内的施工活动及空间所进行的管理活动。即对施工场地和空间进行科学安排、合理使用、临设维护、作业协调、清理整顿等,并与各种环境保持协调统一的关系,使一切在该施工场地从事施工活动的单位和个人严格遵守建设部颁发的《建设工程施工现场管理规定》所做管理工作的总称。

2. 施工现场管理的意义

(1) 施工现场管理是施工活动正常有序进行的基本保证

在市政工程施工中,施工现场是大量的劳动力、材料、设备、机具、资金、信息汇集地。这些生产要素能否按计划、有序的畅通流动,涉及项目施工生产活动能否正常进行,而施工现场管理正是人流、物流、财流、信息流畅通的基本保证。

(2) 施工现场管理是施工活动各专业管理的连接纽带

在市政工程施工中,施工现场涉及多项专业管理工作。它们之间相互影响,相互制约,相互联系。因此,对各专业管理工作既要按合理分工独立分头进行,又要密切协作共同管理。能否提高各专业管理的技术经济效果,取决于施工现场管理的好坏。

(3) 施工现场管理是施工企业体现实力获取社会信誉的展示窗口

在市政工程施工中，施工现场管理是一项科学的、综合的系统管理工作。施工企业的施工管理能力、精神面貌、企业文化等都通过施工现场来展现。企业创建的一个文明的施工现场，会产生重要的效益，会赢得良好的社会信誉，会获得更大的生存和发展空间。

（4）施工现场管理是施工活动各主体贯彻执行有关法规的集中体现

在市政施工中，从事施工活动各主体对施工现场和管理不仅仅是一个单纯的工程管理问题，也是一个严肃的社会管理问题。它涉及许多城市管理和社会管理法规，如城市规划、地产开发、节能节水、环保环卫、市容绿化、消防保卫、交通运输、文物保护、劳动保障、居民安全、人防建设、精神文明等。这就要求施工现场管理成为集中贯彻执行有关法规的管理，体现执法、守法、护法。

（5）施工现场管理是建设体制改革和施工企业实施创新的重要阵地

在市政工程施工中，国家的建设体制经历着历史性的重大改革和发展，经历着从计划经济向市场经济过渡的机制转换，经历着加入 WTO 与国际接轨的进程，这一切都要通过深化改革来求得发展。对于施工企业，在被推进市场经济后，更要实施观念创新、管理创新、技术创新、制度创新等创新工程的改革。而每项改革的试行、推广、成果的取得，必然都通过施工现场进行，反映检验效果和提供重要保证。

6.4.2 施工现场管理的内容与基本要求

1. 施工现场管理的内容

（1）合理规划施工用地。

（2）做好施工总平面设计。施工总平面设计是现场管理的重要内容和依据，是施工组织设计的组成部分。施工总平面应科学布置临时设施、大型机械、料场、仓库、构件堆场、消防设施、道路及进出口、加工场地、水电管线、周转用地等，体现出文明、科学、安全、环保的施工理念，有利于节约成本、方便施工。

（3）适时调整施工现场总平面布置。施工阶段不同，对现场布置的需求也会有变化，因而应随时根据新的需要调整现场布置。

（4）对施工现场的使用要有检查。检查是为加强现场管理，也为适时调整现场布置提供依据。

（5）建立文明的施工现场。以科学有序的施工布局和管理，保证施工文明安全、环境得到保护、维持交通畅通、文物得到保存以及良好的场容与卫生，以促进工程质量，提高企业信誉。

2. 现场管理的基本要求

（1）现场门口应设立企业标志。施工企业的项目经理负责场容、文明形象管理的总体部署，各分包人应在总包项目经理的指导和协调下，做好分区管理划分并严格分工负责。

（2）项目经理部应在门口公示以下标牌：

1）工程概况牌：工程规模、性质、用途、结构形式、建设单位、设计单位、监理单位、施工单位的名称和施工的起止日期；

2）安全纪律牌；

3）防火须知牌；

4）安全无重大事故计时牌；

5）安全生产、文明施工牌；

6）施工总平面图；

7）施工项目经理部组织及主要管理人员名单图。

6.4.3 施工现场管理措施和方法

1. 组织管理措施

（1）健全管理组织

施工现场应成立以项目经理为组长，主管生产副经理、技术负责人、施工工长，以及生产、技术、质量、安全、消防、保卫、环保、行政等管理人员为成员的文明施工管理组织。施工现场分包单位应服从总包单位的统一管理，接受总包单位的监督与检查，负责本单位的文明施工。

（2）健全管理制度

1）个人岗位责任制。文明施工管理应按专业、岗位、区域等分片包干，分别建立岗位责任制度。

2）经济责任制。把文明施工列入单位经济承包责任制中，一同"包"、"保"、检查与考核。

3）检查制度。工地每月至少组织两次综合检查，要按专业、标准全面检查，按规定填写表格，算出结果，制表张榜公布。施工现场文明施工检查是一项经常性的管理工作，可采取综合检查与专业检查相结合、定期检查与随时抽查相结合、集体检查与个人检查相结合等方法。

4）奖惩制度。文明施工管理实行奖惩制度，要制定奖、惩细则，坚持奖、惩兑现。

5）各项专业管理制度。施工现场实行持证上岗制度。进入现场作业的所有机械操作人员、架子工、司炉工、起重工、爆破工、电工、焊工等特殊工种施工人员，都必须持证上岗。

6）文明施工是一项综合性的管理工作。因此，除文明施工综合管理制度外，还应建立健全质量、安全、消防、保卫、机械、场容、卫生、料具、环保、民工管理制度。定期安全检查的周期，施工项目自检宜控制在 10～15 天。班组必须进行日检。季节性、专业性安全检查，按规定要求确定日程。

（3）健全管理资料

1）上级关于文明施工的标准、规定、法律等资料应齐全。

2）施工组织设计（方案）中应有质量、安全、保卫、消防、环境保护技术措施和对文明施工、环境卫生、材料节约等的管理要求，并有施工各阶段施工现场的平面布置图和季节性施工方案。

3）施工现场应有施工日志。施工日志中应有文明施工内容。

4）文明施工自检资料应完整，填写内容符合要求，签字手续齐全。

5）文明施工教育、培训、考核记录均应有计划、有资料。

6）文明施工活动应有记录，如会议记录、检查记录等。

7) 应有施工管理各方面专业资料。

(4) 积极推广应用新技术、新工艺、新设备和现代化管理方法

文明施工是现代工业生产本身的客观要求,广泛应用新技术、新设备、新材料是实现现代化施工的必由之路,它为文明施工创造了条件,打下了基础。在有条件的地方应尽量采用工厂化生产;广泛应用新的装饰、防水等材料;改革施工工艺,减少现场湿作业、手工作业和劳动强度;并应用电子计算机和闭路电视监控系统提高机械化水平和工厂化生产的比重,努力实现施工现代化,使文明施工达到新的更高水平。

2. 现场场容管理措施

(1) 开展"5S"活动

"5S"活动是指对施工现场各生产要素(主要是物的要素)所处状态不断地进行整理、整顿、清扫、清洁和保养。由于这五个词语日文词汇的罗马拼音的第一个字母都是"S",所以简称"5S"。

"5S"活动,在日本和西方国家企业中广泛实行,它是符合现代化大生产特点的一种科学的管理方法,是提高职工素质、实现文明施工的五项有效措施与手段。开展"5S"活动,要特别注意调动全体职工的积极性,自觉管理、自我实施、自我控制,贯穿施工全过程和全现场,由职工自己动手,创造一个整齐、清洁、方便、安全和标准化的施工环境。开展"5S"活动,必须领导重视,加强组织,严格管理;要将"5S"活动纳入岗位责任制,并按照文明施工标准检查、评比与考核;坚持 PDCA 循环,不断提高施工现场的"5S"水平。

(2) 合理定置

合理定置是指把全工地施工期间所需要的物在空间上合理布置,实现人与物、人与场所、物与场所、物与物之间的最佳结合,使施工现场秩序化、标准化、规范化,体现文明施工水平。它是现场管理的一项重要内容,是实现文明施工的一项重要措施,是谋求改善施工现场环境的一个科学的管理办法。

(3) 目视管理

目视管理是一种符合建筑业现代化施工要求和生理及心理需要的科学管理方式,它是现场管理的一项内容,是搞好文明施工、安全生产的一项重要措施。

1) 目视管理就是用眼睛看的管理,也可称为"看得见的管理"。它是利用形象直观、色彩适宜的各种视觉感知信息来组织现场施工生产活动,达到提高劳动生产率、保证工程质量、降低工程成本的目的。

2) 目视管理是一种形象直观、简便适用、透明度高,便于职工自主管理、自我控制,科学组织生产的有效管理方式。这种管理方式可以贯穿于施工现场管理的各个领域之中,具有其他方式不可替代的作用。

6.4.4 市政工程施工现场环境保护

1. 实行环保目标责任制

把环保指标以责任书的形式层层分解到有关单位和个人,列入承包合同和岗位责任制,建立一个懂行善管的环保监控体系。项目经理是环保工作的第一责任人,是施工现场环境保护自我监控体系的领导者和责任者,要把环保政绩作为考

核项目经理的一项重要内容。

2. 加强检查和监控工作

要加强对施工现场粉尘、噪声、废气的检查、监测和控制工作。要与文明施工现场管理一起检查、考核、奖罚，及时采取措施消除粉尘、废气和污水的污染。

3. 保护和改善施工现场的环境

一方面施工单位要采取有效措施控制人为噪声、粉尘的污染和烟尘、污水、噪声污染；另一方面，建设单位应该负责协调外部关系，同当地居委会、村委会、办事处、派出所、居民、施工单位、环保部门加强联系，要做好宣传教育工作，认真对待来信来访，凡能解决的问题，立即解决，一时不能解决的扰民问题，也要说明情况，求得谅解并限期解决。

4. 要有技术措施，严格执行国家法律法规

在编制施工组织设计时，必须有环境保护的技术措施。在施工现场平面布置和组织施工过程中要执行国家、地区、行政和企业有关防治空气污染、水源污染、噪声污染等环境保护的法律法规和规章制度。

5. 采取措施防止大气污染

（1）施工现场垃圾渣土要及时清理出现场。

（2）施工现场道路应硬化，有条件的可利用永久性道路，并指定专人定期清扫，形成制度，防止扬尘。

（3）袋装水泥、白灰、粉煤灰等易飞扬的细颗粒粉状材料，应在库内存放。室外临时露天存放时，必须下垫上盖，严密遮盖防止扬尘。散装水泥、粉煤灰、白灰等细颗粒粉状材料，应存放在固定容器（散装罐）内，没有固定容器时应设封闭式库存放，并具备可靠的防扬尘措施。运输水泥、粉煤灰、白灰等细颗粒粉状材料时，要采取遮盖措施，防止沿途遗洒、扬尘。卸运时，应采取措施，以减少扬尘。

（4）车辆不带泥沙出现场措施。可在大门口铺一段石子，定期过筛清理；做一段水沟冲刷车轮。

（5）除设有符合规定的装置外，禁止在施工现场焚烧油毡、橡胶、塑料、皮革、树叶、枯草、各种包装材料等以及其他会产生有毒、有害烟尘和恶臭气体的物质。

（6）机动车都要安装 PCV 阀，对那些尾气排放超标的车辆要安装净化消声器，确保不冒黑烟。

（7）工地茶炉、大灶、锅炉，尽量采用消烟除尘型。

（8）工地搅拌站除尘是治理的重点。有条件的要修建集中搅拌站，由计算机控制进料、搅拌、输送全过程，在进料仓上方安装除尘器，可使水泥、沙、石中的粉尘降低99%以上。采用现代化先进设备是解决工地粉尘污染的根本途径。

（9）拆除旧有建筑物时，应适当洒水，防止扬尘。

6. 防止水源污染措施

（1）禁止将有毒有害废弃物作土方回填。

（2）施工现场搅拌站废水以及现场产生的污水须经沉淀池沉淀后再排入城市

污水管道或河流。最好将沉淀水用于工地洒水降尘或采取措施回收利用，上述污水未经处理不得直接排入城市污水管道或河流中。

(3) 现场存放油料，必须对库房地面进行防渗处理，如采用防渗混凝土地面、铺油毡等。使用时要采取措施，防止油料跑、冒、滴、漏，污染水体。

(4) 施工现场的临时食堂，污水排放时可设置简易有效的隔油池，定期掏出油和杂物，防止污染。

(5) 工地临时厕所及化粪池应采取防渗漏措施。中心城市施工现场的临时厕所可采取水冲式厕所，蹲坑上加盖，并有防蝇、灭蛆措施，防止污染水体和环境。

(6) 化学药品、外加剂等要妥善保管，库内存放，防止污染环境。

7. 防止噪声污染措施

(1) 严格控制人为噪声，进入施工现场不得高声喊叫、无故甩打模板、乱吹哨，限制高音喇叭的使用，最大限度地减少噪声扰民。

(2) 凡在人口稠密区进行强器械声作业时，须严格控制作业时间。一般晚上10点到次日早上6点之间停止强噪声作业。确系特殊情况必须昼夜施工时，应办理夜间施工许可证，并尽量采取降低噪声措施，会同建设单位与当地居委会、村委会或当地居民协调，出安民告示，求得群众谅解。

(3) 在传播途径上控制噪声。采取吸声、隔声、隔振和阻尼等声学处理的方法来降低噪声。

1) 吸声。吸声是利用吸声材料（如玻璃棉、矿渣棉、毛毡、泡沫塑料、吸声砖、木丝板、干蔗板等）和吸声结构（如穿孔共振吸声结构、微穿孔板吸声结构、薄板共振吸声结构等）吸收通过的声音，减少室内噪声的反射来降低噪声。

2) 隔声。隔声是把发声的物体、场所用隔声材料（如砖、钢筋混凝土、钢板、厚木板、矿棉板等）封闭起来与周围隔绝。常用的隔声结构有隔声间、隔声机罩、隔声屏等。有单层隔声和双层隔声两种结构。

3) 隔振。隔振就是防止振动能量从振动源传播出去。隔振装置主要包括金属弹簧、隔振器、隔振垫（如剪切橡胶、气垫）等。常用的材料还有软木、矿渣棉、玻璃纤维等。

4) 阻尼。阻尼是用内摩擦损耗大的一些材料来消耗金属板的振动能量并变成热能散失掉，从而抵制金属板的弯曲振动，使辐射噪声大幅度减少。常用的阻尼材料有沥青、软橡胶和其他高分子涂料等。

本教学单元小结

本教学单元着重阐述了市政工程施工项目安全控制的概念，施工项目安全控制的特点，施工项目安全控制的方针和目标，施工项目安全控制的实施程序，施工单位相应的安全责任及安全管理制度；施工项目安全控制的方法；施工安全措施计划的实施；安全检查；安全事故的定义、分类及处理程序；施工现场管理的概念和意义；施工现场管理的内容和基本要求，施工现场管理的措施和方法及现场的环境保护措施。

思考题与习题

1. 简述市政工程施工安全控制的概念。
2. 简述市政工程施工安全控制的特点。
3. 简述市政工程施工安全控制的方针和目标。
4. 人的不安全因素包括什么内容?
5. 新工人的"三级安全教育"包括了哪些内容?
6. 简述安全技术交底的基本要求和内容。
7. 安全检查的注意事项有哪些?
8. 简述施工安全事故处理程序。
9. 简述施工现场管理的内容与基本要求。

教学单元7　市政工程施工项目技术资料管理

【教学目标】　熟悉市政工程施工技术资料的主要内容；了解市政工程施工技术资料重要性；掌握市政工程施工技术资料档案编制；熟悉市政工程施工项目主要技术资料编制要求。

7.1　市政工程施工项目技术资料管理概述

7.1.1　市政工程施工技术资料的主要内容

所谓建设工程资料就是对工程建设过程及结果的书面记录，市政工程施工技术资料应包括以下内容：

1. 施工技术准备

施工组织设计，技术交底，图纸会审记录，施工预算的编制和审查。

2. 施工现场准备

工程定位测量资料，工程定位测量复核记录，导线点、水准点测量复核记录，工程轴线、定位桩、高程测量复核记录，施工安全措施，施工环保措施。

3. 设计变更、洽商记录

设计变更通知单，洽商记录。

4. 原材料、成品、半成品、构配件、设备出厂质量合格证及试验报告

砂、石、砌块、水泥、钢筋（材）、石灰、沥青、涂料、混凝土外加剂、防水材料、胶粘材料、防腐保温材料、焊接材料等试验汇总表、质量合格证书和出厂检（试）验报告及现场复试报告，混凝土预制构件、管材、管件、钢结构构件等出厂合格证、相应的施工技术资料、试验汇总表，厂站工程的成套设备、预应力张拉设备、各类地下管线井室设施、产品等出厂合格证书和安装使用说明、汇总表，设备开箱记录。

5. 施工试验记录

（1）砂浆、混凝土试块强度、钢筋（材）焊接、填土、路基强度试验等汇总表；

（2）道路压实度、强度试验记录：回填土、路床压实度试验及土质的最大干密度和最佳含水量试验报告，石灰类、水泥类、二灰类无机混合料基层的标准击实试验报告，道路基层混合料强度试验记录，道路面层压实度试验记录；

（3）混凝土试块强度试验记录：混凝土配合比通知单，混凝土试块强度试验报告，混凝土试块抗渗、抗冻试验报告，混凝土试块强度统计、评定记录；

（4）砂浆试块强度试验记录：砂浆配合比通知单，砂浆试块强度试验报告，砂浆试块强度统计、评定记录；

（5）钢筋（材）连接试验报告；

（6）钢管、钢结构安装及焊缝处理外观质量检查记录；

（7）桩基础试（检）验报告；

（8）工程物资选样送审记录、进场报验记录；

（9）进场物资批次汇总记录。

6. 施工记录

（1）地基与基槽验收记录：地基钎探记录及钎探位置图，地基与基槽验收记录，地基处理记录及示意图；

（2）桩基施工记录：桩基位置平面示意图，打桩记录，钻孔桩钻进记录及成孔质量检查记录，钻孔（挖孔）桩混凝土浇灌记录；

（3）构件设备安装和调试记录：钢筋混凝土预制构件、钢结构等吊装记录，厂（场）、站工程大型设备安装调试记录；

（4）预应力张拉记录：预应力张拉记录表，预应力张拉孔道压浆记录，孔位示意图；

（5）沉井工程下沉观测记录；

（6）混凝土浇灌记录；

（7）管道、箱涵等工程项目推进记录；

（8）构筑物沉降观测记录；

（9）施工测温记录；

（10）预制安装水池壁板缠绕钢丝应力测定记录；

（11）预检记录：模板预检记录，大型构件和设备安装预检记录，设备安装位置检查记录，管道安装检查记录，补偿器冷拉及安装情况记录，支（吊）架位置、各部位连接方式等检查记录，供水、供热、供气管道吹（冲）洗记录，保温、防腐、油漆等施工检查记录；

（12）隐蔽工程检查（验收）记录；

（13）工程质量检查评定记录：检验批质量验收记录、分项工程质量验收记录、分部工程质量评定记录、单位工程质量竣工验收记录；

（14）功能性试验记录：道路工程的弯沉试验记录，桥梁工程的动、静载试验记录，无压力管道的严密性试验、压力管道的强度试验、严密试验、通球试验等记录，水池满水试验、消化池气密性试验记录，电气绝缘电阻、接地电阻测试记录，电气照明、动力试运行记录，供热管网、燃气管网等试运行记录，燃气储罐总体试验记录，电信、宽带网等试运行记录；

（15）质量事故及处理记录：工程质量事故报告，工程质量事故处理记录；

（16）竣工测量资料：建筑物、构筑物竣工测量记录及测量示意图，地下管线工程竣工测量记录。

7. 竣工图

市政基础设施工程竣工图包括：道路，桥梁，广场，隧道，铁路，公路，水运，地下铁道等轨道交通，地下人防，水利防灾，排水、供水、供热、供气、电力、电信等地下管道，高压架空输电线，污水处理，垃圾处理处置，场、厂、站工程等15大类文件。

8．竣工验收文件

包括：工程竣工总结，竣工验收记录，财务文件，声像、缩微、电子档案。

（1）工程竣工总结：工程概况表，工程竣工总结；

（2）竣工验收记录：由建设单位委托长期进行的工程沉降观测记录；单位工程质量评定表及报验单，竣工验收证明书，竣工验收报告，竣工验收备案表（包括各专项验收认可文件），工程质量保修书；

（3）财务文件：决算文件，交付使用财产总表和财产明细表；

（4）声像、微缩、电子档案：工程照片，录音、录像材料，微缩品，光盘，磁盘。

7.1.2 市政工程施工技术资料的重要性

1．市政施工技术资料是工程质量的客观见证

市政工程的建设过程，就是质量的形成过程。工程质量的形成是一个系统的过程，包括决策质量、设计质量、施工质量和竣工验收质量，对工程的质量都有着直接影响。工程质量在形成过程中应有相应的技术资料作为见证，现举例如下：

（1）市政道路、市政桥梁、市政排水管渠都是由若干材料、半成品、成品、构件及管件组成的。这些个体质量的好坏直接影响一条道路、一座桥梁、一条管渠的实体质量。因此，这些个体如水泥、钢筋、砂、石及砖等质量必须合格。证明个体质量合格的依据是生产厂家的出厂合格证的试验报告以及现场随机检验的检验报告等资料，这些资料则是这些个体质量合格的见证。

（2）开工前，施工单位应会同建设单位、监理工程师确认构成建设项目的单位工程、分部工程、分项工程和检验批，作为施工质量检验验收的基础。做好检验批、分项、分部、单位工程的验收记录是对整个实体质量的见证。

（3）实体质量的设计是施工质量的前提，按图施工，满足设计要求，才能保证实体质量。充分熟悉图纸，进行图纸会审和设计交底，是保证设计质量的重要措施。图纸会审记录、设计交底记录及设计变更、洽商记录等资料，是实体设计质量的见证。

（4）要确保工程实体质量，除精心设计外，还要精心施工和科学管理。市政施工企业的项目经理部的技术工人和管理人员必须按施工规范进行施工，按标准检验评定工序、部位质量，科学管理，确保工程质量。施工组织设计、各工序技术交底记录、施工日志、预检记录、隐蔽检查验收记录、测量复核记录、沉降观测记录等资料，既是施工现场所有人员工作质量的见证，也是工程实体质量的形成过程中的见证。

（5）市政道路水泥混凝土面层，市政混凝土或钢筋混凝土排水管渠，市政钢筋混凝土桥梁或石拱桥，其混凝土强度和砂浆强度必须满足设计要求和规范规定，才能保证其承载力和使用功能。混凝土抗压强度试验报告、砂浆强度试验报告、混凝土或砂浆强度综合评定资料是混凝土强度、砂浆强度的见证。

（6）市政排水管渠的渗水量不得超过标准规定的允许渗水量，排水管道强度必须达到设计要求，才能保证其使用功能。闭水试验记录和注水试验记录等资料

则是市政排水管渠使用功能的见证。

(7) 市政道路的路基开挖或回填，土质的密实度必须符合标准规定。垫层和基层的强度和密实度必须符合设计要求和规范规定。密实度检验报告、混凝土或砂浆强度综合评定资料是混凝土强度和砂浆强度的见证。

(8) 市政桥梁竣工后，其整体质量，即承载力、刚度和抗裂性能，必须达到设计规定的荷载等级。桥梁的静载和动载试验记录则是桥梁整体质量的见证。

(9) 市政工程竣工验收，由建设单位组织勘察、设计、监理、施工单位及有关专家组成验收组对实体质量进行检查，质量控制资料、安全与主要功能的检测资料、观感质量检验资料是验收单位工程质量的依据。

因此，可以判定施工技术资料是工程实体质量在形成过程中和定形后的客观见证。

2. 市政施工技术资料是城市建设及管理的依据之一

标准的市政技术资料是城市建设档案的重要组成部分，是市政工程进行维修、管理、使用、改建和扩建的依据。现举例如下：

市政道路工程竣工验收交付使用一定期限后，由于施工时存在的质量隐患和养护措施不得力等原因，如沥青类路面出现裂缝、松散、油包、泛油、坑槽、脱皮等质量缺陷；水泥混凝土路面出现裂缝、错台、拱起、剥落、局部沉陷等质量缺陷，为保证和改善路面的承载力、刚度、耐久性，保持和改善路面的平整度、粗糙度，使行车安全舒适，必须对产生上述缺陷的路面进行维修和补强。对路面进行维修和补强时，必须查阅该工程的技术资料档案，从中了解原水泥混凝土路面混凝土的强度等级及原材料配合比技术资料，了解沥青类路面的沥青种类、混合料的配合比等技术参数，采取的维修和补强措施才能保证原路面的承载力和车辆的行驶功能。

市政排水管渠在使用过程中一旦堵塞，或过一段时期需要改建或扩建，必须查阅原工程技术资料档案的隐蔽工程记录和竣工图。隐蔽记录中有原排水管的管底高程，管的种类，管径、管顶至地面的高度，管的平基、管座、稳管、接口抹带数据，有沟渠高程，几何尺寸，盖板的厚度，渠顶盖板面层至地面高度等数据。竣工图记录管渠在城市道路的位置、走向。当然，也可以从检查井下去观察检查，但仅能观察到管径及几何尺寸等外观现象，不及查阅隐蔽工程记录和竣工图全面、详细。如果没有市政排水管渠竣工图和隐蔽工程记录，若干年后，在地面修建房屋或进行市政基础设施建设就会出问题。如某城市修建房屋进行地质钻探，将城市供水 $\phi 500$ 铸铁主干管钻破，造成停水 8 天，直接经济损失 12 万元。又如某市修建房屋时，将城市供水主干管压在房屋下，导致供水管道严重渗漏，给市民生活带来不便，给国家财产造成损失。

市政桥梁在使用一定时期后，因地基不均匀沉降，在桥面或其他部位出现严重裂缝，必须进行治理；要解决桥面车行道、人行道需要拓宽等有关质量和使用功能等问题，必须查阅有关桥基土质承载力、基础类型及强度、结构构件的隐蔽记录及强度等技术资料，才能有效地进行处理。

7.1.3 市政工程施工技术资料档案的编制

建设工程档案是指：在工程建设活动中直接形成的具有归档保存价值的文字、图表、声像等各种形式的历史记录，也可简称工程档案。施工技术资料档案管理主要分为搜集、整理、归档、验收与移交等不可分割的阶段。

1. 搜集

在施工过程中，检验批是最小的质量单元，应以评定检验批质量为核心，对检验批质量进行控制，应及时、全面搜集见证检验批质量的技术资料。如城镇道路水泥混凝土面层检验批，应搜集水泥合格证及检验报告，粗细骨料合格证及检测报告、钢筋隐蔽验收记录、钢筋合格试及机械性能试验报告，混凝土强度试块抗压及抗折试验报告，水泥混凝土面层检验批质量验收记录等资料。所搜集的施工技术资料应及时、全面、真实，不得弄虚作假。施工技术资料搜集阶段是整理阶段的基础。

2. 整理

在施工过程中，既要以评定检验批质量为核心，又要分门别类地整理施工技术资料。以检验批为核心，即对检验批质量进行控制，应及时、全面整理见证检验批质量的技术资料。如城镇道路的路基分部，应整理该分部所含土方路基、石方路基、路基处理、路肩等分项所含检验批质量验收记录以及路基填方及路床压实度试验报告等资料。所谓分门别类整理，即按施工技术资料划分类别进行整理，如施工试验报告类技术资料，应归类按顺序整理，该类包括压实度试验资料（填上压实资料、道路各结构层及面层压实度资料），钢筋物理性能试验资料、钢筋焊接等资料；又如施工记录技术资料，该类包括地基与基槽验收记录、桩基施工记录、结构吊装施工记录、现场施加预应力记录、混凝土浇筑记录、沉降观测记录、冬期测温施工记录、测量复核及预检记录、隐蔽验收记录等应归为一类。整理时，要注意该类的系统性及该类所属小类的独立性整理。

3. 归档

施工技术资料全面、系统整理后，要以评定单位工程质量为核心，按有关规定归档，作单位工程实体质量的见证。归档的顺序如下：

（1）编写案卷封面

案卷封面是以格式概要介绍案卷内容的表格，统一用 70g 以上白色书写纸制作。

（2）确定目录

应根据单位工程搜集整理的应有、实有的施工技术资料编制目录。目录是单位工程施工技术资料的明细表，它对保管和使用案卷有重要作用。目录应与案卷内容相符，置于卷首。目录的横格内容有：

1) 序号：按案卷所含资料排列先后顺序用阿拉伯数字从 1 依次填写。
2) 资料名称：也称文件标题，按系统整理归档的实有资料填写。
3) 页数：填写每项资料的张数。
4) 页次（页码）：填写每项资料首页上标注的页号。

（3）资料排列顺序

1) 工程概况表；
2) 工程质量竣工核定证书；
3) 工程质量鉴定表；
4) 市政工程外观评分表；
5) 市政工程实测实量评定表；
6) 市政工程质保资料评分表；
7) 施工组织设计（或施工方案）；
8) 图纸会审、技术交底记录；
9) 原材料、半成品、成品出厂质量证明和试验报告；
10) 施工试验报告；
11) 施工记录；
12) 测量复核及预检记录；
13) 隐蔽工程验收记录；
14) 工程质量检验评定资料；
15) 使用功能试验记录；
16) 设计变更、洽商记录；
17) 竣工图。

1) 项是单位工程简介；2)～6) 项是单位工程质量等级评定、核定资料；7)～17) 项是单位工程实体质量见证资料。7)～17) 项为大项，每大项应用单页纸写明名称。大项包括的小项，按实有资料排列在大项之下。如 8) 项为大项，其包含的图纸会审记录、设计交底记录、施工组织设计交底记录、工序交底记录等小项，依次排列在大项之下。各大项及其包括的小项资料均要在目录中确定页次及页数，且要相应地在各页资料上填写页次。单面资料页次写在右下角，双面资料，正面写在右下角，背面写在左下角。图纸折叠后，一律写在右下角。

(4) 案卷的装订

1) 案卷规格：案卷采用统一的装具和规范尺寸，可采用硬壳卷皮和卷盒，其尺寸为 310mm（高）×220mm（宽）；案卷内软皮尺寸为 297mm（高）×210mm（宽）。

2) 图纸折叠方式应按"手风琴风箱式"，并显示图标，竣工图章盖在外面右下角。

3) 装订：文字材料和竣工图须装订成册。文字材料（资料）或图纸采用硬壳卷夹时加封面和封底。有卷盒时，文字材料和图纸应用棉线三孔左侧装订成册，订结打在背后，要求整齐、美观、牢固，便于保管和使用。

4. 技术资料档案的验收与移交

1) 工程竣工验收前，建设单位应组织督促施工单位检查施工技术资料的质量，不符合要求，限期修改、补齐，直至重做。

2) 市政工程竣工验收的同时，须有城建档案部门对单位工程的档案资料进行验收，档案资料完整、准确，才能归档。

3）单位工程竣工验收后，施工单位按协议规定的时间，移交给建设单位，最迟不得超过三个月。

4）资料档案，一般要求一式三份，由建设单位、施工单位、城建档案馆分别存档。

5）建设单位应将工程竣工档案原件移交给城建档案馆归档。移交时要办理移交手续，填写市政工程竣工档案移交证明表，并由双方单位负责人或建设单位移交人和城建档案馆验收负责人签章。

7.2 市政工程施工项目主要技术资料的编制要求

7.2.1 施工组织设计

市政单位工程的施工组织设计的具体内容和编制方法简要概述如下：

1. 工程概况

（1）工程特点

依据设计文件进行叙述。

（2）建设地点特征

包括位置、气温、冬雨季时间、主导风向、风力和地震烈度，并依据勘察资料对地形地貌、工程地质和地下水位等进行简述。

（3）施工条件

包括"三通一平"情况、材料及预制加工品的供应情况，施工单位的机械、运输、劳动力和项目部的管理情况。

2. 施工准备工作计划

单位工程开工前，可根据施工具体需求和要求，编制施工准备工作计划。具体项目有以下几项。

（1）技术准备

1）熟悉会审图纸；

2）编制和审定施工组织设计；

3）编制施工预算；

4）各种加工半成品技术的准备和计划；

5）新技术试验项目制定。

（2）现场准备

1）测量放线；

2）拆除障碍物；

3）场地平整；

4）临时道路和临时供水、供电、供热管线的敷设；

5）有关生产、生活临时设施的搭设；

6）水平和垂直运输设备的搭设。

3. 施工进度计划

编制施工进度计划表或施工网络计划图。

4. 施工方案和施工方法

(1) 施工方案的选择

施工方案和施工方法的拟定,应在拟定的几个可行的施工方案中突出主要矛盾进行分析比较,选用最优方案。

选用施工方案应着重解决两个问题:

1) 确定总的施工程序。按基建程序办事,必须做好施工准备工作才能开工。一般应遵守先地下、后地上,先主体、后围护,先结构、后装修的原则;

2) 确定施工流向。

(2) 分项工程施工方法的选择

依据工程特点,选择切实可行、经济合理的施工方法。

5. 各项资源需要量计划

(1) 材料需要量计划;

(2) 劳动力需要量计划;

(3) 构件和加工半成品需要量计划;

(4) 施工机具需要量计划;

(5) 运输计划。

6. 施工平面图

施工平面图一般用 1∶200～1∶500 的比例绘制,其内容包括:

(1) 地上一切建筑物、构筑物及地下管线;

(2) 测量放线标桩、地形等高线、土方取弃场地;

(3) 起重机轨道和运行路线;

(4) 材料、加工半成品、构件和机具堆场;

(5) 生产、生活用临时设施(包括搅拌站、钢筋棚、木工棚、仓库、办公室、供水供电线路和道路);

(6) 安全、防火设施。

7. 主要技术组织措施

根据单位工程特点和施工条件,制定以下具体措施:

(1) 保证工程质量措施;

(2) 保证施工安全措施;

(3) 保证施工进度措施;

(4) 冬雨期施工措施;

(5) 降低成本措施;

(6) 提高劳动生产率措施;

(7) 节约材料措施(主要是三大材料);

(8) 文明施工措施。

8. 技术经济指标

技术经济指标是单位工程施工组织设计的最后效果,应在编制相应的技术组织措施计划的基础上进行计算。主要有以下几项指标:

(1) 工期指标(与相应工期定额相比);

(2) 劳动生产率指标；

(3) 质量、安全指标；

(4) 降低成本率；

(5) 主要工种工程机械化程度；

(6) 三大材料节约指标。

尽管各单位工程施工组织设计的内容千差万别，但其编制内容及方法应遵循上述八个方面的要求。

施工组织设计或施工方案应由施工企业技术负责人审核其内容的完整性、合理性及可行性，并在施工组织设计审批表上签署意见。施工组织设计或施工方案涉及工期、质量、材料、设备采购等与建设单位有直接利害关系的内容，因此，在企业技术负责人审核后，应报建设单位或监理单位审查，并签署审查意见。

7.2.2 图纸会审、技术交底记录

1. 设计交底记录

设计单位应在工程开工前，向施工单位、建设单位、监理单位进行设计交底。设计交底的内容是说明设计意图，解释设计文件。

设计单位可按单位工程进行设计交底，对关键部位和重要结构，也可进行单独交底。设计交底前，施工单位、监理单位及有关部门，尤其是施工单位应熟悉设计文件，对设计文件中存在的问题和疑问做好记录，在设计交底时向设计单位提出，由设计单位解答。

设计单位说明设计文件，解释设计文件、施工单位及有关单位提出的问题，设计的解答均应写在设计交底记录内。各单位有关人员在审阅交底记录真实、准确后，均应签字，签字手续齐全。

设计交底记录的格式见表7-1。

设计交底记录　　　　　　　　　　表7-1

设计单位		交底图纸名称	
施工单位		监理单位	
建设单位		工程质量监督负责	
其他有关单位		交底日期	

交底内容及程序

1. 设计单位对施工图全面交底，说明设计意图，解释设计文件；
2. 施工单位质疑提问；
3. 设计单位解答；
4. 各有关单位就其职责及图纸存在的问题发言。

注：本页不够填写交底内容，可附页续记。

2. 图纸会审记录

图纸会审是在工程正式开工前，由建设单位组织，设计、监理、施工、监督

等部门参加对施工图设计进行会审。会审的目的一是使施工单位和各参建单位熟悉设计图纸，了解工程特点和设计意图，找出需要解决的技术难题，并制定解决方案；二是为了解决图纸中存在的问题，减少图纸的差错，将图纸中的质量隐患消灭在萌芽之中。

图纸会审一般先由设计单位进行设计交底，然后各单位相关技术人员进行图纸会审，对提出的问题应记录准确、详细，并由专人负责协调整理，并打印成文，经参与会审的各方确认无误后，签字盖章方为有效。

3. 施工组织设计交底记录

施工组织设计交底，也是技术交底的一项内容。项目经理部技术负责人既编制单位工程的施工组织设计，又要进行交底。施工组织设计交底的对象是项目经理部各工种班组长、施工员、质检员、材料员和安全员。

施工组织设计交底的内容虽然是施工组织设计，但交底人既要把施工组织设计中涉及各类管理人员和各工种的施工任务、质量、安全、工期要求，责任分解到人，又要规定各类管理人员之间、各工种之间协调配合，顺利实施施工组织设计的各项措施，共同完成质量、工期、安全、定额等项指标。

因此，施工组织设计交底可说是施工管理的一项技术措施，施工组织设计交底十分必要，并且要有交底记录，签字手续齐全。

4. 工序技术交底记录

市政工程的重要工序和关键部位都应进行工序施工技术交底。

工序施工技术由项目部技术负责人进行交底，交底至各班组长和直接操作人员。工序技术交底应有交底记录。交底方式有两种：一是技术负责人口头交底，接受交底人作记录；二是技术负责人将写好（打印）的交底记录交给接受交底人，技术负责人再进行讲解。第二种方法比第一种方法效果好。

不论采用何种交底方式，工序技术交底的内容均应包括：原材料及其使用质量要求、工艺流程、操作规程、质量检验标准等。工序技术交底是预控和保证工序质量的技术措施，认真实施交底记录的内容，是这一技术措施的体现。

工序技术交底记录可参照表 7-2 拟定。

工序技术交底记录　　　　　　　　　　表 7-2

工序名称		交底人	
技术交底班组		交底日期	
工序技术交底内容			

7.2.3 原材料、半成品、成品出厂质量合格证和试（检）验报告

原材料、半成品和成品的质量必须合格，并应有出厂质量合格证明或试验单。需采取技术处理措施时，应满足有关规范、标准规定，并经有关技术负责人批准后（有批准手续）方可使用。

凡使用新材料、新产品、新工艺、新技术的，应有鉴定证明或生产许可证，并要有产品质量标准、使用说明和工艺要求，使用前，应按其质量标准进行检验。

1. 水泥

（1）水泥应有生产厂家的出厂质量证明书和试验报告（内容包括厂名、品种、标号、生产日期和试验编号）。

（2）使用前必须进行复试。

（3）水泥复试项目：抗压强度、抗折强度和安定性、凝结时间等。

（4）水泥采用快速试验者，仍以标准养护 28 天强度为准。

（5）水泥试验单要有试验结论，水泥质量有问题时，在可使用条件下，应注明允许使用的工程项目部位和不影响该部位的质量要求。

（6）混凝土试配单、混凝土试块试验报告单上注明的水泥品种、标号、试验编号应与水泥出厂证明或复验单上的内容一致。

2. 钢筋

（1）钢筋应有出厂质量证明书和试验报告单，并按有关标准的规定制取试样作机械性能试验。

（2）进口钢筋，应有机械性能试验、化学分析报告和可焊性试验报告。

（3）集中加工的钢筋，应有由加工单位出具的出厂证明及钢筋出厂合格证明和钢筋试验单。

（4）预应力混凝土所用高强钢丝、钢绞线应逐批作好外观检验记录，并按有关规定抽样作结构性能试验。

（5）钢筋试验单的项目应填写齐全，要有试验结论，第一次试验有问题须加倍取样，合格后两次试验报告要同时保留。

3. 钢结构使用的钢材配件

（1）必须有质量证明书，并应符合设计文件的要求，如对质量有疑义时，必须按规范进行力学性能试验和化学成分检验。

（2）钢结构件出厂时制造单位应提交下列技术文件：

1）产品质量证明；

2）钢结构施工图，有设计变更的，应有变更洽商文件，并在图中标注修改部位；

3）所用钢材及其连接的质量证明和试验报告；

4）新材料、新工艺试验鉴定资料；

5）发运构件清单。

4. 焊条

（1）焊条应有出厂合格证。

（2）需进行烘焙的应有烘焙记录。

5. 砖、砌块

(1) 应有出厂质量证明书。

(2) 用于承重结构或对其材质有怀疑时应进行复试（必试项目为强度）。

6. 砂、石

(1) 市政工程所使用的砂石根据产地、品种规格、批量，按有关规范取样进行试验。

(2) 砂、石试验结果不符合质量标准的，原则上不应使用，采取技术措施进行处理后，应有复试报告，并有审批手续。

7. 混凝土外加剂

混凝土外加剂必须有生产厂家的质量证明。内容包括：厂名、品种、质量、出厂日期、性能和使用说明。使用前，外加剂必须经过试验，符合要求后方可使用。

8. 防水材料

(1) 油毡应有出厂质量证明书，内容包括：品种、标号等各项技术指标，并应抽样检验，检验内容为不透水性、拉力、柔度和需热度。

(2) 沥青：应有沥青的出产地、品种、标号和报告单，必须试验的项目为针入度、软化点和延伸度。

(3) 新型防水材料的性能必须符合设计要求，应有产品鉴定书、生产许可证、出厂合格证、质量标准和施工工艺要求，并有抽样复验记录。

9. 防腐、绝缘、保温材料

该类材料应有标明该产品质量指标，使用性能的出厂质量证明书。

10. 生石灰

无论袋装生石灰或散装生石灰进场后均应按批量取样，试验石灰的氧化钙和氯化镁含量。

11. 粉煤灰石灰砂砾、石灰土

(1) 每批粉煤灰石灰砂砾、石灰土进场，生产厂家应向施工单位提供出厂合格证明。若供料期超过10天，生产厂家每10天提供一次出厂合格证明。

(2) 路拌要有以下试验资料：

1) 粉煤灰石灰砂砾配合比实测数据（粉煤灰、石灰含量）；

2) 粉煤灰石灰砂砾的活性氧化物含量；

3) 粉煤灰石灰砂砾出厂含水量；

4) 粉煤灰石灰砂砾颗粒筛析结果；

5) 粉煤灰石灰砂砾抗压强度（7天、28天）。

其中前四项随料提供，后一项按龄期后补。

12. 沥青混合料

沥青拌合厂应按规格、品种、批量向施工单位提供出厂合格证，合格证应包括如下内容：

(1) 沥青混凝土类型（矿料级配及沥青规格用量）；

(2) 稳定度；

(3) 流值；

(4) 空隙率（饱水率）；

(5) 饱和度；

(6) 标准密度。

或者按下列内容提供：

(1) 沥青混凝土类型（矿料级配及沥青规格用量）；

(2) 10℃劈裂抗拉强度；

(3) 10℃劈裂抗拉垂直变形；

(4) 试件饱和率；

(5) 标准密度。

13. 管材、管件、设备、配件

(1) 各种管材、管件、设备、配件都应有出厂合格证。合格证的内容应能说明该产品符合国家规范和设计要求。

(2) 钢管、钢管件在使用前应按设计要求核对其规格、材质、型号并作好检查记录。

(3) 各种金属管及管件在安装使用前应按现行标准进行外观检查并作好检查记录。

(4) 弯头、异径管、三通、法兰、盲板、补偿器及紧固件等需按现行标准进行规格、尺寸的检查并作好检查记录。

(5) 各种阀门在安装使用前应按现行标准进行强度和严密性试验并作好检验记录。

14. 预应力混凝土设备检验资料

(1) 应有预应力锚头、夹片、顶塞等出厂合格证明及硬度试验记录。

(2) 采用金属波纹管成孔时应有波纹管的质量合格证明及现场检验记录。

(3) 有由法定计量检测单位对张拉设备——油泵、千斤顶、压力表进行鉴定的记录。

15. 混凝土预制构件技术质量资料

(1) 钢筋混凝土结构预制构件：作为主体结构使用的梁、板、墩、柱等构件，生产厂家应提供下列技术资料：

1) 构件混凝土强度资料；

2) 预应力张拉记录；

3) 施工图纸。有设计变更的应有变更洽商文件，并在图中注明修改部位；

4) 用钢筋和其他材料的质量证明书和试验报告；

5) 构件质量评定资料。

(2) 施工单位应根据出厂合格证明依照现行验收标准逐件检查验收，并填写验收记录。

(3) 一般混凝土预制构件，如道牙（侧石）、方砖、栏杆、地梁、防撞墩等，生产厂家应提供合格证明，内容包括：混凝土强度及按有关规定进行抽检的技术资料。

7.2.4 施工试验报告
施工试验报告是施工过程中为检验施工质量必须进行的试验工作。

1. 压实度试验资料

（1）填土压实资料

1）有按土质种类做的最大干密度与最佳含水量试验（击实试验）报告；

2）有按质量检验评定标准分层、分段取样的工地土壤压实度试验记录；

3）石灰土、石灰粉煤灰石灰砂砾、石灰土稳定碎石、水泥稳定土等半刚性道路基层，有 7 天、28 天无侧限抗压强度试验报告。

（2）道路路基、基层压实度资料

1）土路床、石灰土、粉煤灰石灰砂砾、水泥稳定砂砾、水泥稳定土、石灰土稳定碎石，有按重型击实标准的试验报告（有特殊情况时，土路床可采用轻型击实标准）；

2）有按质量检验评定标准分层、分段的压实度试验记录。

（3）道路面层压实度资料

1）有沥青厂提供的标准密度资料；

2）有按资料检验评定标准分层、分段的工地压实度资料。

2. 水泥混凝土抗压强度试验资料

（1）凡结构工程混凝土应有试配申请单和实验室签发的配合比通知单；施工中如材料有变化时，应有修改配合比的试验资料。

（2）混凝土抗压、抗折强度试验资料。

1）应有按规范规定组数的 28 天标养试块抗压强度；

2）有按检验评定标准进行强度统计评定的资料（水泥混凝土路面需要抗折强度试验报告）；

3）现浇结构混凝土及冬期施工混凝土均应有同条件养护试块抗压强度试验报告作为拆模、张拉、施加临时荷载、检验抗冻能力等的依据；

4）如果强度未能达到设计要求而采取实物钻芯取样试压时，应有钻芯试压报告和原试块强度试验报告；

5）如果强度达不到设计要求，请设计人员验算时，应有设计人员签署的验算资料和处理意见，并附上原抗压试块试验报告资料。

（3）混凝土耐久性试验资料。凡设计有抗渗、抗冻要求的混凝土除必须有抗压强度试验报告外，还应有按有关规定组数的抗渗、抗冻试验报告单。

（4）使用商品混凝土，应以现场制作的标准养护 28 天的试块抗压强度作为评定混凝土强度的依据（抗折、抗渗、抗冻都以现场试件为准），并应在试块强度试验单上注明商品混凝土生产单位名称、合同编号。

3. 砂浆试块强度试验

（1）砌筑用砂浆必须有按部位规定组数的强度试验报告，砌筑主要结构部位的配合比由实验室试验确定。有砂浆配比通知单。

（2）砂浆标号以标准养护龄期 28 天的试块抗压试验结果为准。

（3）有砂浆强度评定资料。

(4) 预应力混凝土孔道压浆每一工作班留取不少于 3 组的 70.7mm×70.7mm×70.7mm 立方体试块，其中一组作为标准养护 28 天的强度资料，其余二组作为移运和吊装时强度参考值资料。

(5) 凡砂浆试块强度达不到设计要求的应有鉴定处理意见，并经设计部门签认，质量监督部门同意。

4. 钢筋焊接试验资料

工程开工或每批钢筋正式焊接之前，应进行现场条件下钢筋焊接性能试验，内容应包括焊工编号、钢筋型号、规格、焊接方法、焊条类型、规格，并对抗弯、抗拉结果有明确结论。

5. 钢管及其他设备、容器焊接试验资料

(1) 正式焊接前进行现场条件下的焊接性能试验，留取试验报告，内容包括：焊工编号、母材种类、型号、规格，焊条类型、规格，焊接方法，焊后抗拉、弯试验结果，并有明确结论。

(2) 焊缝按有关规定取样做焊接物理性能试验。

(3) 焊缝按设计及有关规范规定作超声波或 X 射线探伤检查。

7.2.5 施工记录

1. 地基与基础验槽记录

(1) 验槽记录内容

1) 土质情况。检查槽壁土层分布情况及走向是否符合地质勘察报告提供的持力层，是否挖到老土层。老土层的颜色是否均匀，土的坚硬程度是否一致，有没有局部过度松软或坚硬地方，有没有局部含水量异常现象等，检查钎探记录。

2) 槽基几何尺寸。

3) 槽底标高。

4) 局部异常处理。施工中遇到坟穴、地窖、地道、橡皮土等局部异常现象时，应将其所在位置、深度、特征及处理方法进行描述，并附图说明。

5) 验槽复验。如验槽中存在的问题须按工程洽商的内容进行复验，应有复验意见，符合要求后有关单位代表应签证。

地基与基础验槽后，须检查是否与地质勘察报告相符，是否达到设计图纸的要求。建设单位、监理单位、勘察单位、设计单位、施工单位共同在记录上签证。质量监督部门监督验槽的程序和签证手续是否符合有关法规的要求。

(2) 地基验槽记录表

地基验槽记录表内容及格式见表 7-3。

地基验槽记录表　　表 7-3

工程名称		建设单位	
坑(槽)轴线位置		监理单位	
开挖时间		施工单位	
验槽时间		设计单位	

续表

检查内容及检查情况		附图或说明
土质情况 槽底标高 坑(槽)几何尺寸 地下水情况 其他异常情况		
初验结论		
复验结论		

施工员：　　　　　质检员：　　　　　记录：　　　　　年 月 日

2. 桩基记录

市政桥梁工程的桩基和市政排水泵站的桩基，应根据设计桩基的种类，搜集桩基记录资料，才能评定桩基质量，确保桩基质量。桩基记录资料包括以下内容：

（1）打桩记录表；

（2）钻孔桩记录汇总表；

（3）钻孔桩（或挖孔桩）钻进记录；

（4）钻孔桩成孔质量检查记录；

（5）钻孔桩水下混凝土灌注记录；

（6）各种桩基记录都应附有标明桩位的平面图。

3. 结构吊装施工记录

钢结构桥梁的钢结构构件、预制钢筋混凝土大型构件和排水泵站、加工厂等大型设备在吊装前，施工单位应根据场地环境、交通条件、构件大小及吊装设备等具体情况，制定切实可行的结构吊装方案，按吊装方案吊装施工，有结构吊装施工记录。结构吊装记录的内容见表7-4。

结构吊装记录　　　　　表7-4

工程名称				构件名称				
使用部位				吊装日期				
坐标位置				安装检查				
跨	轴线	桩号	搁置尺寸	接头(点)处理	固定方法	标高复测	尺寸检查	外观检查
附图								

记录人：

厂、站大型设备吊装施工记录包括：

（1）设备安装设计文件；

（2）设备出厂合格证情况，包括设备名称、型号、安装位置、连接方法、允许偏差和实际偏差等。

4. 混凝土施工记录

混凝土施工记录,是对混凝土质量进行控制的记录,凡 C20 强度等级以上的混凝土,每个工作班记录均应填写浇筑记录,填写要真实、及时,不得弄虚作假。混凝土施工记录的内容见表 7-5。

混凝土施工记录　　　　　　　　　　　表 7-5

分部分项工程名称及部位			作业班组		当日气温	上午 ℃
						下午 ℃
混凝土强度等级		混凝土试验调整配合比		坍落度	cm	水灰比(W/C)		试验配合比通知单编号	
每次搅拌用量(kg)									
材料名称		水	水泥	砂子	石子	外加剂		配料负责人	
规格及种类									
数量									
养护要求									
本项工程混凝土量			m³		本日完成量		m³		
拌和方法					振动方法				
拆模日期及强度要求									
试验组数		组		试块制作人			试块编号		
记事:									
施工负责人:			记录员:						

年　月　日

5. 沉降观测记录

设计要求进行沉降观测的,必须进行沉降观测。

进行沉降观测的水准点、水准基点、观测点布置,沉降观测的仪器、水准测量方法、沉降观测的次数和时间,应符合有关规定和设计要求。

6. 冬期施工测温记录

对水泥混凝土、砌体工程砂浆、钢管焊接、钢筋冷拉、沥青混凝土等冬期施工应按有关规定作好测温记录。

冬期施工的测温,包括天气温度,原材料温度,混凝土、砂浆搅拌出口温度、浇筑温度、养护温度,测温点布置图、测温日期、测温人员签字,记录内容项目、子目应齐全。

7. 测量复核及预检记录

测量复核及预检记录:测量复核指施工前对轴线、标高等测量标志的复测,以防止发生测量返工事故;预检是指每分项工程在其质量评定之前预先检查把关,预检是预防质量事故、保证工程质量的重要措施。

（1）构筑物（桥梁、道路、排水管道、水池等）位置线、现场标准水准点应有由施工现场专项技术负责人签署的测量复核原始记录。

（2）基础尺寸线包括基础轴线、断面尺寸、标高（槽底标高、垫层标高）应有测量复核原始记录。

（3）主要结构的模板，包括几何尺寸、轴线、标高、预埋件预留孔位置、模板牢固性和模板清理等应作预检记录。

（4）桥梁下部结构的轴线、高程及上部结构安装前的支座位置、高程、规格等均应作预检记录。

（5）测量复核及预检应在项目实施前，由施工项目负责人组织施工人员、测量人员、质检人员参加，必要时设计人员参加。

8. 隐蔽检查验收记录

隐蔽项目是指为下道工序施工所隐蔽的工程项目。隐蔽项目在隐蔽前必须进行质量检查，由施工项目负责人组织施工人员、质检人员，并请建设单位代表和监理人员参加，必要时请设计人员参加。隐蔽项目检查验收后，应及时填写隐蔽检查验收记录，检查意见应具体，需复检的要办理复检手续，填写复检日期，并由复检人作出结论。

隐蔽工程应填写隐蔽工程验收记录，其内容见表 7-6。

隐蔽工程验收记录　　　　　　表 7-6

工程名称		分部分项工程名称		图号	
部位(轴线、标高)	数量	简图及说明			
		自检人签字　　年　月　日			
以上项目经我单位自检完毕，请建设、设计单位和监理单位于　年　月　日前来现场检查核验。					
核验意见					
建设单位	设计单位	监理单位	施工单位		
签章	签章	签章	施工负责人： 专职质量检查员： 施工班(组)长： 签字盖章		

注：本页无法绘图时，必须另附图。

9. 使用功能试验记录

使用功能试验是对市政工程在交付使用之前进行实际使用功能检查。使用功能试验按有关标准进行，并须邀请建设单位（或监理单位）、设计单位、设施管理单位参加，试验合格后作试验记录，由各方签字，手续完备。使用功能试验项目一般包括：

（1）污水管道闭水试验：合格标准见现行行业标准《给水排水管道工程施工及验收规范》GB 50268—2008。

（2）水池满水试验：合格标准和试验方法见现行国家标准《给水排水构筑物施工及验收规范》GB 50141—2008。

（3）消化池气密性试验：合格标准和试验方法见现行国家标准《给水排水构筑物施工及验收规范》GB 50141—2008。

（4）其他施工项目，如设计有要求按设计规定及有关规范做使用功能试验。

7.2.6 工程质量检验评定资料

1. 各工序施工完毕后应按照市政工程质量检验评定标准进行质量评定，及时填写工序质量评定表，检查项目、实测项目填写齐全，签字手续完备。

2. 部位工程完成后及时汇总各工序质量评定表，填写部位质量评定表，计算部位合格率，签字手续完备。

3. 单位工程完成后，及时汇总各部位质量评定表，由施工主要技术负责人签字，加盖单位印章作为竣工验收和质量监督部门核定质量等级的依据之一。

7.2.7 设计变更、洽商记录

设计变更、洽商记录是设计施工图补充和修改的记载，应在变更施工前办理，内容应明确、具体，必要时应附图。

1. 设计变更、洽商记录的基本要求

（1）有关设计变更的洽商，应由设计单位、施工单位和建设单位（或监理单位）三方代表签证，有关经济洽商可由施工单位和建设单位两方代表签证；由经办人签证，不得委托他人签字，如建设单位委托一方代签，应有建设单位委托证明；

（2）洽商记录签证后不得随意涂改或删除；

（3）洽商原件应存档，相同工程合用一个洽商记录时，可用复印件存档，并注明原件存放处；

（4）分包工程的设计变更洽商，由工程总包单位统一办理洽商手续；

（5）洽商记录和设计变更通知应按签订日期先后顺序编号；

（6）设计变更通知与相应的洽商记录应同时归档；

（7）洽商应及时办理，不得事后补办、补签。

2. 设计变更通知、洽商记录格式

设计变更通知，各设计单位出具的格式不相同，只要求其内容明确、具体，必要时有附图说明就行。洽商记录格式见表 7-7。

工程洽商记录　　　　　　　表 7-7

　　　　　　　　　　　　　　　　　　　　　年　月　日　第　号

工程名称：(或工程编号)_____

　　　建筑工程公司_____ 队_____

洽商事项：

建设单位：　　　监理单位：　　　施工单位：　　　设计单位：

7.2.8 竣工图

1. 工程竣工图的概念

工程竣工图是市政工程在施工过程中根据实际情况所绘制的反映工程建成后实际面貌和构造的一种"定型"图样。它是建筑物、构筑物或管线工程施工结果在图纸上的反映，是最真实的原始记录，是工程竣工档案资料的重要部分，也是城乡规划、建设、管理的重要依据。

2. 编制竣工图的依据

编制工程竣工图必须以一定的技术图纸和技术文件材料为依据，这些技术图纸和技术文件材料主要包括：

(1) 设计施工图：指建设单位提供的作为工程施工依据的全部施工图纸；

(2) 图纸会审记录；

(3) 设计变更通知单；

(4) 技术要求核定单；

(5) 隐蔽工程验收记录；

(6) 质量事故报告及处理记录；

(7) 建（构）筑物的定位测量资料。

3. 编制工程竣工图的基本原则

(1) 凡是在施工过程中设计变更较多的，特别是基础、结构、管线等隐蔽部位变更较多的，应重新绘制竣工图。

(2) 凡是施工中只有少量变更的，可以在设计施工图上直接进行修改，然后加盖"竣工图"标志章作为竣工图。

(3) 凡是在施工过程中完全按照原设计图纸施工的，可以在原设计图上加盖"竣工图"标志章作为竣工图。

4. 编制竣工图的要求

(1) 竣工图的编制工作，必须以施工单位为主，由工程技术人员负责绘制，设计部门绘制的竣工图，必须由施工单位签认。

(2) 竣工图的编制工作，应在施工过程中，结合工程进度编制。

（3）竣工图幅面上反映的图形、尺寸、结构、材质等内容，必须同施工后的建筑物、构筑物等一致，即图物一致。

（4）在原施工图上进行修改补充的，只能杠改，不准涂改，以保持图面清洁；图上的名词、代号等要符合国家有关法律、法规标准。

（5）利用施工图改绘成竣工图必须注明改绘依据，标注位置合理。

（6）在使用施工蓝图编制竣工图时，必须使用新蓝图，做到图面线条清晰、字迹工整、反差良好。

（7）每一张竣工图均须由施工单位加盖"竣工图"标志章，并由编制人和审核人签字，每卷竣工图由施工技术负责人审核签字或盖章方可生效。"竣工图"章加盖在标题上方或左方，原施工蓝图的封面、图纸目录与要加盖竣工图章的其他位置。

本教学单元小结

本教学单元阐述了市政工程施工技术资料的重要性，以及施工技术资料档案的编制的各个阶段：收集、整理、归档、验收与移交；重点介绍主要市政工程施工技术资料如施工组织设计、图纸会审、技术交底、施工试验报告等的编制内容与要求。

思考题与习题

1. 简述市政工程施工技术资料重要性。
2. 简述市政工程施工技术资料档案编制的各个阶段。
3. 施工组织设计的具体内容有哪些？
4. 简述图纸会审的组织与目的。
5. 地基与基础验槽的内容有哪些？
6. 简述设计变更、洽商记录的基本要求。
7. 简述编制工程竣工图的基本原则与要求。

教学单元 8　市政工程施工项目材料管理

【教学目标】　掌握市政工程材料的分类以及相关的管理要求；掌握材料定额的分类以及相关的管理要求；掌握材料计划的编制；掌握市政工程材料全过程管理要求。

8.1　市政工程材料管理概述

材料管理是对材料进行计划、采购、验收、入库、保养、发放、回收等一系列工作的总称。土木工程材料费一般要占到工程造价的一半以上，材料管理对于促进节约、防止积压、加速流通、降低成本、提高资金利用效果和创建优质工程意义重大。

随着我国国民经济的迅速发展及科学技术的提高，市政工程材料管理的要求越来越高，也越来越复杂。市政工程材料管理面临许多具有挑战性的困难。对市政工程材料管理中存在问题的研究具有非常重要的实际意义。市政工程材料管理问题是个复杂的系统工程，需要管理者坚持不懈努力，不断探索，不断改进，采取有效措施，将工程材料管理的具体措施落到实处，才能解决工程材料管理中的各项问题，减少工程材料管理的过失。工程材料管理应严格按规范和工程实际进行科学管理，以理论指导实践，提高我国市政工程材料管理水平，保证工程质量和材料节约。

8.1.1　基本概念

工程材料，一般来讲，是指工程建设过程中使用的所有材料的统称，它既包含直接构成工程实体的材料，同时也包括施工时使用的所有辅助材料，例如钢丝、扎丝、铁钉、焊条等。

工程材料一定要满足工程施工和使用过程中的设计和规范要求，在施工过程中，不仅要保证质量，同时要确保操作简易方便；在使用过程中，能够抵御周围环境的影响和有害介质的侵蚀，确保建筑物经久耐用。工程材料质量的好坏直接影响着工程建设质量的优劣。由于施工材料不同，施工工艺和方法也不相同，这也是施工企业施工时要综合考虑的。材料成本在工程建设总造价中占比例很高，据土木工程总造价的有关数据统计，与材料有关的费用所占比重一般达到50%以上，而一些要求较高的工程项目，材料费用占到70%以上。工程材料与建筑行业的发展日新月异，两者是互相推动、密切相关的。

材料管理，是指施工企业在生产过程中，对本企业所需材料的采购、使用、储存等行为进行计划、组织和控制。工程项目的建设过程中，要建立一个良好的材料供应链，对材料的计划、采购、储存、使用等环节进行全面的管理，如果其中任意的一个环节存在问题，那么施工的连续性将会受到严重影响。

8.1.2 工程材料的分类及简介

工程材料按不同的分类标准，有不同的类型。

1. 工程材料按照使用性质的不同一般分为主要材料、次要材料和周转性材料。主要材料是指形成工程实体的永久性材料，即工程项目所说的大宗材料，如钢筋、水泥和混凝土，这类材料的种类相对固定，占材料总造价的比重大。次要材料主要是指那些不容易计算具体数量的零星材料，这类材料的消耗量小，占工程材料总造价的比重小，如铁丝、铁钉、焊条、卡具等。周转性材料是指在建筑工程中能够重复利用、多次摊销、不构成项目实体的材料，如脚手架、模板等。

2. 工程材料按建筑部位和功能不同可分为结构材料、功能材料和装饰材料。结构材料包括钢筋、水泥、木材、混凝土、砖块、陶瓷、玻璃等，功能材料包括防腐、防潮、防火、阻燃、保温、隔热、密封等材料，装饰材料包括各种涂料、腻子、油漆、瓷砖、特制玻璃等。

3. 工程材料按其重要程度可分为重要材料、一般材料和瓶颈材料。重要材料是指市场供应量充足、方便采购、可选供应单位较多的材料，但成本较高、占用资金大，主要包括钢筋、水泥、木材等。一般材料是指市场上容易采购但各供应单位的产品质量差别不大，基本无需考虑产品质量的材料，包括砂子、石子、某些设备的配件等。瓶颈材料是指市场上采购渠道较少，尽管需求量不是很大，但是却又很重要的材料，主要包括一些新型材料和甲方明确指定、具有特殊要求的材料。

8.1.3 材料管理的流程

20 世纪 60 年代之后，材料管理的概念得到了全球各领域的广泛认可，并且材料管理理论在实践运用过程中得到了不断升级和完善。其中，工程建设中的材料管理一般是根据工程类型、场地环境、材料消耗特点等相关因素，采取科学的管理方法从材料采购到工程产品产出全过程进行计划、组织、协调和控制，力求以最低的材料成本，按质、按量、及时、配套供应工程建设所需的材料，同时监督和促进材料的合理使用。

工程项目的材料管理在最初阶段，并没有形成系统的、科学的理论和方法，项目材料管理人员也多凭借个人经验展开材料管理工作。20 世纪末期，项目材料管理这一概念才被正式提出，作为材料管理及项目管理的交叉学科，成为国内外学者的重点研究对象，而项目材料管理正是项目管理领域的重中之重。

而项目材料管理的诸多内容构成了项目材料管理体系，并对项目材料管理的效果、目标及实施产生较大影响。

项目材料管理的主要目标即明确项目材料方针、目标及需承担的责任，其核心为构建系统、高效的项目材料管理体系，主要内容包括项目材料计划、材料控制、材料保障及材料改进，通过实施以上内容来实现材料目标。

项目材料管理方针：指项目的整体材料方向及宗旨，标志着项目全体成员的材料追求及材料信念，同时也彰显了顾客的期望及对顾客的承诺。项目执行的准则、材料评审目标也必须与材料方针保持一致。材料方针作为经营方针的组成，材料目标可作为项目材料管理持续改进的评估标准,作为项目总经营的核心部分,也要与项目总目标保持一致。材料目标的实现对项目最终经营成效及社会效益产生最直接影响。

项目材料管理计划:指达到规定的材料标准的有效规划及途径,材料计划是为了保证材料标准能够更好实现,其计划的要点是如期完成项目任务,并协调好项目间的关系。

项目材料管理控制:指项目材料管理中发挥最大作用的环节,材料控制的目的是推动项目、产品、具体过程符合要求,即符合行业规章制度、市场顾客对材料提出的要求,采取有效合理的措施对实施过程进行控制。

项目材料管理保障:指与顾客建立友好合作关系后,为其提供信任,促使顾客相信供方拥有满足一切材料要求的能力,主要包括内部材料保障和外部材料保障,二者均属于项目材料管理职能中的重要组成部分。

项目材料管理改进:指在项目的具体实施环节,通过合法手段对项目、产品生产等环节的材料管理体系进行有效监控。同时,依据监控数据对其材料管理相关数据加以整理和分析,找出材料管理体系运行的有利因素及最终结果。如发生误差,则进行原因分析,从而制定切实有效的改进措施。

8.2 市政工程材料定额

8.2.1 材料消耗定额

1. 材料消耗定额的概念

材料消耗定额,是指在一定的生产技术组织条件下,完成单位合格产品或单项工程必须消耗的材料数量。材料消耗定额是确定材料需用量、库存量、编制材料计划、组织材料供应的重要依据;是限额领发料、核算材料消耗的依据,也是划分材料供应部门与需用单位双方责任的基础;是加强材料核算和材料成本控制的重要工具。从国家来看,材料消耗定额也是控制一个建设项目主要材料消耗指标的依据。

2. 材料消耗定额的种类

工程中使用的定额有概算定额、预算定额、施工定额三类。材料消耗定额一般不单独编制,而是作为这三种定额的组成部分。

(1) 材料消耗概算定额是工程概算定额的组成部分,是在初步设计阶段用来估算或概略计算主要材料和设备的需要量。它是编制备料计划和重要材料申请的依据。

(2) 材料消耗预算定额是工程预算定额的组成部分,是以分部、分项工程的单位工程量,按社会平均必要的消耗水平来计算和确定的。它是编制工程预算、材料需用量计划、申请计划和供应计划的依据,是施工过程中材料管理使用的主要定额。

(3) 材料消耗施工定额是工程施工定额的组成部分,应结合施工单位或具体工程项目材料消耗的实际情况编制,供施工企业内部管理使用。其内容较材料消耗预算定额更为细致和具体。施工定额应按平均先进原则制定，是工程项目编制作业计划和工料预算，进行限额领料和考核工料消耗的依据。

3. 材料消耗的构成分析

分析材料消耗的构成是正确制定材料消耗定额的前提。工程项目材料消耗由三部分组成，如图 8-1 所示。

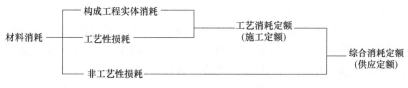

图 8-1 市政项目材料消耗定额

（1）直接构成工程实体的材料消耗。这是材料的有效消耗部分。它与工程设计的技术水平相关，要求设计人员在保证工程质量与功能的前提下，优化结构设计，节约材料消耗。

（2）工艺性损耗。由两个因素构成，一是在材料加工准备过程中产生的损耗，如端头短料、边角余料等；二是在施工过程中产生的损耗。工艺性损耗是不可避免的，但随着施工技术的进步和工艺水平的提高，工艺性损耗能够减少到最低限度。

（3）非工艺性损耗。包括因施工方法不合理或违反操作规程造成一定数量的废品、次品、不合格品的材料消耗、场内运输损耗、保管不善而带来的损耗、供应条件或供应材料质量不符合要求而造成的损耗，如大材小用，优材劣用等，材料化验取样损耗以及其他原因造成的损耗。非工艺损耗是很难完全避免的，有的还不是施工本身原因造成的，因此必须予以考虑。

上述材料消耗中，前两种构成材料的工艺消耗定额，施工定额就属于这一类消耗再加上非工艺性损耗，即构成材料综合消耗定额，预算定额就属于这一类。

在实际工作中，非工艺性损耗按工艺消耗定额的比例确定，一般以材料供应系数表示，即：

$$非工艺性损耗＝工艺消耗定额×材料供应系数$$
$$材料供应定额＝工艺消耗定额×（1＋材料供应系数）$$

从以上分析可见，要降低材料消耗，就需要降低工艺损耗和非工艺损耗。

4. 材料消耗定额的制定与管理

（1）材料消耗定额的制定

材料消耗定额的制定方法有以下几种：

1）统计分析法。根据单位工程或分部、分项工程材料消耗的历史统计资料，包括拨付数量、剩余材料数量及完成产品数量，考虑到当前施工生产的具体情况来计算和确定材料消耗量。

2）试验法。按一定技术标准测试，并根据试验数据的整理分析，确定材料消耗。

3）技术计算法。以施工图和施工工艺文件计算结果为基础，确定最经济合理的材料消耗量。

4) 实际测定法。在一定的技术组织和技术熟练工人操作条件下，通过在现场实地进行观察和测定，并将得出的数据加以分析整理而确定的材料消耗量。

5) 经验估计法。根据生产人员和技术人员的经验进行估计，依此确立材料消耗量。估计时要考虑最多消耗量（a），最低消耗量（c），一般情况的消耗量（b）。估计结果为：$(a+4b+c)/6$。

实际工作中，可把上述方法结合使用。主要材料的消耗定额一般以技术计算法为主，同时根据生产经验和统计资料加以补充或修正。辅助材料的消耗定额可根据不同情况分别采用统计分析法和经验估计法等制定。

此外，不同种类的材料消耗定额，也应选用不同的制定方法。材料消耗定额和预算定额，因项目较细，应以试验法、技术计算法和实际测定法为主。概算定额制定则以统计分析法为主。

（2）材料消耗定额的管理

材料消耗定额的管理包括材料消耗定额的制定、定额的执行、考核和修订。即要经常考核和分析定额的执行情况，确切掌握执行中出现的问题和原因，及时反映达到定额的水平和节约材料的经济效果，并经常对材料利用率、材料消耗构成、定额与实际用料的差异进行分析，为定额的修订提供依据。主要做好以下几方面的工作：

1) 健全定额管理体系。总公司对分公司实行限额供料，分公司对基层施工工地实行定额发料，施工工地对班组执行限额领料。形成层层把关，全过程控制的管理体系。

2) 实行单位工程主要材料包干使用。作好单位工程材料核算工作，也可随时作好分部工程材料核算，最后再汇总。

3) 明确工程程序及做法。健全手续，完善限额领料单的签发、下达、应用、检查、验收、结算的工作程序与做法，建立完善的定额考核制度，各种台账及报表要及时准确地记录和汇总，作好竣工结算工作。

4) 项目经理部要设置专职定额员，经常保持市场材料价位，建立岗位责任制及检查、考核评比制度。

8.2.2　材料储备定额

材料的消耗是连续进行的，而材料的采购则是集中、分批进行的，材料的供应还可能出现意外的误期或中断。因此，必须建立一定的材料储备。材料储备过多会占用较多的流动资金，储备过少又不能保证生产的正常进行，为此需要制定一个合理的储备定额。材料储备主要包括经常储备、保险储备和季节储备。

1. 经常储备

经常储备是为保证正常施工需要和加速材料周转而建立的储备。这种储备是不断变化的。当一批材料进场时达到最大值，随着材料被使用而逐渐减少直至达到最小值。当第二批材料进场时，又达到最大值，如此周而复始（图8-2）。

其中，经常储备的最大值称为经济订货量，即材料存储总费用最低的订货量。存储总费用由以下几部分构成：

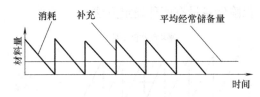

图 8-2 经常储备

（1）订货费用。包括材料价款之外每次订购材料运抵仓库之前的一切费用，如采购人员工资、出差费、采购手续费、检验费等。订货费用随订购次数的增加而增加。

（2）材料费用。即材料用量与材料单价的乘积。

（3）仓库费用。即材料入库所需的一切费用。包括该批材料在库房占用流动资金的利息、占用仓库的费用，库存期间的保管、保险及材料损耗费等。仓库费用按平均库存量的比例计算，库存量越大，仓库费用就越大。

订购批次多，平均库存量少，可以节约仓库费用，但相应地却要增加订购费用。

这里假定以计划年度为单位期限，研究经济库存量。

设：S 为全年某种材料需用量，P 为该材料的单价，Q 为每次订购量，C 为每次订货费用，A 为单位材料年库存费率。

则：存储总费用＝年度订购费＋年度仓库费＋材料费

即：$TC=\dfrac{S}{Q}C+\dfrac{Q}{2}PA+SP$

欲求存储总费用 TC 最小时的合理订货量 Q，可将上式对 Q 求导数，并令其等于 0。即 $\dfrac{\mathrm{d}TC}{\mathrm{d}Q}=-\dfrac{SC}{Q^2}+\dfrac{PA}{2}=0$，解得 $Q=\sqrt{\dfrac{2SC}{PA}}$

即：经济订货量 $=\sqrt{\dfrac{2\times 年需要量\times 每次订购费}{材料单价\times 仓库费率}}$

经济库存量与采购费用、保管费用、总费用的关系如图 8-3 所示。

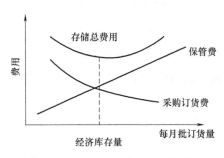

图 8-3 订货数量与存储总费用的关系

2. 保险储备

保险储备是为预防材料运输误期，或品种、规格不符合需要以致影响正常施工而建立的储备。保险储备在正常情况下是不动用的，它固定地占用一笔流动资金，如图 8-4 所示。保险储备量有两种确定方法。

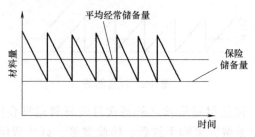

图 8-4 保险储备

（1）经验统计法。根据某种材料误期的历史资料，求出平均的误期天数，作为保险储备天数。此时有：保险储备量＝平均误期天数×材料平均日消耗量。

（2）实际分析法。一旦供应误期，即从提出采购开始到材料进场可以投入使用为止，以其所需的天数作为保险储备天数。此时有：

保险储备量＝从采购到进场投入使用所需天数×材料平均日消耗量

保险储备的材料一经动用后，就应在下批材料到达时补上，以经常保持在规定的水平。

3. 季节储备

季节储备是为保证正常生产和克服某些材料的供应受季节性影响而建立的材料储备。这里所说的季节性影响主要是指材料生产有季节性，或运输受季节影响。

季节性储备量的大小，取决于季节性储备天数，即季节供应中断的长短。季节性的材料储备是在生产正常进行的情况下建立的，如图 8-5 所示。

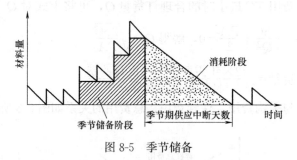

图 8-5 季节储备

季节性储备量的计算公式是：季节性储备量＝季节性储备天数×材料平均日消耗量。以上材料的三部分储备中，最为重要的是经常性储备。

8.3 材料计划的编制

施工预算是编制材料计划的主要依据，由施工项目部依据施工图和施工进度以及材料消耗定额提出材料需用计划及采购要求。材料需用计划必须说明材料的名称、规格、型号、需用数量、进货时间等。必要时，应提出材料使用要求及验收标准和质量保证要求。材料采购部门根据需用计划的内容和要求，对市场进行调查研究，根据单位的实际情况，编写采购计划。

8.3.1 材料计划的编制程序

材料计划在广义上是指在材料流通过程中所编制的各种宏观和微观计划的总称。具体说，材料计划是指从查明材料的需要和资源开始，经过对材料的供需综合平衡所编制的各种计划的总称。

企业材料计划管理是组织施工生产的必要保证条件，是企业全面计划管理的重要组成部分，也是企业保证在供应中降低成本、减少浪费、加速资金周转的重要因素。

在市场经济中，施工企业要参与市场竞争。传统的按系统、按行业、按部门组织材料供应的方式，已转变成靠市场调节来组织材料供应。因此，施工企业内部的材料计划一般分为材料需用量计划、材料供应计划、材料采购计划和材料用款计划等。

根据市政施工企业的实际情况，材料计划的编制程序如图 8-6 所示。

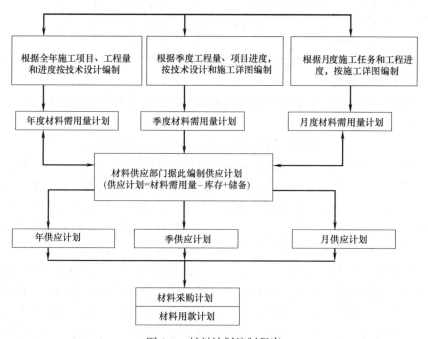

图 8-6 材料计划编制程序

其中，材料需用量计划是编制物资供应计划的基础。物资需用量计划的准确与否，决定了材料供应计划的准确程度。

1. 材料需用量计划

材料需用量计划是指完成计划期内工程任务所必需的材料用量，是材料供应计划、采购计划的基础。材料需用量计划应由用料部门编制，即所谓谁用料谁提计划。材料需用量计划应具有技术依据和经济依据，其依据主要是指材料消耗定额和任务量。

施工图预算中列有主要材料的需用数量，它的计算依据是任务量×施工图预算消耗定额。但这部分数量并不是工程的全部材料需用量，也就是说许多消耗物资的地方，预算中没有列或是列不全。因此，材料需用量计划主要应根据施工图纸、施工工艺、施工组织设计及试验配合比等计算出来的材料用量编制。另外，预算材料费所列材料数量没有包括材料从采购地到工地现场的场外运输损耗和仓储保管损耗数量,这部分数量应单独考虑。材料需用量计划的种类和要求见表 8-1。

材料需用量计划的种类和要求　　　　　　　　　　　表 8-1

编写部门	计划种类		报物资部门时间	要求
施工、计划等用料部门	主要材料	年计划	年前 30 天	须详细填写材料名称、规格、数量及材质要求和使用日期
		季计划	季前 15 天	
		月计划	月前 10 天	
		调整计划	根据实际情况适当提前	
	专用材料		使用前 45 天	
	辅助材料月计划		月前 5 天	
机械部门	燃油、配件	月计划	月前 5 天	
		进口计划	6 个月前	

2. 材料供应计划

材料供应计划是施工企业物资部门根据材料需要量计划编制的计划,也是进行材料供应的依据。

$$材料供应量=需要量-库存量+储备量$$

但就某一个工程项目最终要求来说,并不提倡材料储备。相反,工程完工时,要求"工完料净场地清"。这是因为,一则施工单位流动、分散,往往做完该项工程并不一定知道下一个工程在什么地方,所以工程备料一般也不会考虑到下一个工程的用量。而且从一个工地到另一个工地一般距离较远,长途运输剩余材料是得不偿失的。二则市政工程施工的工作对象和工作内容不断改变,对任何一种材料来说都不存在稳定均衡消耗的现象。这种材料在这项工程中用上了并不能说明以后的工程也用的上。因此,从总的方面说,施工企业不需要长期稳定的物资储备。尽管如此,物资部门在某项工程的材料供应过程中,对某些材料在某个阶段即一定时间内还是需要有储备的,目的是为了保证供应,防止停工待料影响施工进度。因此,物资部门在工程施工前期就应对某种材料从工程内容、总需用量、资金周转情况、材料的有效期、供货渠道、运距、消耗速度等方面来确定某段时间、某种材料的储备量。

材料需用量、储备量和供应量三项指标的计算方法汇总于表 8-2 中。

材料计划指标的确定　　　　　　　　　　　表 8-2

	直接计算法	材料需用量=计划工程量×材料消耗定额
材料需用量	间接计算法	1. 比例系数法:用以计算辅助材料需用量 2. 动态分析法: 材料需用量=(上期实际消耗量/上期实际完成工程量)×本期计划工程量×材料消耗增减系数 3. 类似计算法: 材料需用量=类似工程材料消耗定额(指标)×计划工程量×调整系数

续表

材料储备量	材料储备量＝以天数表示的储备定额×材料平均日消耗量 最高储备量＝经常储备量＋保险储备量 最小储备量＝保险储备量 必要时再考虑季节储备
材料请购量	材料请购量＝材料需要量＋计划期末储备量－计划期初可利用量－技措降低量 计划期初可利用量＝上期末预计库存量－计划期中不合用数量

直接计算法是直接利用材料消耗定额计算材料需用量。当没有相应的材料消耗定额或不能确定的辅助材料及新工艺、新技术项目的材料确定需用量时，可采用间接计算法。计算出材料需用量后，还要按照计划期内的工程进度确定分期需用量，如年计划分季、季计划分月、月计划分旬的需用量等。

材料需用量、储备量确定后，通过平衡再得出材料的申请采购量。根据表8-2中的计算公式，确定申请采购量还要考虑以下因素：

计划期末储备量：为下期工程顺利进行所建立的储备量。

上期末预计库存量：可根据编制计划时已掌握的实际库存量，再考虑到报告期末的预计进货量和预计消耗量计算得出。

计划期中不合用数量：考虑库存材料中，由于规格、型号不符合计划期工程要求而扣除的数量。

技措降低量：指采用代用材料或技术措施后，冲抵的材料消耗量和材料消耗降低的数量。

3. 材料采购计划

材料采购计划是物资部门根据批准的材料供应计划，分期分批编制，采购人员据以采购材料的计划，是保证材料供应的主要措施。

编制材料采购计划时，要特别注意将材料的名称、规格、计量单位、数量填写清楚，重要物资还应填写材料技术标准号，以保证采购回来的材料满足要求。

4. 材料用款计划

资金是材料供应的保证，对施工企业来说，备料资金是有限的，如何合理地使用有限资金，既保证施工的物资供应又少占资金，应是企业物资部门努力追求的目标。

根据采购计划编制材料用款计划，把备料控制在资金所能承受的范围内，使急用先备，快用多备，迅速周转，是编制材料用款计划的主要思路。

5. 材料计划的调整

由于施工生产任务的增减或变更设计，相应地会出现材料需用量的增减以及品种规格的变更，物资部门应根据变更后的材料需用量计划及时编制材料调整计划。

6. 编制材料计划的原则和要求

(1) 必须根据施工生产任务和进度要求，认真编制。

(2) 坚持实事求是和计划的先进性、科学性、严肃性，依据充分，做到经济合理，切实可行，留有余地，在保证生产建设需要的前提下，防止积压浪费。同时又要考虑客观因素，组织合理储备，防止停工待料。

（3）坚持勤俭节约和先利库，后订货、采购的原则，充分利用和挖掘内部物资潜力，贯彻就地取材的原则，以降低供料成本。

（4）会同计划、施工技术、财务等部门，对材料计划严格审查、核实。

（5）组织调查了解材料来源、运输条件，合理确定到站、运输方式，降低运输费用，减少运输损耗。

（6）编制材料计划应按规定写清物资名称、规格、材质、数量、计量单位等指标，力求概念清晰，采购方便。

7. 材料计划的及时性

对材料计划及时性的要求，主要是指用料部门提供的材料需要量计划。材料需要量计划是材料供应的依据，材料需要量计划的及时性是物资部门保证供应、降低进料成本的先决条件。材料从寻找料源、询价、比价、采购、订货、运输、验收、计量到发放使用等是一个比较复杂的过程，需要一段时间才能完成，要求用料部门按规定提前报计划，正是为了使时间能得到保证，那种无计划要求供料或不按规定时间预先报计划，只会造成紧急采购，会严重影响货比三家、择优采购的采购原则，也会造成运输、验收、计量等的问题，最终达不到降低供料成本的目的。

8. 材料计划执行与检查

材料计划确定后，必须严格执行，不得任意变更。对执行情况，要定期检查分析，及时解决存在的问题。检查的重点包括订货、到货及合同履行情况，材料消耗定额与储备定额的执行情况，利库挖潜与材料节约情况，计划对生产任务的保证情况等。

8.3.2 对材料计划的要求

材料计划的编制过程是一个不断分析研究材料供应情况和使用情况的过程，也是一个不断平衡的过程。通过平衡，材料计划要达到以下要求：

1. 保证用料的品种、规格、数量的完整性和齐备性。

2. 保证供应的适时性，即计划的供应时间要适应工程的需要，既不过早，也不过迟。

3. 注意前后期的连续性，本期的计划要以上期计划的执行情况为依据，同时又要为下期施工做好准备。

4. 通过编制计划，发现材料管理工作中的薄弱环节，提出计划期内材料管理工作的主要任务和努力方向，从而更好地保证正常施工和降低材料费用。

8.3.3 各类材料计划的编制要点

1. 年度材料计划。年度材料计划是材料的控制性计划，是对外采购、订货的依据，要特别注意平衡。

年度材料计划是根据工程承包合同和年度施工计划，参照工程结构情况和工期要求，按预算定额和概算定额编制的。编制年度材料供应计划时，应当计算各种材料的需要量；期初、期末材料储备量；经过综合平衡确定材料的申请采购量，据此编制申请计划和采购计划。

对年度材料计划的要求是预见性要强，规格、品种、质量都要确定落实，订货后一般不宜变动。因此编制时应尽量摸清货源和库存情况，既不能留缺口，也不可盲目高估，要实事求是，注意综合平衡。

2. 季度材料计划。季度材料计划是根据季度施工计划编制的，可以对年度材料计划做必要的调整，是落实材料采购任务、组织运输和供应的实施性较强的计划。

3. 月材料计划。月材料计划是根据工程进度，以分部分项工程为对象，按分部分项工程的材料预算进行编制，是材料计划中的重要环节，是直接供料和控制用料的依据，要求全面、及时、准确。

4. 旬材料计划。旬材料计划是月材料计划的调整和补充，是送料的依据。在施工队以下的基层施工单位，旬计划的作用更大。

5. 工程项目材料预算。工程项目材料预算是工程项目一次性材料计划，是编制季度、月和旬材料计划以及推行工程项目经济承包的重要依据。

8.4 材料管理的主要工作

8.4.1 订货采购

1. 采购原则

（1）材料采购，应当做到货比三家，开展"三比一算"。即同样材料比质量；同样质量比价格；同样价格比运距，在满足质量的前提下综合考虑价格与运距，最后核算成本。对于一次性购买或临时性购买来说，主要应考虑供货单位在质量、价格、运费、数量、交货期、供应方式等方面是否对我方最有利。对于主要原材料，组织货源应争取取近舍远、直达订货，尽量减少中转环节。

（2）采购物资本着公平、公正、公开的原则，实行阳光采购必须坚持秉公办事，维护集体利益的原则，坚持降低采购成本，处处节约的原则，并综合考虑质量、价格及售后服务等方面，择优选购。

（3）坚持集体谈价（至少2人）、集体采购的原则。供货单位落实后，应签订供需合同以明确双方经济责任。合同内容一般包括材料品种、规格、数量、质量、价格、包装、交货时间、运输方式、检验方式、付款方式、违约责任等。

2. 采购方式

根据施工企业的特点，物资进货渠道大致分为：一般大宗材料（钢材、水泥、地材等）采用订货的方式；少量物资（工具、五金等）采用市场采购；专用物资采用加工定做或加工改制。随着市场经济的不断发展，对大宗物资采用询价比较、竞争性谈判及招标采购等将成为施工企业物资采购的主要方式。

采购是材料供应过程的首要环节，采购的目的就是采购到质优价廉的材料，而市场上的材料即使同种材料也是厂家五花八门、价格参差不齐。面对来自各个渠道、四面八方的材料，怎样才能保证采购到的材料质量优良，价格合理。下面介绍几种采购方式：

(1) 招标采购

招标采购在国外被称为"阳光采购",它是降低工程成本最有效的途径,也可以从源头上解决采购中的不正当行为。这种采购方式在我国政府采购和大企业采购中已经普遍采用。但是,招标采购不是所有材料在所有的条件下都可以采用,招标采购是要具备一定条件,这些条件包括:第一,资金基本上能保证。供应商最关心的就是资金回笼速度;第二,参与投标的供应商范围要广。范围窄时优秀的供应商太少,形不成竞争,无法降低价格或者互相认识,会哄抬价格;第三,标的金额相对来说要大。金额大时,对供应商才具有吸引力,有实力、有竞争力的供货商才能参与,竞标会更激烈,价格降幅才大;第四,竞标的材料是一次包死、不调价、甲方不参与采购的。

(2) 议标

材料议标就是"货比三家、择优采购"。现在绝大多数材料采购就是采用这种方式,议标效率快、节省时间,适宜零星材料和小批量材料的采购。议标需注意的就是实施者拥有的权力不能太大,需要有各种有效的监督措施,否则不仅影响采购的质量和效率,而且"底下"交易严重损害企业利益。

(3) 建立较稳定的供货渠道

供应商都是按照采购控制程序,从企业信誉、生产能力、价格、产品质量保证能力、售后服务等各个方面评审所确定的,既然是按照程序认真评审的,那么在期间采购中,就尽量与其合作,不要频繁更换供应商,只有双方合作稳定,才能够建立彼此信任,只有信任才能够合作愉快,才能建立起战略联盟伙伴关系。当然保证稳定的供应商,并不是保持稳定价格,虽然供应商的选择标准趋于综合评价,但价格指标仍然是非常重要的影响因素,采购价格仍然要通过竞标确定。

(4) 货找源头,直达供货

对于一些常用、量大的材料需要在质量、价格、售后服务、信誉较好的厂家直接选购,可以提高直达供货率,减少中间环节,节省中间费用,有利于降低价格。

当然,仅用这几种方式去采购,还远远不够,更为重要的是:第一,要充分了解信息,只有信息快、灵、准,才能够正确把握价格,也才能够从多种信息中选择。否则,信息过少时,就没有选择余地;第二,要非常熟悉材料性能、用途;第三,要掌握谈价技巧,同一件事不同的人谈可能效果不一样。

3. 订货方式

材料的采购订货一般有两种基本方式,即定期订货和定量订货。

(1) 定期订货。定期订货是事先确定好订货时间,例如,每季度、每月、每旬订购一次,到达订货日就组织订货。每期订货数量等于下次到货前所需材料数量减去现有库存量,用公式表示为:

$$每期订货量=(订货间隔天数+保险储备天数)\times 平均日消耗量-实际库存量-已订在途量$$

(2) 定量订货。定量订货是在材料的库存量由最高储备降到最低储备之前的某一储备量水平时提出订货,订货的数量是一定的,一般为经济批量。

提出订货时的储备量称为订货点储备量，它由采购期的材料消耗量和保险储备量组成。订货点储备量的确定，有以下两种情形：

1）材料的消耗均匀和材料采购期固定不变时

  订货点储备量＝材料采购期×材料平均日消耗量＋保险储备量

上式中材料采购期，包括办理材料采购、订货、发运的时间，以及材料在途时间，装卸、验收入库、使用前加工准备的时间。

2）材料消耗和材料采购期有变化时

  订货点储备量＝平均备运时间×平均日消耗量＋
  保险储备＋特殊情况下增加的储备

上述定期订货与定量订货两种方式各有其优缺点，各有一定的内部条件和外部条件，因而它们适用的范围也不同，具体见表 8-3。

定量订货与定期订货的比较　　　　　　　　　表 8-3

定量订货	定期订货
1. 订货时间不受限制，在材料的需求量波动较大的情况下，适应性较强； 2. 可随时订货补充库存，保险储备量可少一些； 3. 要求货源充足，随订随有； 4. 要对每种材料进行经常性盘点，由于各种材料到达的时间不同，需单独组织订货和运输，既加大了材料工作量，还可能增加运输费用	1. 较适用于材料的需求量稳定或波动较小的场合； 2. 由于定期订货，保险储备量宜大一些； 3. 可事先与供货单位协商供应时间，能有计划的安排产需衔接，对产需双方有利； 4. 不要求实行严格的经常性盘点，可简化订货和材料管理工作，降低订货费用

8.4.2 材料供应商管理

现在市场上的物资比较丰富，材料采购有了更多的选择，有了更大的灵活性。同时增加了材料供应商选择及管理的难度。正确处理同材料供应商的关系，做好材料供应商的管理工作，对于降低采购供应成本，提高企业的竞争力有着重要意义。

1. 供应商管理的主要工作

（1）协调降低采购成本和保证材料供应商利益的关系。

在施工企业的材料采购供应工作中，降低采购供应成本是非常必要的。但是，如果过分强调节约成本，也会带来不良的影响，使得采购目标仅仅限定于节约成本，这种观念和做法在采购供应实践中，会导致错误的采购方式。如迫使材料供应商不断降价，为获得最低价不惜频繁更换材料供应商。其结果将导致以下情况的发生：①所采购的材料质量过分低劣；②材料会延迟送达企业；③材料供应商不能完成工作。最终会对企业的利益产生不利的影响，保证不了施工过程中对材料的需要，使企业损失惨重。所以无论是买方市场还是卖方市场，要最终保障自己的利益，就应该同材料供应商建立互惠互利的合作关系，保障双方利益。

（2）建立良好的材料供应商管理体系。

首先，正确选择材料供应商。随着计算机技术、信息通信的不断发展，施工企业可以利用科学的方法、先进的计算工具来进行材料供应商的选择。本书在考虑价格、交货时间、信誉、材料供应商实力等因素的基础上，利用价值工程分析法对材料供应商进行科学的判定，以确保选择真正适合的材料供应商，建立相对稳定的供求关系，确保企业利益的最大化。

其次，对材料供应商进行重点管理。材料供应商成百上千，必须分清主次，对材料供应商进行分类管理，这样有利于节约企业的人力、物力。可以运用 ABC 分类法对于关键的少数材料供应商进行重点管理。

最后，是对材料供应商的业绩进行科学地考评，建立科学的指标体系，对材料供应商进行综合的评价。施工企业可以根据自身的需要，合理地运用这些指标，来对供应商进行科学地评定。这些指标包括质量、价格、交货时间、合同完成率等。可以按照对企业影响的重要程度对这些指标给予一定的权重，进行综合考核。

（3）保持供应商之间适度地竞争，优胜劣汰。

对于供应商的选择，既可以选择独家供应，也可以选择多家供应，这要根据企业所面临的具体情况来考虑。独家供应易于管理，也可能享受到大批量的优惠，但不容易把握市场动态，易出现缺货。如果条件允许，对同一种材料，还是要选择 2~3 家供应商，这样既可以比较，促进它们彼此之间的竞争，又可以保证供货不中断。并对多家供应商进行合理的选择、比较和淘汰，从而选择最优秀的供应商。

（4）建立企业同供应商的密切合作、互荣互存的关系。

随着生产力水平的提高，社会分工越来越细，各个企业只在一个相对狭窄的领域生产经营。每个企业都有一定的规模，不能无限地扩大。同其他企业密切合作，可以降低交易费用。因此建立良好的供应商合作关系是施工企业稳定发展的保障。

2. 材料供应商管理评价方法

帕累托在研究意大利人口与收入的规律时总结出：极少数人口的收入占总收入的绝大部分，而绝大多数人口的收入却只占总收入的极小部分，这就是财富非均衡分布的帕累托定理。这一定理同样能用来指导材料管理，可根据需要，将市政工程各类材料按重要程度、价格高低、管理难度等指标分为 A、B、C 三类，进行分类管理。当然，每个施工企业都会有一些对材料供应商进行管理的方法，在这里就 ABC 分析法进行阐述。

（1）供应商选择的 ABC 分析法。对于一个中型施工企业，材料供应商成百上千，必须分清主次，对材料供应商进行重点管理，这样有利于节约企业的人力、物力。首先用 ABC 分类法，根据以下比例，对材料供应商进行划分。A 类供应商占总供应商数量的 10% 左右，但其供应的材料价值占企业采购材料价值的 60%~75%；B 类供应商占总供应商数量的 20% 左右，其供应的材料价值占企业采购材料价值的 20% 左右；C 类供应商占总供应商数量的 60%~70%，但其供应的材料占企业采购材料价值的 10%~20%，这样划分出 ABC 三类供应商。A 类供应商为公司提供了大部分的材料供应，并且供应商的数量少，对其应该投入主要精力进行重点管理，这是降低采购供应成本的潜力所在和主要途径。而对 B 类、C 类供应商，因其所提供的材料采购比重小、数量多，则可以减少精力投入，做一般管理，它们不是降低材料成本的重点所在。

（2）材料管理的 ABC 分类法。在市政工程施工中应用 ABC 分类法的基本原理是：对工程中使用的各种材料，按其价值占材料总价值的百分比和其品种（或用量）占材料总品种（或总用量）的百分比分为 A、B、C 三类，根据各类材料的特点，采取不同的管理对策。分类标准及管理对策见表 8-4。

材料的分类标准及管理对策　　　　　　　　表 8-4

分类	占总品种数	占总价值数	管理要点	订货方式
A	5%～15%	60%～80%	精心管理，慎重订货，经常检查，压低库存	应计算每种材料的经济订货量
B	15%～25%	15%～25%	一般管理，库存作一般检查，保险储备较大	可采用定期订货或定量订货
C	60%～80%	5%～15%	简化管理，可按最高储备定额适当加大订货批量；采购容易的也可随需随购	一般采用定量订货

材料的分类管理方法，不是固定改变的，在不同地区和不同时间，应根据材料供应具体情况适时调整。

8.4.3 材料仓库管理

1. 仓库管理的基本内容

对仓库管理工作的基本要求是：不仅要管好材料，还必须面向生产第一线，主动配合基层生产单位完成施工任务，并积极处理、利用库存积压材料和废旧材料。根据上述要求，仓库管理的基本内容是：

（1）按合同规定的品种、数量和质量要求验收材料。

1）材料的数量验收有以下几种情况：

① 在一般情况下，要全数检查。

② 对于数量较大、协作关系稳定、信誉好、证件齐全、包装完整、运输良好者，可进行抽检。

③ 从境外进口的材料、物资，要进行全数检验。

2）材料的质量检验有以下三种情形：

① 从外形可以判断其质量合格者，可由保管员执行检验。

② 需进行技术检验才能确定其质量合格者，要由技术检验部门或专职人员进行抽检。

③ 凡需进行物理化学试验的，应由技术检验部门抽检。

3）不论是质量验收还是数量验收要把握好以下两点：

① 验收时必须要实测实量，绝不能凭产品包装标识、目测、感觉、估算去验收。比如袋装水泥，一般都是点袋数验收，均认为每袋都为 50kg，殊不知根本就达不到 50kg，因为精明的厂家在利用国家标准规定的负差，国家规定每袋水泥误差为 ±1kg，一般中小型水泥厂尤其是承包给个人的小型水泥厂每袋的负差甚至会超出国家规定的范围，这也是中小型水泥厂价格较低的原因之一。同样钢材，尤其是定尺的螺纹钢、圆钢现场验收都是点根数，然后按每米理论重量换算。事实

上现在的每个钢材企业也都在利用国家规定的负差来降低成本,如直径为8～12mm的钢筋标准规定误差为±7%,如果能充分利用负差,效益非常可观。

② 验收人员要非常熟悉材料标准。材料验收就是验收其符合性,是否达到标准。若不掌握标准,就没法与标准比较,就无法进行正确判断。

此外,材料的检查验收还必须符合有关合同文件的规定。

(2) 按材料的性能和特点,合理存放,妥善保管,防止材料变质和损耗。

(3) 组织材料发放和供料。

对材料发放的基本要求是按质、按量、齐备、准时,确保生产第一线的需要;严格出库手续,防止不合理的领用,促进材料的节约和合理使用。

积极实行现场送料,即根据限额发料计划,由仓库有计划的备料,并把材料直接送到现场,服务施工项目部。现场送料的好处是能使材料消耗定额得到严格执行,控制材料的合理使用,保证施工需要,使生产工人能集中精力搞好生产;便于材料部门掌握现场材料使用情况,实行监督。同时,也利于主动调剂余缺,加强材料供应的计划性和预见性。目前,现场送料的具体做法有:

1) 大配套送料。是指工程所需的大宗材料,如钢筋、木材、水泥、沥青等,按供应计划,统一提前备料,直接送到现场。

2) 小配套送料。指工程所需一般材料,如工具、零星材料、劳保用品等,根据供应计划,结合施工进度,分别配套送到施工项目部。

3) 限额送料。根据施工队限额领料单将材料送到现场。

4) 急料专送。根据施工中急需或查漏补缺情况,通过材料的平衡调度,按指定时间急料专送。

(4) 组织材料回收和修旧利废。

(5) 定期清仓,掌握材料使用动态和库存动态。做到日清、月结、季盘点,年终清仓。材料盘点要求达到"三清"即质量清、数量清、账卡清;"三有"即盈亏有原因、事故损失有报告、调整账卡有根据;"保证四对口"即账、卡、物、资金对口。

2. 材料储存应满足的要求

(1) 入库的材料应按型号、品种分区堆放,并分别编号、标识;

(2) 针对物资的特点进行保管,易燃易爆的材料应专门存放、专人负责保管,并有严格的防火、防爆措施;

(3) 有防湿、防潮要求的材料,应采取防湿、防潮措施,并做好标识。如易受潮变质的水泥、外加剂、电焊条、焊剂等要保持其周围环境的干燥;

(4) 有保质期的库存材料应定期检查,防止过期,并做好标识;

(5) 易损坏的材料应保护好外包装,防止损坏;

(6) 大宗材料保管尤其是砂石,保管场地要尽可能硬化,无条件硬化或场地太大硬化不合算的可以把场地平整后用压路机压实,这样既不浪费材料,又不影响文明施工;

(7) 施工现场平面规划后,材料进场停放时,最好是一次就位,免得二次搬运增加费用。

3. 主要材料的验收保管

（1）水泥

1）验收

① 车到现场时，材料人员须及时到场验收。

② 核对凭证。以出厂质量保证书为凭，如无，不验收，查验单据上水泥品种、强度等级与水泥袋上的标志是否一致，不一致的应分开码放，待进一步查清；检查水泥出厂日期是否超出规定时间，超过的要另行处理；遇有两个单位同时到货的，应详细验收，分别码放，防止品种不同而混杂使用。

③ 整车清点一遍，并与随车码单核对无误后，方可卸车。

④ 旁站监督卸车入库，码垛整齐（每垛10袋）后，再逐袋分别清点一遍。

⑤ 对每车包装水泥进行重量抽磅（每袋重50+1kg），破袋的要灌袋记数并过磅。

以上各步骤均点验无误，即由仓管员电脑制单（或填制验收入库单），且验收签字手续须齐全。随即进行"待检"标识，并通知试验员取样送检。

2）保管

① 水泥一般应入库保管。仓库地坪要高出室外地面20～30cm，与四周墙面要有防潮措施，并离墙至少10cm堆放，码垛时一般码放10包，最高不得超过12包。不同品种、强度等级和日期要分开码放，并挂牌标识。

② 特殊情况，水泥需在露天临时存放时，必须有足够的遮垫措施，做到防水、防潮。

③ 水泥的储存时间不能太长，出厂后超过三个月未用的水泥，要及时抽样检查，经试验后按重新确定的强度等级使用。

④ 水泥应避免与石灰、石膏以及其他易于飞扬的粒状材料保存在一起，以防混杂影响质量。包装如有损坏，应及时更换以避免散失。

⑤ 水泥库房要经常保持清洁，落地灰及时清理、收集、灌装，并应另行收存使用。根据使用情况安排好进料和发料衔接，每批之间应留出通道，严格遵守先进先发原则，防止发生长时间不动的死角。

（2）砂、石料

1）验收

① 车到现场时，材料人员须及时到场验收。

② 检验随车码单，核对车牌号，并对质量进行初验，一般先目测：

砂：颗粒坚硬洁净，一般要求中粗砂，除特殊需用外，一般不用细砂。黏土、泥灰、粉末等不超过3%～5%。

石：颗粒级配应理想，粒形以近似立方块为好。针片状颗粒不得超过25%，在强度等级大于C30的混凝土中，不得超过15%。初验后填写《外观检验记录表》。

③ 目测外观质量后，2位验收人员须将车内砂石铲平整，用备好的钢筋计量尺，在车箱内至少三点不同的部位，进行垂直检尺，并按车箱内径进行长、宽检尺，且要进行复检，计算体积，在卸车后，应检查车箱内是否方直（正），有无凹凸部位。

④ 质量手续、外观、数量、检尺计算无误后,即由仓管员电脑制单(填制验收入库单),且验收签字手续须齐全。

⑤ 随即进行标识,并通知试验员取样送检。

2)保管

① 按现场平面布置图,一般应集中堆放在搅拌机和砂浆机旁的料场,应尽可能硬化料场地面,并砌筑至少50cm高度的围墙。避免与其他垃圾、杂物混杂,防止污水脏物。

② 要成堆堆放,避免成片,以防人踏、车辗造成损失。

③ 平时须经常清理归堆,分规格堆放,并督促班组清底使用。

(3)钢材

1)验收

① 车到现场,材料人员须及时到场进行验收,必要时项目部应提前通知采购人员监督验收。

② 检验随车码单、质检报告。

③ 质量外观验收由验收人员,通过眼看、手摸或使用简单工具,如钢刷等,检查钢材表面是否有缺陷,其具体鉴别方法参见国家标准相关规定,然后填写《外观检验记录表》。

④ 数量验收:线材验收须由验收人员随车过重车磅和空车磅。磅差量须在国标允许范围内,以商检磅或标准计量合格磅站为准。

圆钢、螺纹钢、型钢、管材验收须由验收人员对同一批钢材进行点件(根)检尺理论换算计量。用游标卡尺量出直径,必须符合国家规定或合同要求,超出要求一律拒收;验收人员清点数量与随车码单须吻合。

⑤ 所送材料必须是合同所指定的品牌,质保书必须与炉牌号一致,方可签收。

以上各步骤均点验无误后,即由仓管员电脑制单(或填制验收入库单)。随即进行"待检"标识,并通知试验员取样送检。

2)保管

① 堆放场地应坚实平整、干燥、不积水、清除污物。

② 分清品种、规格、材质,不混淆、标识清楚(分规格堆放)。

③ 钢材中优质钢材、小规格钢材,如镀锌板、镀锌管、薄壁电线管等,入库棚保管,若条件不允许,只能露天存放时,应做好苫垫,简易围护。

8.4.4 施工现场的材料管理

1. 施工准备阶段的材料管理

(1)编制材料预算,提出材料的需用量计划及铁件、构件加工计划。

(2)根据施工平面图,安排和落实材料的堆放和临时仓库。

(3)组织材料分批进场。当场地狭小时,要考虑场地的周转使用,按时间、地点使用场地。

(4)组织材料加工准备,尽可能集中加工,例如对木材、模板、钢筋实行不同程度的集中加工,对水泥混凝土、沥青混合料的集中配料拌和等。通过对材料的集中加工，可以减少材料消耗，提高材料利用率，保证材料质量，也可以减轻劳动强度，提高机械化和专业化水平，还可以减少临时设施的规模，节约施工临时用地，有利于文明施工。

2. 施工过程中的材料管理

（1）货物应严格按照"货物检验程序"检验，合格的材料应做好标识，摆放应规律整齐，货物入库时间应灵活机动，做到晚进早出，减少库存，充分利用施工现场有限的材料存放空间，但不能耽误工程使用。

（2）建立限额领料制度，严格按材料预算限额领料，根据技术人员提供的计划分工段、分区域编制台账，材料出库的同时登记限额领料台账，做到无计划坚决不予发放，不得借用、混用、挪用，减少材料在使用环节中的浪费以保证材料的合理使用。

（3）坚持中间分析和核算。即施工过程中分阶段（一般按分部工程分阶段，也可按时间分阶段）进行材料使用的分析和核算，以便及时发现问题，防止材料超用。

（4）组织材料回收，修旧利废。提高废料的再利用率。材料人员要身体力行，经常深入施工现场回收废料，集中再次利用。

（5）及时进行现场清理，施工中做到工完场清。

3. 工程完工后的材料管理

（1）清理现场，回收、整理余料，杜绝丢失和不正常报废，做到工完场清。

（2）在工料分析的基础上，严格管理，实行定期对账制。按单位工程做好材料消耗情况分析，分析材料费超支原因，总结经验教训。

4. 施工现场材料管理制度

（1）材料验收与入库制度

工地所需的材料采购入场后，应进行材料验收。

1）材料保管员兼作材料验收员，材料验收时应以收到的材料清单所列材料名称、数量进行验收入库，并对入库材料的质量进行检查，验收数量超过申请数量者以退回多余数量为原则，但必要时经领导核定审批核准后可以追加采购手续入库。

2）材料的验收入库应当在材料进场时当场进行，并开具《入库单》，在材料的入库单上详细填写入库材料的名称、数量、规格、型号、品牌、入库时间、经手人等信息。应在入库单上注明采购单号码，以便复核，如因数量、品质、规格有不符之处应采用暂时入库形式，开具材料暂时入库白条，待完全符合或补齐时再开具材料入库单，同时收回入库白条，不得先开具材料入库单后补货。

3）所有材料入库，必须严格验收，在保证其质量合格的基础上实测数量，根据不同材料物件的特性，采取点数、丈量、过磅、量方等方法进行量的验收，禁止估约。

4）对大宗材料、高档材料、特殊材料等要及时索要"三证"（产品合格证、质量保证书、出厂检测报告），产品质量检验报告须加盖红章。对不合格材料的退货也应在入库单中用红笔进行标注，并详细的填写退货的数目、日期及原因。

5) 入库单应一式三联。一联交于财务，以便于核查材料入库时数量和购买时数量有无异议。一联交于采购人员，并和材料发票一起作为材料款的报销凭证。最后一联应由仓库保管人员留档备查。

6) 因材料数量较大或因包装关系，一时无法将应验收的材料验收时，可以先将包装的个数、重量或数量，包装情形等作预备验收，待认真清理后再进行正式验收，必要时在出库中再进行对照后验收。

7) 材料入库后，各级主管领导或部门认为有必要时，可对入库材料进行复验，如发现与入库情况不符的，将追究相关人员责任，造成损失的，由责任人员赔偿。

8) 对于不能入库的材料，如周转架料、钢材、木材、砂、石、砌块、土建用的装饰材料等的进场验收，必须由仓管员和使用该材料的施工班组指定人员双方共同参与点验并在送货单上签字，每批供货完成后，据此验收依据由工长开出限额领料单拨料给施工班组。

(2) 材料使用与出库制度

任何材料的使用都必须进行材料的领用手续，材料管理员不得在无领料手续情况下发放材料（特殊情况领取少量材料除外，但之后必须补办相关手续）。

1) 材料的发放应遵循先进先出的原则。

2) 相应工程所需的材料由现场施工员、班组长负责领取。材料领取执行限额领料制度，施工员应按工程进度配合材料管理员做好分部分项工程材料使用统计。分项工程实际使用数量超过预算量应及时向项目经理及公司汇报。

3) 领料人与保管员办理领料手续：领料人根据当日工程所需要的材料向保管员申请领料，保管员开具相应材料出库单，双方在出库单上签字。

4) 出库单一式三联：库管、财务（大型项目应设置项目部财务科）、领料人各一联。

5) 保管员需做好材料台账，日清月结，做到账物相符，时刻掌握库存情况，认真核对各项工程的材料用量，并就当前库存情况及时提供各种材料数量的补给信息，以便迅速采购补充，不影响工程进度。如因材料的突然缺乏而影响工程进度的，可对材料保管员及相关人员进行一定经济处罚。

(3) 材料归还与退库制度

1) 在工程项目完工70％左右时，严格控制材料的购进与发放，并及时统计出库存材料的状况以及还须购进材料的名称和数目，上交公司有关人员。以免过多的剩余材料，从而节约公司资金投入。

2) 在工程项目结束时应对施工现场的材料进行盘点，并督促施工队伍及时办理退库手续。避免个别施工人员在施工结束时浑水摸鱼，以防材料在工程结束时流失。

3) 在办理材料退库时应填写材料退库单，详细列出剩余材料的名称及数目。清点完毕后同材料人员办理材料交接手续，存入公司仓库。从而使公司仓库的材料一目了然，以便于库存材料在工程保修期和下次施工中充分合理的利用。

(4) 限额领料制度

1）由负责施工的工长或施工员，根据施工预算和材料消耗定额或技术部门提供的配合比、翻样单，签发施工任务单和限额领料单。限额领料单上必须详细注明使用部位、数量，并于开始用料 24 小时前将两单送项目材料组，项目材料组凭单发料。

2）无限额领料单时材料员有权停止发料，外场材料下次将不予进货，直到手续补全，工长或施工员对此负责。

3）班组用料超过限额数时，材料员有权停止发料，并通知负责施工的工长或施工员核查原因。属工程量增加的，增补工程量及限额领料数量；属操作浪费的，按市场价一次性从施工队的工程款中扣除，赔偿手续办好后再补发材料。

4）限额领料单随同施工任务单作为当月结算的依据，在结算的同时应与班组办理余料退库手续。

5）建立班组使用材料节超奖罚制度。

6）周转料具的管理使用，有条件的项目尽量按工作量承包给施工队，以防止周转料具的丢失、掩埋、乱割、乱锯。应本着长料长用、短料短用的原则，不得随意将整料锯短锯小。

8.4.5 材料运输业务的组织

1. 合理选择运输方式与单位

根据运量、运距和施工单位运输力量，合理确定运输方式，根据货源、交通条件与运输的经济性，选择公路、铁路或水路运输。远距离的材料运输，一般可由材料、供应单位代办；本地区大宗材料运输可委托专业运输单位承担；小批量及零星材料的运输可由施工单位自行完成。

2. 讲究装卸方法，提高装卸质量

造成材料耗损较大的一个重要原因是包装质量问题。要提高包装质量，应选择专用运输工具，采用合理的包装容器、夹具。当然，配备包装容器需要一定的投资，但是这种投资完全可以由减少材料损耗和提高运输效率来补偿。选择包装容器时，首先要考虑材料的品种和性质，使材料在运输中的损耗量减少。另外，还要考虑易于装卸，以及能充分利用运输能力的要求。

8.5 市政工程材料的分类管理

8.5.1 工业材料

1. 钢材

（1）特殊专用钢材要早计划，早订货，统一组织供应。必要时，在进场前就要核算需用量，与厂家订立供需合同，以免受货源不足和价格上涨等因素影响，造成工期拖延和经济损失。

（2）大宗通用钢材可由企业统一询价，统一订货，集中仓储，按月计划组织供应。

（3）零星用料、临时追加补充钢材可由项目部自行采购供应。

2. 木材

企业可依据各项目部的季（月）度计划，就地组织货源，统一采购，统一供应。

3. 水泥

施工企业的水泥用量大，运输、保管比较困难，对水泥的管理应注意以下几点：

（1）立足本地资源，尽可能采用汽车运输。因为外地资源，需要火车运输，装卸次数多，运距长，运输制约环节多，时间上没有保证，破损多，浪费大，成本高。

（2）要选择年产量大，质量稳定，有配套运输能力的厂家，且应相对稳定。

（3）水泥的订货，应结合年度计划，在年初签订全年供需合同，以求批量订货，争取价格优惠。

（4）关于水泥的价格，在与厂家协商订货价格时，不要认为是淡季，批量又大，就猛压价，而应按全年均衡供应数，商定双方均可接受的价格。订货价格绝非越低越好。如价格太低，一到水泥旺销季节，水泥厂就可能优先执行价高的合同，低价所订的合同就很难全面履行，造成供应中断。

（5）水泥的仓储量原则上应能满足一个月施工需要，至少也有半月的用量储备。

4. 沥青

沥青是影响路面工程质量的关键材料之一，而且用量及运输量大，用料时间集中。因此在订货时既要考虑质量、价格和厂方的供货能力，又要考虑运输距离。如在济青公路施工中，某施工单位在筹划沥青备料时，发现国内沥青，只有新疆克拉玛依炼油厂的产品，运距达 3000 多千米，铁路运输制约因素多，对确保质量和按时供应把握不大。采用辽宁盘锦沥青，该厂优先保证辽宁的公路建设，能否保证供应，事先无法确定，铁路运输也不能保证。如利用汽车运输，需用 25 台车连续不断运输，才能保证施工需要。在此情况下，他们又考察了进口资源。发现新加坡沥青质量好，价格合理，海运直达青岛港，港口至沥青拌合站仅 40km。在权衡国内外产品质量、价格、运距、保障程度之后，他们毅然决定使用进口沥青，取得了很好的效果。

8.5.2 地方材料

1. 地方材料的特点

在市政工程施工中，地方材料砂、石、土等在整个材料中占有重要地位。其特点是：

（1）用量大料源分布广，采购工作量大。

（2）运输量大，用料点沿线分布，组织运输困难。由于价格原因和材料产地交通条件的制约，绝大部分靠个体车辆运输。

（3）供应方合同意识、法制观念差。生产、运输地方材料的单位，绝大部分是个体户或由个人承包的乡镇企业。他们在经营过程中，合同意识、信誉观念淡薄，给组织供应增加了难度。

（4）质量把关难。由于生产企业多为个体、集体企业，无质检组织和手段，产品出厂无检验，质量不稳定，这给材料质量控制增加了难度。

2. 地方材料的采购前期工作

地方材料供应厂点，要经取样试验合格后才能确定。为适应这一要求，要提早实地勘察材料资源地，主动邀请监理工程师一同去取样、送验。要求各级材料人员搞好配合，充分支持监理工程师履行职责。要做到不辞辛苦，不怕麻烦，不怕反复，严格按试验规定取样、送验。材料检验报告要妥善归档保管，以备查用。

3. 地方材料供应的措施与方法

（1）依靠地方政府动员工程沿线广大群众关心支持工程建设，依靠地方政府的有关政策对地方材料的价格实施宏观控制。

（2）广泛调查研究，摸清各种地方材料的产地、产量、质量，运输条件，做到胸中有数，为日后洽商订货留有回旋余地。

（3）物资系统内部合理划分供应职责，勘察、选厂、送验、签订合同统一由施工企业负责，进料、验收和结算由各项目部负责。这种统放结合的分工，既能确保供应，控制价格，又能充分调动各级材料人员的积极性。

（4）地方材料的供应，应掌握好以下原则：一是材料质量必须合格；二是确保供应；三是争取合理的价格；四是在质量、价格同等条件下，优先照顾长年供货单位以及与工程施工有密切关系的单位及个人。

（5）在订货价格上，要"突破一家，控制全局"。要首先选择年产量大，在当地同行中有显著地位的厂家作为突破口，以大批量订货，争取价格优惠。之后以此价格为参照，和众多的中小厂家商谈供需合同，以便借助"样板"来控制材料价格。

（6）想办法解决需求量大与合同供应单位保证程度差的矛盾，可采取两条措施。首先是超量预备供应厂家，超量签订供需合同，在供应过程中，优存劣汰。其次是所签合同，均为验收后付款，且规定执行合同按使用单位月计划为准送料，订货数量经双方同意可以增减，但必须提前半个月通知对方。这样，可避免因中断执行合同带来的结算争议和施工方承担的法律责任。

（7）尊重分包单位自备材料的意愿，鼓励他们使用地方材料施工。分包单位大都是当地的，发挥他们在人际关系、料源选择、运输通道等方面的优势，鼓励他们自找料源，组织运输，这不仅可以减轻施工单位的供应压力，而且也可调动分包单位的积极性，对确保工程进度和材料供应都有着很大的作用。

（8）在价格问题上与供方互利。应遵循两个基本原则：一是在研究确定合同订货价格时，要考虑双方利益，既要从严掌握，又要使供方有钱可赚。价格适中为宜，价格压得过低，供货单位无钱可赚，供应就没有积极性；二是在供应过程中，既要保持价格的相对稳定，维护合同的严肃性，又不能死守合同价格，在不调价将影响施工时，就应实事求是，合情合理地增调价格，只是调价应持慎重态度，不宜过频。

（9）沥青路面施工特别是面层施工所用的小规格碎石，产量一般较少，用量又比较集中，应及早备料。

8.5.3　成品、半成品的管理

1. 混凝土构件加工。对于特大桥、大桥的梁，在现场预制长向预应力桥面板，通用构件可由构件厂集中加工，局部工程非标准、小型构件最好由各施工单位现场预制，这样既可保证构件的加工质量，又可使构件成本得到控制。

2. 其他成品。护栏和交通标志牌可由全路统一制作或在专门的生产厂采购，桥梁垫板由项目部会同监理工程师一同选择厂家，集中组织加工供应。其他非标准加工件，可自行组织加工。

3. 周转材料。周转材料可采用企业统一调剂的方式，不足部分由项目部就地采购补充。周转材料的管理要解决好防丢失的问题。

本教学单元小结

市政工程施工企业的生存和发展，靠的是在竞争中获取更多的工程施工任务，并通过优化配置、完善管理，降低工程成本。市政工程成本中的材料费往往占到工程造价的50%以上，由于缺乏健全的管理机构和有效的监督，材料成本管理意识落后，材料管理过程中的计划、采购、领用等都还存在较多的问题，造成项目普遍存在材料损失严重，主要材料（钢材、地方材料）严重超耗等现象。在工程项目的成本控制与管理过程中，材料管理是其中的中心环节之一，作好材料管理对于加快施工进度、保证工程质量、降低工程成本、提高经济效益、提升企业的市场竞争力，都具有十分重要的意义。

市政工程材料管理的基本任务就是要以最低的材料成本，保质、按期、成套地供应施工生产所需要的各种材料，并监督材料的合理使用。

因此，合理地制订材料计划，优选材料供应商，降低企业的采购供应成本，适当控制仓库材料库存，对施工现场的材料进行科学管理，应该成为现代施工企业的项目管理人员研究的课题。

思考题与习题

1. 为什么要单独对市政工程材料进行管理？
2. 材料管理的目标是什么？
3. 从施工企业的角度分析，如何对项目现场的工程材料进行库存控制？
4. 施工现场的材料管理应注意哪些问题？

教学单元 9　市政工程施工组织设计

【教学目标】　了解市政工程施工组织设计的概念；熟悉市政工程施工组织设计类型及编制原则；掌握市政工程施工组织设计的编制内容及程序；掌握市政工程施工组织设计施工方案的编写；掌握市政工程施工组织设计施工进度计划的编制；掌握市政工程施工组织设计平面布置图绘制的内容及绘制方法；掌握市政工程施工组织设计资源需求计划的编制。

9.1　市政工程施工组织设计概论

9.1.1　市政工程施工组织设计的概念及作用

1. 市政施工组织设计的概念

市政工程施工组织设计是市政施工组织管理工作的核心和灵魂。

如何以更快的施工速度，更科学的施工方法和更经济的工程成本完成每一项市政施工任务，这是工程建设者极为关心并为之努力追求和奋斗的目标。

市政施工组织设计就是对工程建设项目在整个施工全过程的构思设想和具体的安排，即从人力、资金、材料、机械、施工方法这五个主要因素进行科学合理的安排。其目的是要使工程建设达到速度快、质量好、效益高，使整个工程在施工中获得相对的最优效果。

我国古代留下很多有益的格言，如"凡事预则立，不预则废"、"良好的开端是成功的一半"等，说的都是组织计划的重要性。办事、想问题，事先都应有个计划考虑。合理的计划，周密的考虑，正确的措施，能使要办的事顺利进行，收到事半功倍的效果；反之，无计划、无措施的办事，想到哪里是哪里，反正"车到山前必有路，船到桥头自会直"，计划不周，措施不力，工作就会被动，带来很多麻烦，造成事倍功半的后果。

2. 施工组织设计的作用

施工组织设计是根据国家或业主对拟建工程的要求、设计图纸和编制施工组织设计的基本原则，从拟建工程施工全过程中的人力、物力和空间等三个要素着手，在人力与物力、主体与辅助、供应与消耗、生产与储存、专业与协作、使用与维修和空间布置与时间排列等方面进行科学、合理地部署，为建筑产品生产的节奏性、均衡性和连续性提供最优方案，从而以最少的资源消耗取得最大的经济效果，使最终建筑产品的生产在时间上达到速度快和工期短；在质量上达到精度高和功能好；在经济上达到消耗少、成本低和利润高的目的。

施工组织设计的作用是对拟建工程施工的全过程实行科学管理的重要手段。通过施工组织设计的编制，可以全面考虑拟建工程的各种具体施工条件，扬长避短地拟定合理的施工方案,确定施工顺序、施工方法、劳动组织和技术经济的组织措施,合理地统筹安排,拟定施工进度计划,保证拟建工程按期投产或交付使用;也为拟建工程的设计方案在经济上的合理性,在技术上的科学性和在实施工程上的可能性进行论证提供依据;还为建设单位编制基本建设计划和施工企业编制施工计划提供依据。施工企业可以提前掌握人力、材料和机具使用上的先后顺序,全面安排资源的供应与消耗;可以合理地确定临时设施的数量、规模和用途,以及临时设施、材料和机具在施工场地上的布置方案。

通过施工组织设计的编制,可以预计施工过程中可能发生的各种情况,事先做好准备、预防,为施工准备工作提供依据;可以把拟建工程的设计与施工、技术与经济、前方与后方、施工企业的全部施工安排与具体工程的组织工作更紧密地结合起来,可以更好地协调施工单位与协作单位、部门与部门、阶段与阶段、过程与过程之间的关系。

9.1.2 市政工程施工组织设计的编制原则

1. 严格执行建设程序

市政工程项目建设工期长,规模大,耗用的人力、物力等资源多,需要巨大投资,必须纳入国家的基本建设计划。项目实施应严格按照基本建设程序和施工程序办事,按照合同签订的或业主下达的施工期限,根据工程情况,对人、材料、机械等资源合理组织,确保重点工程,分期分批安排,保质保量按期完成施工。

2. 合理安排施工进度

市政施工受外界影响大,既要考虑时间与空间顺序,还要考虑工程项目施工顺序的客观规律,全面考虑,统筹安排施工进度,如施工准备、基础工程、主体结构工程、路面工程、附属结构物工程等。将整个施工项目划分为若干个阶段或分项工程,使各专业机构、各工种工人和施工机械,能够不间断地、有秩序地进行施工,尽快由一个项目转移到另一项目上去,从而实现连续、均衡而又紧凑地组织施工,达到缩短工期、降低成本的目的。

3. 采用先进施工技术

采用先进的施工技术是提高劳动生产率、加快施工速度、提高工程质量、降低工程成本的重要途径。积极运用和推广新技术、新工艺、新材料、新设备是现代文明施工的标志。不断提高施工机械化、预制装配化程度,减轻劳动强度,提高劳动效率,缩短了工期,降低了成本。

4. 科学应用作业方法

采用现代科学的作业方法,使施工活动在时间、空间上得到统筹安排。因此,必须采用系统分析、流水作业、统筹方法、网络技术、计算机辅助系统和先进的施工工艺等现代科学技术成果。

5. 确保质量,安全施工

市政工程是永久性的建筑物,施工发生质量、安全事故,不仅直接影响工程的使用效果,还会影响工期,造成难以弥补的损失。安全施工,既是施工顺利进行的保障,也是对劳动者关怀的体现。在进行施工组织设计时,要实行预防为主的方针;要认真贯彻施工技术规范,制定出工程质量和安全施工的措施;要经常进行质量和安全教育，遵守有关规范、规程和制度。

6. 统筹布置施工现场

合理布置施工平面图，节约施工用地，充分利用现有资源，尽量减少临时设施、临时便道、临时便桥的设置，方便施工，避免材料二次搬运，充分利用当地人工、材料等。实行经济核算，挖掘潜力，增产节约，不断降低工程成本，增强企业自身的经济实力和社会竞争力。

9.1.3 市政工程施工组织设计的类型

根据市政工程施工组织设计设计阶段和编制对象的不同，市政工程施工组织设计可以划分为两类：一类是投标前编制的施工组织设计（简称标前设计），另类是签订工程承包合同后编制的施工组织设计（简称标后设计），后者又可分为三种：施工组织总设计、单位工程施工组织设计和分部工程施工组织设计。

1. 标前设计

标前设计也叫指导性施工组织设计，是施工单位（投标单位）在深入了解和研究设计文件、设计图纸招标文件，以及调查和复核现场情况，与建设单位、设计单位协商解决设计变更，经施工设计和施工辅助设计之后着手编制的。它是投标文件中的必备文件，施工单位中标后，它是承包合同文件的重要组成部分，是建设单位（业主）和监理工程师对承包单位进行监督管理的依据之一，同时也是施工单位编制投标报价的依据。

2. 标后设计

标后设计也叫实施性施工组织总设计，是施工单位中标后，在设计阶段的"施工组织计划"和投标时编制的"指导性施工组织设计"的基础上，为进一步落实和确保指导性施工组织设计按期或提前实现，以整个建设项目为对象，着手编制的施工组织设计文件。它是施工单位在进一步详细研究设计文件、图纸、合同条款文本，以及现场反复调查复核的情况下，对指导性施工组织设计文件的内容逐一研究落实，并经分析和科学优化，重新进行补充和完善。

9.1.4 市政工程施工组织设计的编制内容及程序

1. 市政工程施工组织设计的编制内容

市政工程施工组织设计的内容，就是根据不同工程的特点和要求，及现有的和可能创造的施工条件，从实际出发，决定各种生产要素（材料、机械、资金、劳动力和施工方法等）的结合方式。

在不同设计阶段编制的施工组织设计文件，内容和深度不尽相同，其作用也不一样。一般说施工组织条件设计是概略的施工条件分析，提出创造施工条件和建筑生产能力配备的规划；施工组织总设计是对施工进行总体部署的战略性施工纲领；单位工程施工组织设计则是详尽的实施性施工计划，用以具体指导现场施工活动。

施工组织设计的一般内容有：

（1）工程概况。

（2）施工方案，包括施工方法与相应的技术组织措施。

（3）施工进度计划。

(4) 施工现场平面布置图。
(5) 劳动力、机械设备、材料和构件等供应计划。
(6) 质量保证措施与安全技术措施。
(7) 主要技术经济指标。

2. 市政工程施工组织设计的编制程序

(1) 对工程项目设计图纸、合同、技术规范等进行分析研究，必要时进行相关资料的收集和调研。
(2) 计算施工工程数量。
(3) 选择施工方案，确定施工方法。
(4) 编制工程进度计划。
(5) 计算人工、材料、机具需要量，编制相关计划。
(6) 确定临时工程，编制水、电、气、热供应计划。
(7) 设计和布置施工平面图。
(8) 确定技术措施计划，计算技术经济指标。
(9) 确定施工组织管理机构。
(10) 编制质量、安全、环保和文明施工措施计划。
(11) 编写说明书。

3. 市政施工组织设计编制应注意问题

为了使施工组织设计更好地起到组织和指导施工的作用，在编制施工组织设计时要注意以下几个问题：

(1) 编制时，必须对施工有关的技术经济条件进行广泛和充分的调查研究、收集各方面的原始资料，必须广泛地征求有关单位和群众的意见。主持编制的单位应先召开交底会，组织基层单位或分包单位参加，请建设单位、设计单位进行建设条件和设计交底；然后根据提供的条件和要求，广泛吸收技术人员的意见制定措施，在此基础上提出初稿，初稿完成后，还应讨论和审定。

(2) 施工单位中标后，必须编制具有实际指导意义的标后施工组织设计。当建设工程实行总包和分包时，应由总包单位负责编制施工组织设计或者分阶段施工组织设计。分包单位在总包单位的总体部署下，负责编制分包工程的施工组织设计。施工组织设计应根据合同工期及有关的规定进行编制，并且一定要广泛征求各协作施工单位的意见。

(3) 对结构复杂、施工难度大以及采用新工艺、新技术的工程项目，要进行专业性研究，必要时组织专门会议，邀请有经验的专业工程技术人员参加，确定解决问题的方案。

(4) 在施工组织设计编制过程中，要充分发挥各职能部门的作用，充分利用施工企业的技术素质和管理素质，统筹安排，扬长避短，发挥施工企业的优势和水平，合理地进行工序交叉配合程序设计。

(5) 竞标性施工组织设计，在编制时要能反映业主对工程的要求，满足业主的愿望，这样在评标时才能得到好评。

(6) 当施工组织设计的初稿完成后，要组织参加编制的人员及单位进行讨论，逐项逐条地修改，最终形成正式文件，送主管部门审批。

9.2 市政工程施工组织设计的编制方法

9.2.1 市政工程组织设计的资料收集

1. 施工技术资料

施工技术资料是合同条款中规定的各种施工技术规范、施工操作规程、施工安全作业规程等，此外还应收集施工新工艺、新方法、新技术以及新型材料、机具等资料。

2. 工程设计文件及合同条款

除了设计说明书、计算书、图表必须齐全外，还应详细了解各项工程的结构形式和细部构造特点，工程数量，工程所需的各种材料与构件、成品的数量和规格。

3. 自然条件和施工条件调查资料

主要收集市政工程沿线的地形、地貌、地质、水文和气象资料；劳动力、材料、交通运输、机械设备、水、电资源。具体内容如下：

（1）地形、地貌

主要收集资料包括区域地形图、工程位置地形图等，准确掌握工程所处的地形情况。其目的是为选择施工用地、布置施工平面图、计算现场平整土方量、掌握障碍物及数量等提供充分依据。

（2）地质、地震

主要收集资料包括地层构造、地表与下层的土质类别及厚度、土的性质、断层、防空洞、枯井、土坑、古墓、洞穴等；调查地震级别、烈度大小。其目的是为土石方施工方法和机械的选择、特殊地基处理方法、选定自采加工材料料场、障碍物拆除计划等提供充分的依据。

（3）水文

主要收集资料包括地面水和地下水的分布，河流正常水量、枯水量、洪水量，河流正常水位、枯水位、洪水位，地下水最高水位、最低水位、水量、水质，海潮的潮位等。其目的是为临时给水、航运组织、水工工程施工等提供充分依据。

（4）气象

主要收集资料包括年平均、最高、最低温度及最热月的逐月平均温度，冬、夏季室外计算温度，小于或等于 $-3℃$、$0℃$、$5℃$ 的天数，起止时间；雨季起止时间、全年降雨水量，降雨天数；降雪；风速风向，大于等于 8 级风全年天数等。其目的是为防暑降温、冬期施工、雨期施工、工地排水、防洪、防雷击、高空作业提供充分依据。

（5）劳动力及材料

主要收集资料包括劳动力的来源、劳动力数量及是否充足、可靠、可利用，工人工作熟练程度，以便进行劳动力的安排，如当地劳动力缺乏，要考虑从外地调进劳动力，外调劳动力数量、时间等。调查各种材料（砂、石、土、石灰等）

供应能力、质量、数量、价格、规格、运距、运费以及当地加工能力是否满足需求。

(6) 水、电资源

主要收集资料包括施工动力和照明用电供应情况，用电的电源位置、路径、容量、电压及电费；施工用水及生活用水供应情况，与当地水源连接的可能性，是采用自来水、地下水或河水等，当地水质、可供水量、水压、水费等情况。

(7) 机械设备

主要收集资料包括企业拥有施工机械的品种、型号、数量、完好率、利用率等以及当地是否有施工中所需相应的机械租赁公司，其租赁公司里机械设备种类、数量、租赁价格等，以及修理机械设备的修理厂是否能满足施工过程的需要等情况。

(8) 交通运输

主要收集资料包括有无可利用的铁路、公路、水运线路直通现场，以及这些线路对施工过程中所运输机械、材料等有无妨碍，如没有直通线路，为了保证施工顺利进行，应考虑修建临时交通线路。

4. 各种定额及概预算资料

主要包括设计采用的预算定额，施工定额，沿线地区性定额，预算单价，工程概预算的编制依据等。

5. 其他资料

包括施工技术与管理工作的相关国家政策规定、环境条例、上级对施工的有关规定和工期要求等。

9.2.2 工程概况

工程概况包括工程简介、工程建设地点特征、施工条件、主要项目工程量等。

1. 工程简介

(1) 主要介绍拟建市政工程的建设单位，工程名称，性质、用途和建设的目的，资金来源及工程造价，开、工日期，设计单位、施工单位、监理单位，施工图纸情况，施工合同是否签订，上级有关文件或要求以及组织施工的指导思想等。

(2) 主要根据施工图纸，结合调查资料，简要地从建筑和结构概括工程全貌、综合分析，突出重点问题。对新结构、新材料、新技术、新工艺及施工的难点作重点说明。

2. 工程建设地点特征

主要介绍拟建工程的地理位置、地形、地貌、工程地质、水文地质、气温、冬雨期时间、主导风向、风力和地震烈度等。

3. 施工条件

主要介绍"三通一平"的情况，当地的交通运输条件，资源生产及供应情况，施工现场大小及周围环境情况，预制构件生产及供应情况，施工单位机械、设备、劳动力的落实情况，内部承包方式、劳动组织形式及施工管理水平，现场临时设施、供水、供电等。

4. 主要项目工程量

以表的形式列出主要项目工程量，表格形式见表9-1。

主要项目工程量 表 9-1

主要项目	单位	工程量

9.2.3 施工部署与施工方案

1. 市政工程施工部署

施工总体部署是对建设项目的施工全局做出统筹规划，简明阐述施工条件的创造和施工展开的总体思路，使之成为全部施工活动及过程组织的基本框架和纲领，它主要解决影响建设项目全局的重大战略问题。施工部署的内容和侧重点会因建设项目的性质、规模和客观条件不同而有所不同。施工总体部署主要内容包括：项目组织机构设置、施工任务划分、施工顺序、拟定主要项目的施工方案、主要施工阶段工期分析。

（1）项目组织机构设置

1）市政工程施工项目管理组织机构

市政工程施工项目的组织机构——项目经理部，是以具体市政工程施工项目为对象，以实现质量、工期、成本、安全和文明施工相统一的综合效益为目标的一次性、临时性组织机构，是施工企业派驻施工现场实施管理的权力机构，负责施工现场的全面管理工作。

2）项目经理部的功能

① 项目经理部实行项目经理负责制。在项目经理的领导下，负责施工项目从开始到竣工的全过程施工生产管理活动。它对作业层负有管理与服务的职能并向公司负责。

② 项目经理部是一个组织整体。其作用包括完成企业赋予的基本任务——项目管理和专业管理；要促进管理人员的合作，协调部门之间、管理人员之间的关系；要凝聚管理人员的力量，调动每个人的积极性，发挥其应有的作用，为共同的目标而努力工作。

③ 项目经理部是代表施工企业履行工程承包合同的主体，是最终产品质量责任的承担者，要代表企业对业主全面负责。

3）市政工程施工项目经理部的组织结构模式

市政工程施工项目经理部的组织结构模式一般有四种，即直线式、职能式、直线职能式、矩阵式。目前主要采用的组织结构模式有直线式和直线职能式，大型项目可采用矩阵式。

施工项目机构应根据本工程的实际情况，由项目经理组织项目机构，并成立"项目经理部"，实行项目经理负责制，对公司和项目全面负责。项目经理部一般设置工程技术部、安全管理部、材料设备部、合同经营部、财务部和办公室六个职能部门，职能部门设置和人员的配备应适应工作的需要。在管理层下设置各专业作业队，即作业层，作业队下设作业班组。

（2）施工段落的划分

市政工程施工标段里程较长，为了方便管理，将整个项目划分为若干个施工段落分别管理，同时进行施工，以加快进度，减少管理难度。

施工段落的划分应符合以下原则：

1) 为便于各段落的组织管理及相互协调，段落的划分不能过小，应适合采用现代化的施工方法和施工工艺，即采用目前市场上拥有的效率高、能保证施工质量的施工机械，保证正常的流水作业和必要的工序间隔，从而保证施工质量；也不能过大，否则起不到方便管理的作用；段落的大小应根据单位本身的技术能力、管理水平、机械设备状况结合现场情况综合考虑。

2) 各段落之间工程量基本平衡，投入的劳动力、材料、施工设备及技术力量基本一致，都能够在一个合理的（或最短的）工期内完成工程。

3) 避免段落之间的施工干扰，如施工交通、施工场地、临时用地干扰等。即各段落之间应有独立的施工道路及临时用地，土石方填、挖数量基本平衡，避免或减少跨段落调配，以避免段落之间相互污染或损坏修建的工程及影响工效等。

4) 工程性质相同的地段（如石方、软土段）或施工复杂难度较大而施工技术相同的地段尽可能避免化整为零，以免既影响效率，又影响质量。

5) 保持构造物的完整性，除了特大桥之外，尽可能不肢解完整的工程构造物。

（3）确定工程开展顺序

根据工程项目总目标的要求，确定合理的工程施工分期、分批开展的顺序。在工程项目施工区段划分的基础上，进行施工流向的顺序安排。这里包含了工艺顺序和组织顺序，其中以组织顺序为主。

在确定施工开展顺序时，主要应考虑以下几点：

1) 在保证总工期的前提下，实行分期、分批施工。这样既可使各期工程迅速建成，尽早投入使用，又可在全局上实现施工的连续性和均衡性，减少临时设施数量，降低工程成本。至于分几期施工，各期工程包含哪些内容，则要根据工程规模和施工难易程度等情况来确定。

2) 统筹安排各类项目施工，保证重点、兼顾其他，确保项目按期完成。要根据其重要程度及在施工生产中所处的地位进行排序。通常应优先安排的项目有：

① 按生产工艺要求，须先期投入生产或起主导作用的项目。

② 工程量大、施工难度大、工期长的项目。

③ 运输系统、动力系统。

④ 公路运行需要的服务区、收费站的办公楼及部分建筑等，以便施工临时占用。

⑤ 供施工使用的工程项目，如采砂（石）场、木材加工厂、各种构件加工厂、混凝土搅拌站等施工辅助项目；以及其他施工服务项目，如临时设施等。

对于工程项目中工程量小、施工难度不大、周期较短而又不急于使用的辅助项目，可以考虑与主体工程相配合，作为平衡项目穿插在主体工程中进行。

3) 所有项目施工均应按照"先地下、后地上，先深、后浅，先主体、后附属，先结构、后装饰"的原则进行安排。

4) 考虑施工的季节性影响。例如大量土方的施工，最好避开雨季；水中基础的施工，要避开洪水期；高寒地区的冬季，应停止混凝土的施工等。

(4) 拟定主要项目的施工方案

施工总体部署时需要拟定主要工程项目的施工方案。这些项目通常是工程项目中工程量大、施工难度大、技术复杂、工期长，对整个项目的建成起关键性作用的建筑物（构筑物），以及全场范围内工程量大、影响全局的特殊分项工程。拟定主要工程项目施工方案的目的是为工程项目开工进行技术和资源的准备，同时也是为了现场的合理布置。施工方案的拟定包括选择施工方法、确定工艺流程、配备施工机械设备、确定需要的临时工程（临时设施）等。

(5) 主要施工阶段工期分析（或节点工期分析）

根据拟定的施工方案，结合工程量、水文地质等条件，分析确定主要施工阶段与关键节点的工期时间，以便于总体工期控制。

2. 施工方案

施工方案的选择是施工组织设计中的重要环节，是决定整个工程全局的关键。施工方案选择的恰当与否，将直接影响到单位工程的施工效率、进度安排、施工质量、施工安全、工期长短。因此，我们必须在若干个初步方案的基础上进行分析比较，力求选择一个最经济、最合理的施工方案。在选择施工方案时应着重研究施工顺序、施工方法、施工机械。

(1) 施工方案选择的原则

1) 实际出发，切实可行

选择施工方案在资源、技术上提出的要求应该与当时已有的条件或在一定时间能争取到的条件相吻合，否则是不能实现的，因此只有在切实可行的范围内尽量求其先进和快速，这两者是统一的，离开这个原则再先进的技术、再快的施工速度也是无用的。切实可行是关键，也是制定方案的主要方面。

2) 满足合同要求工期

即按工期要求投入生产，交付使用，发挥投资效益，这对国民经济发展具有重大的意义。所以在制定施工方案时，必须保证在竣工时间上符合国家或合同规定要求，并争取提前完成。为此在施工组织上要统筹安排，均衡施工，尽可能地采用先进的施工技术、施工工艺、新材料，采用现代的管理方法进行动态管理和控制。

3) 确保工程质量和施工安全

多年来，我国一直强调必须贯彻"百年大计，质量第一"的方针，但生产和安全不能对立，安全是为了更好生产，而生产必须高度注意安全。在制定施工方案时应充分考虑工程质量和施工安全，并提出保证工程质量和施工安全的技术措施，使方案完全符合技术、操作规范和安全规程的要求。

4) 经济合理

在制定施工方案时，尽量采用降低施工费用的有效措施，从施工成本的直接费和间接费中找出节约的途径，采取措施控制直接消耗，减少非生产人员。挖掘节约的潜力，最大限度降低施工费用。

(2) 施工顺序的安排

施工顺序安排是编制施工方案的重要内容之一，施工顺序安排的合理，可以加快施工进度，减少人工和机械的停歇时间，并能充分利用工作面，避免施工干扰，达到均衡、连续施工，实现科学组织施工，做到不增加资源，加快工期，降低施工成本。

1) 施工顺序确定要求

① 必须符合施工工艺的要求。这种要求反映出施工工艺上存在的客观规律和相互的制约关系，一般不可违背。例如填筑路堤材料后应该是压实。

② 必须使施工顺序与施工方法、施工机具协调一致。例如开挖石质路堑路基采用人工开挖与机械开挖或采用爆破开挖其施工顺序显然不同。

③ 必须考虑施工安全和质量的要求。例如开挖土质路堑时，先从上往下开挖，以保证施工安全和质量，就不能从下往上挖"神仙"土。

④ 必须考虑水文工程、工程地质、气候的影响。在安排施工顺序时，应充分考虑雨季、不良地质区域等因素的影响。如修筑低洼地段土质路基或开挖土质深路堑路基，应安排在雨期前或雨水较少季节施工。在容易受泥石流影响路段也应安排在雨水较少季节施工。

⑤ 必须考虑影响全局关键工程的合理施工顺序。如有些地质条件差的路段，后续工程所需的材料、机械需要该路段完成后才有运输的，此时应集中力量攻克关键工程。

⑥ 必须遵循合理组织施工过程的基本原则。即施工过程的连续性、协调性、均衡性以及经济性。

2) 在确定施工开展顺序时，主要考虑的问题同前文。

(3) 施工方法的选择

施工方法选择是施工方案中核心而关键的内容，对工程的实施具有决定性的作用，它直接影响施工进度、质量、安全及工程成本。各施工过程可采用多种施工方法进行施工，而每一种方法都有其特点。要从若干可行的施工方法中，选择一个最先进、最可行、最经济的施工方法。选择施工方法的应遵循以下原则：

1) 必须具备实现的可能性。在施工过程中，某个分部、分项工程的完成方法很多，要选择能够实施、可操作的施工方法。

2) 多方法比较，力求合理、经济。提出几种实现的方法，从实际出发，通过认真分析、研究、讨论、计算等确定每一种方法的造价及施工难度等，最终选择一种可行，且造价较低的方法。

3) 重点考虑主要施工项目。针对工程的主导施工过程而言，不仅要重点突出，而且对采用新技术、新工艺、新方法和对本工程起关键作用的施工项目，以及工人操作不熟练的项目，或技术复杂人工操作困难的工序，都要详细地制定施工方法。

4) 满足合同工期要求。要明确总工期属于紧迫、正常还是充裕，选择施工方法时必须充分考虑总工期。

5) 充分考虑施工组织条件。选择施工方法应考虑工程特点、工程要求、施工条件、所需设备、材料、资金等供应的可能性等因素，因而不同类型工程的施工方法有很大差异，即使同一类型的工程，其施工方法也很多种。例如，填筑路基施工，可以采用分层填筑法和竖向填筑法以及综合填筑法。但究竟采用哪种方法，就要结合自然条件、施工单位的经验和设备，以及吸收同类工程的先进技术来选择。

6）保证施工质量和安全。选择任何一种施工方法，都应以确保施工质量和安全为前提。

在现代化的施工条件下，施工方法的确定主要涉及施工机械、机具的选择和配备等方面。例如桥梁基础工程施工，仅钻孔灌注柱就有多种施工机械可供选择，如潜孔钻机、冲击式钻机、冲抓式钻机、旋转式钻机。钻机一旦确定，施工方法也就确定了。再如，扩大开挖基础，可以人工开挖，也可机械开挖。假若没有机械，又能满足施工要求，地下水不丰富，那么选择人工施工比较适合。

（4）施工机械的选择

正确制定施工方法和选择施工机械是合理组织施工的关键，二者又有紧密联系。施工方法在技术上必须保证施工质量，提高劳动生产率，加快施工进度及充分利用机械，做到技术上先进，经济上合理；而正确地选择施工机械能使施工方法更为先进、合理和经济。因此施工机械选择的正确与否很大程度决定了施工方案的优劣。所以，在选择机械时应遵循以下原则：

1）在现有的或可能争取得到的机械中选择。尽管某种机械在各方面都很合适，对工期的缩短、人力的节省都有利，但不具操作性，就不能选择。如大型土方施工采用挖掘机或装载机配上装卸车效率高，如有推土机、铲运机配合施工更好，但施工企业无资金购置或租赁不到相关设备，也只能按现有的设备确定方案。

2）根据施工条件确定机械的类型。选择的机械必须符合施工现场的地质、地形条件及工程质量和施工进度的要求等，这也是合理选择施工机械的重要依据。为了保证施工进度和提高经济效益，工程量大的采用大型机械，但并不是绝对的。若大型土方工程施工地区偏僻，道路狭窄，桥梁载重量受到限制，大型机械不能通过，为此要专门修建运输大型机械的道路、桥梁，这显然是不经济的，所以选用中型的机械较为合理。选用挖土机时应考虑开挖工作面的高度，否则装土斗不能一次装满，就会降低挖土机的生产效率。

3）施工机械的合理组合。选择机械时要考虑到各种机械的组合，这是决定所选择的施工机械能否发挥效率。合理组合主要包括主机与辅助机械在台数和生产能力的相互适应以及作业线上的各种机械相配套的组合。首先是主机与辅助机械的组合。要在主机充分发挥作用的前提下，考虑辅助机械的台数和生产能力，如使用挖掘机或装载机进行土方作业时需装卸车运土。前者是主机，后者是辅机，一台主机配几台辅机，视主机的容量（生产能力）而定，应在保证主机连续不断的作业条件下配置倾卸车，而且要使挖掘机或装载机与倾卸车在容量和台数上合理组合。一般倾卸车的容量不少于铲斗容量的3～4倍，否则由于装车时间短，倾卸车跟不上，会出现施工停滞现象；同时倾卸车载重量过小，而铲斗容量大易损坏车厢和底盘，增加车辆的维修量，甚至因车多造成运输的问题。其次是作业线上的各种机械相配套的组合。机械施工作业线是几种机械联合作业组合成一条龙的机械化作业线,因此需几种机械的联合才能形成生产能力,如果其中某一种机械的生产能力不适应作业线上其他机械的生产能力或机械可靠性不好,都会使整条作业线的机械发挥不了作用。如隧道施工的机械化作业线由挖掘机(钻孔机械)、装渣机、出渣运输机组成,采用大型液压钻机台车必须配备与之相适应的装载机和运输设备,否则会因为出渣、运输的能力不够,而延长循环作业时间。

4)从全局出发统筹考虑选择施工机械。从全局出发就是不仅考虑本项工程需要,也要考虑所承担的同一现场的其他项工程施工的需要。即从局部选择可能不合理,应从全局考虑。例如,如果几个工程需要的混凝土量大,而又相距不远,采用混凝土搅拌楼比多台分散的拌合机更经济,而且还可以保证混凝土的质量。

5)购置机械与租赁机械的选择。根据工程量的大小与企业资金情况,确定施工需要的机械是购置还是租赁。

9.2.4 工程施工进度计划编制

1. 施工进度计划的作用及依据

(1) 施工进度计划的作用

施工进度计划是控制工程施工进度和工程竣工期限等的依据,施工组织工作中的其他有关问题都要服从进度计划的要求,如计划部门提出月、旬作业计划,平衡劳动力计划;材料部门调配材料、构件;设备部门安排施工机具;财务部门的用款计划等均需以施工进度为基础。

施工进度计划反映了工程从施工准备开始,直到工程竣工为止的全部施工过程;反映了工程建筑与安装的配合关系,各分部及工序之间的衔接关系,所以施工进度计划有助于项目部抓住关键,统筹全局,合理布置人力、物力,正确指导施工生产顺利进行。

有利于项目部全体员工明确目标,更好地发挥主动精神;有利于施工企业内部及时配合,协同作业。

(2) 编制施工进度计划的依据

1) 工程的全部施工图纸及有关水文工程、工程地质、气象和其他技术经济资料;

2) 上级或合同规定的开工、竣工日期;

3) 主要工程的施工方案;

4) 劳动定额和机械使用定额;

5) 劳动力、机械设备供应情况。

2. 编制施工进度计划的步骤和表达方式

(1) 编制施工进度计划的步骤

1) 研究施工图纸和有关资料及施工条件;

2) 划分施工项目,计算实际工程数量;

3) 选择合理的施工顺序和施工方法;

4) 计算各施工过程的实际工作量(劳动量);

5) 确定各施工过程的持续时间;

6) 绘制施工进度图；

7) 检查与调整施工进度。

(2) 施工进度计划的表达方式

施工进度计划的表达方式一般有横道图和网络图两种方法。横道图的表格形式见表9-2。

工程施工进度计划横道图表 表 9-2

序号	分部分项工程名称	工程量		时间定额	劳动量		需要机械		每天工作班次	每天工作人数	工作天数	施工进度					
												月			月		
		单位	数量		工种	数量(工日)	机械名称	台班数量				10	20	30	10	20	30

3. 施工进度计划编制方法

(1) 确定施工方法

确定施工方法时，首先考虑工程特点、现有机具的性能、施工环境等因素。如一般路堤（或路堑）宜用推土机施工，需要远运的挖方宜用挖掘机配合自卸汽车施工，填挖均不大的路基土方常选用平地机施工。采用预制装配施工的板桥、管涵等工程，必须有相应的吊装、运输设备。其次要考虑施工单位的机械效益配置情况。当机具量少，型号单一时，应选择能发挥机械效益的施工方法，即使是机具齐全，也必须考虑施工方法的经济性。最后要考虑施工技术在操作上的合理性。如果在一个固定位置上有大量的施工作业，最好选用适宜固定式机具作业的施工方法；如果是分散作业或路面工程，则选择移动式施工机具为宜。

(2) 选择施工组织方法

根据具体的施工条件选择先进、合理、经济的施工组织方法，是编制施工进度图的关键。流水作业法是工程施工较好的组织方法，但不能单独使用，对于工程技术复杂，施工头绪多，涉及面广的大型工程，则应考虑采用平行流水作业法、立体交叉流水作业法、网络计划法等。如工作面受限制，工期要求不紧的小型工程只能采用顺序作业法。

(3) 划分施工项目

施工方法确定后就可划分施工项目。每项工程都是由若干个相互关联的施工项目所组成，如桥梁工程由施工准备、基础工程、下部工程、上部工程、桥面系、引道工程等施工项目组成。施工项目（单位工程、分部工程、分项工程、工序等）划分粗细程度与施工进度图的用途、工程结构特点有关。通常按所采用的定额的细目或子目来划分，便于查阅定额。

划分施工项目时，必须明确哪一项是主导施工项目。主导施工项目就是施工难度大，耗用资源多或施工技术最复杂，需要使用专门机械设备的工序或单位工程。主导施工项目常控制施工进度，应首先安排好主导施工项目的施工进度，其他施工项目的进度要密切配合。在市政工程中，高级路面、重点土石方、特殊路基、大中桥等通常都是主导施工项目。

(4) 排列施工次序

按照客观的施工规律和合理的施工顺序，将所划分的施工项目进行排序，如施工准备、路基处理、路基填筑、涵洞、防护及排水、路面基层、路面面层等。路面基层施工项目必须放在路基填筑、涵洞施工项目的后面。注意不要漏列、重列。施工进度图的实质是科学合理地确定这些施工项目的排列次序。

(5) 计算工程量与劳动量

各施工项目的工程量计算应与所选择的施工方法一致，当划分完施工段，排好次序组织作业时，根据施工图纸及有关工程数量的计算规则，分段计算各个施工项目的工程量，以及为保证施工质量和安全应附加的工程量，并填入相应表格中。如土方工程采用人工、机械、爆破3种方法施工时，其工程量计算并不完全相等。为便于计算劳动量（工日），工程量的单位应与定额规定的单位一致。

劳动量是施工项目的工程量与相应时间定额的乘积。计算劳动量时要注意施工现场的具体情况和施工的难易程度。同样是挖基坑的工程数量，挖普通土和挖硬土的劳动量不同；同样是砌筑的工程数量，材料的运距不同，劳动量也不同。

劳动量的计算是实际投入的人数与施工项目的作业持续时间的乘积。人工操作时称为劳动量（工日），机械操作时称为作业量（台班）。

劳动量可按式（9-1）计算：

$$P_i = Q_i \cdot S_i = \frac{Q_i}{C_i} \tag{9-1}$$

式中 P_i——在一个施工段上完成某施工过程所需的劳动量（工日数）或机械台班量（台班数）；

Q_i——某施工过程在某施工段上的工程量；

C_i——某施工过程的每工日（或每台班）产量定额；

S_i——某施工过程采用的时间定额。

(6) 计算各施工过程的作业持续时间（生产周期）

由于要求工期和施工条件的不同，生产周期可按式（9-2）计算：

$$t_i = \frac{P_i}{R_i n} \quad \text{或} \quad R_i = \frac{P_i}{t_i n} \tag{9-2}$$

式中 t_i——某施工过程的流水节拍；

P_i——在一个施工段上完成某施工过程所需的劳动量（工日数）或机械台班量（台班数）；

R_i——某施工过程的施工班组人数或机械台数；

n——每天工作班数。

以施工单位现有的人力、机械的实际生产能力及工作面大小来确定完成该劳动量所需的持续时间（生产周期），按式（9-2）前式计算；在某些情况下，根据规定的或后续工序的工期来计算一班制、二班制或三班制条件下，完成劳动量所需作业队的人数或机械台数，按式（9-2）后式计算。

（7）初步拟定工程进度

按照客观的施工规律和合理的施工顺序，根据确定的施工组织方法、施工段之间最优或较优施工次序及各施工项目的作业持续时间，就可以拟定工程进度。在拟定进度计划时应考虑施工项目之间的相互配合，如某工程采用流水施工，为了使各施工项目尽早投入施工，首先集中人力、物力进行第一段的施工准备，小桥涵等人工构造物完成后路基可以施工，路基完成后路面可以施工等，其他辅助工作（材料加工及运输等）应与工程进度相配合。

拟定工程进度时，应特别注意人工的均衡使用。施工开始后，人工数应逐渐增加，然后在较长的时间内保持稳定，接近完工时又应逐渐减少。此外，还应力求避免材料、机械及其他技术物资使用的不均衡现象。初步拟定方案若不能满足规定工期要求，或超过定期物资资源供应量，应对施工进行调整。

（8）检查和调整工程进度

按照施工过程的连续性、协调性、均衡性及经济性等基本原则对工程进度进行检查与调整。无论采用流水作业法还是网络计划法组织施工，都要在初步拟定方案的基础上通过优化调整，最后得到工程进度图。在优化过程中重点检查和调整的内容有：

1）工程进度是否符合合同规定的工期，并尽可能缩短，达到最好的经济效果；检查施工的均衡性及施工顺序、搭接配合关系、技术间歇时间、组织间歇时间等是否合理。

2）根据检查结果，针对主要问题采取有效的技术和措施，使全部施工在技术上协调，对人工、材料、机具的需用量均衡性进行调整，力争达到最优的状态。

3）调整结束后，采用恰当的形式绘制工程进度图。

4. 工程施工进度图编制的注意事项

（1）绘制工程进度图时，应扣除法定节假日，并充分估计因气候或其他原因的停工时间。上级规定或合同签订的施工工期减去这些必要的停工时间之后，才是可行的施工作业时间，还要考虑必要的准备工作时间和外部协调时间。

（2）注意施工的季节性。桥梁基础施工应避开洪水期，沥青路面和水泥混凝土路面应避免冬期施工等。

（3）影响施工的因素很多，任何周密详尽的计划也很难完全实现。安排工程进度时应保证重点，留有余地，方便调整。尤其是施工难度大、物资资源供应条件差的工程，更应注意留有充分的调整余地。

（4）施工间歇时间（技术间歇时间、组织间歇时间等），由于不消耗资源，容易被忽视。采用网络计划法组织施工时可以将间歇时间作为一条箭线处理。

（5）在对初步方案进行优化时，注意外购材料和各种设备分批到达工地的合同日期，需用到这些材料和设备的施工项目的开工时间不得早于合同日期。

9.2.5 编制资源需求计划

1. 劳动力需要量计划

根据确定的施工进度计划计算各个施工项目每天所需的人工数量,将同一天所有施工项目需用的人工数量累加起来,即得到劳动力需要量。劳动力需要量的高峰值与施工期间的平均值之比,称为劳动力不均衡系数。劳动力不均衡系数应大于或等于1,一般不超过1.5。在编制施工进度图时,应以劳动力需要量均衡为原则,对施工进度图通常都要进行多次调整。

根据劳动力需要量图可编制劳动力需要量计划表,见表9-3。劳动力计划是确定临时设施和组织劳动力进退场的依据,它可起到保证劳动力及时调配、搞好平衡、满足施工需要的作用。

劳动力需要量计划表　　　　　　　　　　　表9-3

序号	工种名称	总工日数	需要人数及时间					备注
			年					
			一季度	二季度	三季度	四季度	合计	

2. 材料供应计划

主要材料计划包括施工需用的材料、构件和半成品等的名称、规格、数量以及来源和运输方式等内容,它是运输组织和筹建工地仓库及堆料场的依据。

主要材料包括钢材、木材、水泥、沥青、石灰、砂、石料(碎石、块石、砾等)、爆破器材等用量最大的材料。特殊情况下使用的土工织物,各种加筋带、外掺剂等也应列入主要材料。

材料的需要量按照工程量和定额计算,根据施工项目的进度编制年度和季度主要材料计划表,见表9-4。

主要材料计划表　　　　　　　　　　　表9-4

序号	材料名称及规格	单位	数量	来源	运输方式	需要数量及时间					备注
						年					
						一季度	二季度	三季度	四季度	合计	

3. 主要施工机械设备计划表

在工程进度确定后,将每个施工项目采用的机械名称、规格和需用数量以及使用的日期等汇总、编制成施工机具、设备计划表,见表9-5。

主要施工机具、设备计划表　　　　　表 9-5

序号	机械名称及规格	数量		使用年限		年度、季度需要量								备注
						年								
						一季度		二季度		三季度		四季度		
		台班	台数	开始时间	完成时间	台班	台数	台班	台数	台班	台数	台班	台数	

9.2.6 施工平面图布置图设计

施工平面图布置图设计是施工过程空间组织的具体成果，即根据施工过程空间组织的原则，对施工设备、原材料堆放、动力供应、场内运输、半成品生产、仓库、料场、生活设施等进行空间的，特别是平面的科学规划与设计，并以平面图的形式加以表达。此项工作称为施工平面图设计。

1. 施工平面图设计的依据

（1）工程平面图；
（2）施工进度计划和主要施工方案；
（3）各种材料、半成品的供应计划和运输方式；
（4）各类临时设施的性质、形式、面积和尺寸；
（5）各加工车间、场地规模和设备数量；
（6）水源、电源资料；
（7）有关设计资料。

2. 市政工程施工平面布置图的设计原则

（1）在保证施工顺利的前提下，充分利用原有地形、地物，少占农田，因地制宜，以降低工程成本。

（2）充分考虑水文工程、工程地质、气象等自然条件的影响，尤其要考虑避免自然灾害（如洪水、泥石流）的措施，保护施工现场及周围生态环境。

（3）场区规划必须科学合理，应以生产流程为依据，并有利于生产的连续性。

（4）场内运输形式的选择及线路的布设，应力求使材料直达工地，尽量减少二次搬运和缩短运距。

（5）一切设施和布局，必须满足施工进度、方法、工艺流程、机械设备及科学组织生产的需要。

（6）必须符合安全生产、安保防火和文明施工的规定和要求。

3. 施工平面图的类型

（1）施工总平面图

施工总平面图是以整个工程为研究对象的施工平面布置方案，如图 9-1 所示。

（2）单项工程、分部分项工程施工平面图

该类平面图的布置有两种情况：一是在施工总平面图的控制下进行布置；另一是以施工总平面图为依据，基本上按照施工总平面有关内容进行布置。这两种平面图都比施工总平面图更加深入和具体，如图 9-2 所示。

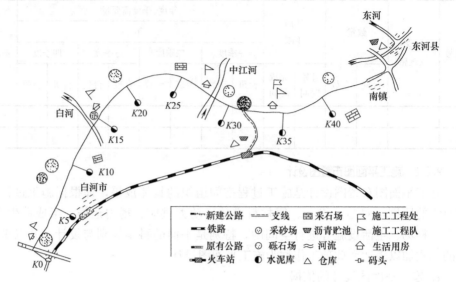

图 9-1　某道路施工总平面图

4. 施工总平面图设计的内容

（1）原有地形地物；
（2）沿线的生产、行政、生活等区域的规划及其设施；
（3）沿线的便道、便桥及其他临时设施；
（4）基本生产、辅助生产、服务生产设施的平面布置；
（5）安全消防设施；
（6）施工防排水临时设施；
（7）新建线路中线位置及里程或主要结构物平面位置；
（8）标出需要拆迁的建筑物；
（9）划分的施工区段；
（10）取土和弃土场位置；
（11）标出已有的公路、铁路线路方向、位置与里程，与施工项目的关系，以及因施工需要临时改移的公路的位置。

5. 施工总平面图的设计步骤

（1）场外交通道路的引入与场内布置

当大量物资采用公路运输时，加工厂、仓库的位置结合道路布置，使其尽可能布置在最经济合理的地方，并与场外道路连接，符合标准要求。

（2）确定仓库和材料堆场的位置

仓库和材料堆场应设置在运输方便、位置适中、运距较短并且安全防火的地方，并应区别不同材料、设备和运输方法。

当采用公路运输时，中心仓库可以布置在工地中心区或靠近使用的地方，也可以布置在工地入口处。大宗材料的堆场和仓库，可布置在相应的搅拌站、预制场或加工场附近。如砂、石、水泥、石灰、木材等仓库或堆场宜布置在搅拌站、

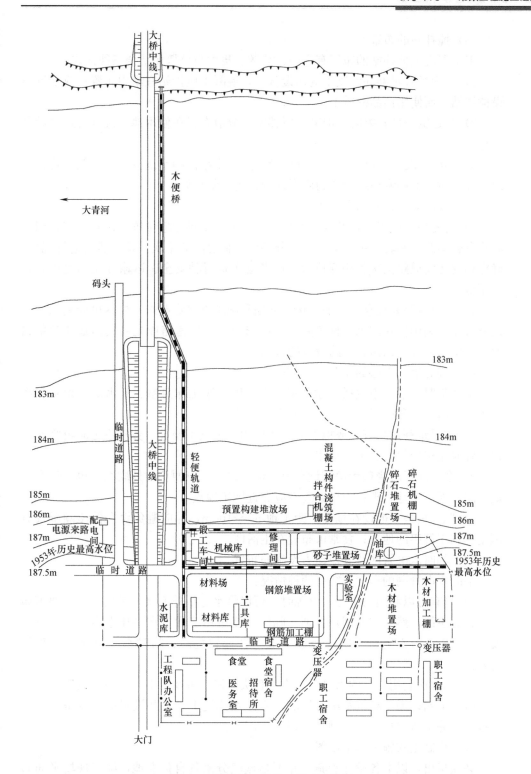

图 9-2 某桥梁工程施工平面布置图

预制场和材料加工场附近,以减少二次搬运;砖、瓦和预制构件等应布置在垂直运输机械工作范围内,靠近用料地点。

(3) 搅拌站的布置

工地混凝土搅拌站的布置有集中、分散、集中与分散相结合三种方式。

1) 当现场有足够的混凝土输送设备时，混凝土搅拌站宜集中布置；或现场不设搅拌站，而使用商品混凝土。

2) 当运输条件较差时，混凝土搅拌站宜分散布置在使用地点或垂直运输设备附近。

3) 临时混凝土预制构件加工场尽量利用建设单位的空地设置，一般布置在工地边缘，材料堆场专用线转弯的扇形地带或场外临近处。

(4) 场内运输道路的布置

1) 首先根据施工项目及其与堆场、仓库或加工场相应位置，认真研究它们之间物资转运路径和转运量的大小，区分场内运输道路的主次关系，然后进行规划；确定场内运输道路主次和相互位置，应考虑车辆行驶安全、运输方便和道路修筑费用低。

2) 临时道路要把仓库、加工场、堆场和施工点贯穿起来；要尽可能利用原有道路或充分利用拟建的永久性道路，提前修建永久性道路或先修其路基和简单路面，为施工服务，以达到节约投资的目的。

(5) 临时生活设施的布置

工地临时生活设施包括：办公室、汽车库、职工休息室、开水房、食堂和浴室等，其所需面积应根据工地施工人数进行计算。

1) 应尽量利用现有的或拟建的永久性用房为施工服务，数量不足时再临时修建，临时用房应尽量利用活动用房。

2) 全工地行政管理用房宜设在全工地入口处，以便于对外联系；也可设在工地中间，便于工地管理；现场办公室应靠近施工地点。

3) 职工宿舍一般设在场外，距工地 50～100m，并应避免设在低洼潮湿及有烟尘不利于健康的地方；食堂可布置在生活区。

(6) 临时水电管网及其他动力设施的布置

临时水电管网的布置可能有两种情况：

1) 当有可以利用的水源、电源时，可以将水电从外面接入工地，沿主要道布置干管、主线，然后与各用户接通。临时总变电站应设置在高压电引入处，不应设在工地中心，以免高压电线经过工地内部导致危险；临时水池应放在地势较高处。

2) 当无法利用现有的水电时，为了解决电源，可在工地中心或靠近中心处设置临时发电站；为了获得水源可以利用自来水或地下水，并设置抽水设备和加压设备（简易水塔或加压），以便储水和提高水压。

(7) 绘制正式施工总平面图

必须指出，以上各设计步骤，并不是截然分割各自孤立地，施工现场平面布置是一个系统工程，应全面考虑、统筹安排，正确处理以上各项内容的关系，精心设计，反复修改；当有几种方案时，尚应进行方案比较，然后绘制正式施工总平面图。

6. 临时工程规模及数量

临时设施主要有：工地加工场地、仓库、料场、临时房屋、工地运输道路、施工用水、用电、供热及通信设施等。

（1）工地加工场地

1）木材加工场、钢筋加工场等建筑面积

木材加工场、钢筋加工场等建筑面积要根据设备尺寸、工艺过程、设计和安全防火等要求，参照有关经验指标来确定，也可按式（9-3）计算。

$$F = \frac{K \cdot Q}{T \cdot S \cdot a} \quad (9-3)$$

式中　F——所需建筑面积（m^2）；

　　　K——不均衡系数，取 1.3～1.5；

　　　Q——加工总量（m^3，t 等）；

　　　T——加工总工期（月）；

　　　S——每平方米场地的月平均加工量；

　　　a——场地或建筑面积利用系数，取 0.6～0.7。

2）水泥混凝土搅拌站面积

水泥混凝土搅拌站面积可按式（9-4）计算。

$$F = N \cdot A \quad (9-4)$$

式中　F——搅拌站面积（m^2）；

　　　A——每台搅拌机所需的面积（m^2/台）；

　　　N——搅拌机的台数（台）；可按式（9-5）计算：

$$N = \frac{Q \cdot K}{T \cdot R} \quad (9-5)$$

　　　K——不均衡系数，取 1.5；

　　　Q——混凝土总需要量（m^3）；

　　　T——混凝土工程施工总工作日；

　　　R——混凝土搅拌机台班产量（m^3）。

对于大型水泥混凝土搅拌设备的场地面积，宜根据设备说明书的要求确定。

（2）临时仓库

1）材料储备量的确定

材料储备量的大小既要考虑保证连续施工的需要，又要避免材料的大量积压，以免仓库面积过大，增加投资，积压资金。通常情况下，材料储备量宜根据现场条件、供应条件和运输条件来确定。对场地狭小、运输方便的现场可少储备；对供应不易保证、运输困难、受季节影响大的材料宜多储备。

常用材料，如砂、石、水泥、钢材和木材等，其储备量的计算可按式（9-6）计算。

$$P = T_e \frac{Q_i \cdot K}{T} \quad (9-6)$$

式中　P——材料储备量（m^3、t等）；
　　　T_e——储备期（d），按材料来源确定，一般不小于10d；
　　　K——材料使用不均衡系数，取1.2～1.5；
　　　Q_i——材料、半成品的总需要量（m^3、t等）；
　　　T——有关项目施工的总工作日（d）。

对于用量少、不经常使用或储备期较长的材料，可按年度需要量的百分比储备。

2) 仓库面积的确定

一般的仓库面积可按式（9-7）计算。

$$F=\frac{P}{q \cdot K} \qquad (9\text{-}7)$$

式中　F——仓库总面积（m^2）；
　　　P——材料储备量；
　　　K——仓库面积利用系数（考虑人行道和车道所占面积），一般取0.5～0.8；
　　　q——每平方米仓库面积能存放的材料数量。

(3) 办公及生活用房屋

办公及生活用房屋包括办公室、传达室、汽车库、职工宿舍、招待所、食堂、浴室、小卖部、医务室等。其建筑面积主要取决于建筑工地的人数，包括职工和家属的人数，可按式（9-8）计算：

$$S=N \cdot P \qquad (9\text{-}8)$$

式中　S——建筑面积（m^2）；
　　　N——工地人数；
　　　P——建筑面积指标，见表9-6。

在进行施工组织设计时，应尽量利用施工现场及附近已有的建筑物，或提前修筑可以利用的永久性房屋，如不能满足需要再考虑修筑临时房屋。

临时房屋的设计原则是节约、适用、装拆方便，并考虑当地的气候条件、材料来源、工期长短等。通常有帐篷、活动房屋和就地取材的简易工棚等。

临时房屋建筑面积指标　　表9-6

序号	临时房屋名称	指标使用方法	参考指标
1	办公室	按使用人数	3～4
2	单层通铺	按高峰期(年)平均人数	2.5～3.0
3	双层铺	按工地实有人数	2.0～2.5
4	单层铺	按工地实有人数	3.5～4.0
5	食堂	按高峰期年平均人数	0.5～0.8
6	食堂兼礼堂	按高峰期年平均人数	0.6～0.9
7	浴室	按高峰期年平均人数	0.07～0.1
8	俱乐部	按高峰期年平均人数	0.10
9	小卖部	按高峰期年平均人数	0.03

续表

序号	临时房屋名称	指标使用方法	参考指标
10	其他公用	按高峰期年平均人数	0.05～0.1
11	开水房		10～14
12	厕所	按工地平均人数	0.02～0.07
13	工人休息室	按工地平均人数	0.15

(4) 临时用水、用电

1) 临时用水

① 用水量计算

施工期间的工地供水应满足工程施工用水（q_1）、施工机械用水（q_2）、施工现场生活用水（q_3）、生活区生活用水（q_4）和消防用水（q_5）等的需用。

工程施工用水：
$$q_1 = \frac{K_1 \cdot \sum(Q_1 \cdot N_1 \cdot K_2)}{T_1 \cdot b \times 8 \times 3600} \tag{9-9}$$

式中 K_1——未预计的施工用水系数，1.05～1.15；

Q_1——最大年（季度）工程量（以实物计量单位表示）；

N_1——施工用水定额（表 9-8）；

K_2——施工用水不均衡系数（表 9-7）；

T_1——年（季度）有效作业日（d）；

b——每天工作班数。

施工用水不均衡系数　　　　　　　　表 9-7

项目	用水名称	系数
K_1	施工工程用水	1.5
	生产企业用水	1.25
K_2	施工机械、运输机械	2.00
	动力机械	1.05～1.10
K_4	施工现场生活用水	1.30～1.50
K_5	生活区生活用水	2.00～2.50

施工用水参考定额　　　　　　　　表 9-8

序号	用水对象	单位	耗水量(L)	备注
1	浇筑混凝土全部用水	m^3	1700～2400	
2	搅拌普通混凝土	m^3	250	
3	混凝土养生（自然养生）	m^3	200～400	
4	混凝土养生（蒸汽养生）	m^3	500～700	
5	湿润模板	m^3	10～15	
6	冲洗模板	m^3	5	
7	清洗搅拌机	台班	600	

续表

序号	用水对象	单位	耗水量(L)	备注
8	人工洗石子	m³	1000	
9	机械洗石子	m³	600	
10	洗砂	m³	1000	
11	砌砖工程全部用水	m³	150~250	
12	砌石工程全部用水	m³	50~80	
13	抹灰	m³	4~6	不包括调制用水
14	搅拌砂浆	m³	300	
15	石灰消化	t	3000	
16	素土路面路基	m²	0.2~0.3	

施工机械用水:

$$q_2 = \frac{K_1 \cdot (\sum Q_2 \cdot N_2 \cdot K_3)}{8 \times 3600} \tag{9-10}$$

式中 K_1——未预计的施工用水系数（1.05~1.15）;

Q_2——同一种机械台数，（台）;

N_2——施工机械台班用水定额（表 9-9）;

K_3——施工机械用水不均衡系数（表 9-7）。

施工机械用水参考定额 表 9-9

序号	机械名称	单位	耗水量	备注
1	内燃挖掘机	L/(台·m³)	200~300	以斗容量 m³ 计
2	内燃起重机	L/(台·t)	15~18	以起重 t 数计
3	蒸汽打桩机	L/(台·t)	1000~1200	以锤重 t 数计
4	内燃压路机	L/(台·t)	12~15	以压路机 t 数计
5	拖拉机	L/(昼夜·台)	200~300	
6	汽车	L/(昼夜·台)	400~700	
7	内燃动力装置	L/(台班·马力)	120~300	直流水
8	内燃动力装置	L/(台班·马力)	25~40	循环水
9	锅炉	L/(h·t)	1000	以小时蒸发量计
10	锅炉	L/(m³·t)	15~30	以受热面积计
11	电焊机	L/h	100	25 型
12	电焊机	L/h	250~350	75 型
13	对焊机	L/h	300	
14	凿岩机	L/min	8~12	YQ-100
15	冷拔机	L/h	200	

施工现场生活用水:

$$q_3 = \frac{P_1 \cdot N_3 \cdot K_4}{8 \times 3600} b \tag{9-11}$$

式中 P_1——施工现场高峰人数;

N_3——施工机械生活用水定额,20~60L/(人·班);
K_4——施工现场生活用水不均衡系数(表9-7);
b——每天工作班数。

生活区生活用水:
$$q_4 = \frac{P_2 \cdot N_4 \cdot K_5}{24 \times 3600} \quad (9\text{-}12)$$

式中 P_2——生活区居住人数;
N_4——生活区生活用水定额(表9-10);
K_5——生活区生活用水不均衡系数(表9-7)。

生活用水参考定额　　　　　　　　　　　　　　　　表 9-10

序号	用水对象	单位	耗水量	备注
1	工地全部生活用水	L/(人·日)	100~200	
2	盥洗生活用水	L/(人·日)	25~30	
3	食堂	L/(人·日)	15~20	
4	淋浴	L/(人·次)	50	按出勤人数30%计

消防用水(q_5)参考定额见表9-11。

消防用水参考定额　　　　　　　　　　　　　　　　表 9-11

序号	用水区域	用水情况	火灾同时发生次数	单位	用水量
1	居民区	5000人以内	1次	L/s	10
		10000人以内	2次	L/s	10~15
		25000人以内	2次	L/s	15~20
2	施工现场	施工现场在0.25km²以内	1次	L/s	10~15
		每增加0.25km²	1次	L/s	5

由于生活用水是经常性的,施工用水是间断性的,而消防用水又是偶然性的,因此,工地的总用水量(Q)并不是全部计算结果的总和,应按以下公式计算:

当$(q_1+q_2+q_3+q_4) < q_5$时
$$Q = q_5 + 0.5(q_1+q_2+q_3+q_4) \quad (9\text{-}13)$$

当$(q_1+q_2+q_3+q_4) > q_5$时
$$Q = q_1+q_2+q_3+q_4 \quad (9\text{-}14)$$

当工地面积小于50000m²,且$(q_1+q_2+q_3+q_4) < q_5$时
$$Q = q_5 \quad (9\text{-}15)$$

② 水源选择

首先考虑采用自来水作水源,如不可能才另选天然水源。临时水源应满足以下要求:水量充足稳定,能保证最大需水量供应;符合生活饮用和生产用水的水质标准,取水、输水、净水设施安全可靠,安装、运转、管理和维护方便。

③ 临时供水系统

供水系统由取水设施、净水设施、储水构造物、输水管网等组成。

取水设施由取水口、进水管及水泵站组成。取水口距河底(或井底)不得小

于 0.25～0.9m，距冰层下部边缘的距离不得小于 0.25m。水泵要有足够的抽水能力和扬程。

当水泵不能连续工作时，应设置储水构造物，其容量以每小时消防用水量确定，但一般不得小于 10～20m³。

输水管网应合理布局，干管一般为钢管或铸铁管，支管为钢管。输水管的直径必须满足输水量的需要。

2）工地临时供电

① 用电量

工地用电可分为动力用电和照明用电两类，用电量可按式（9-16）计算：

$$P=(1.05\sim 1.10)\times \left(K_1\frac{\sum P_1}{\cos\phi}+K_2\sum P_2+K_3\sum P_3+K_4\sum P_4\right) \quad (9-16)$$

式中 P——总用电量（kV·A）；

P_1——电动机额定功率（kW）；

K_1——需要系数 $K_1=0.5\sim 0.7$，电动机 10 台以下取 0.7，超过 30 台取 0.5；

P_2——电焊机额定容量（kV·A）；

K_2——需要系数 $K_2=0.5\sim 0.6$，焊机 10 台以下取 0.6；

P_3——室内照明容量（kW）；

K_3——需要系数 $K_3=0.8$；

P_4——外照明容量（kW）；

K_4——需要系数 $K_4=1.0$；

$\cos\phi$——电动机的平均功率因数，根据用电量和负荷情况而定，最高为 0.75～0.78，一般为 0.65～0.75。

② 选择电源，确定变压器

无论由当地电网供电还是在工地设临时电站，或者各供给一部分，选择电源都应根据工程具体情况经过比较确定。考虑当地电源能否满足施工期间最高负荷；电源距离经济性；设临时电站，供电能力应满足需用，避免造成浪费或供电不足，电源应设置在设备集中、负荷最大而输电距离最短的位置。

首先考虑将附近的高压电通过工地的变压器引入，变压器的功率按式（9-17）计算：

$$P=K\left(\frac{\sum P_{\max}}{\cos\phi}\right) \quad (9-17)$$

③ 选择导线截面

合理的导线截面应满足三个方面的要求：其一，足够的机械强度，即在各种不同的敷设方式下，确保导线不致因一般机械损伤而折断或损坏漏电；其二，应满足通过一定的电流强度，即导线必须能承受电流长时间通过所引起的温度升高；其三，导线上引起的电压降必须限制在容许范围之内。按这三项要求，选择截面最大者。

④ 配电线路的布置

线路宜架设在道路的一侧，并尽可能选择平坦路线。线路距建筑物的水平距离应大于 1.5m。在 380/220V 低压线路中，木杆间距为 25～40m。分支线及引入线均应从电杆处接出。临时布线一般都用架空线，因为架空线工程简单、经济，便于检修。电杆及线路的交叉跨越要符合有关输变电规范。配电箱要设置在便于操作的地方，并有防雨、防晒设施。各种施工用电机具必须单机单闸，绝不可一闸多用。闸刀的容量按最高负荷选用。

9.2.7 技术组织措施

技术组织措施主要反应施工单位对工程项目的工期、质量、安全、环保等方面的做法和目标要求。通过编制技术组织措施，能让业主了解施工单位的管理模式，增强业主对项目顺利完成的信心。因此，技术组织措施也是施工组织设计必不可少的部分。

1. 工期保障措施

（1）工期保障措施的编制原则

为保证工程按期完工，根据工程特点编制科学合理施工的进度计划，分解进度总目标，分阶段组织施工。以各施工阶段的进度控制点为目标，合理安排劳动力、资金、材料、机械设备的使用计划，保障供给。以施工质量、安全为重点，严格管理，以总进度计划为依据，确保工程按期完成，圆满实现工程总进度计划。

（2）工期保障措施的编制内容

1) 工程施工进度安排

工程施工进度安排包括：合同段招标文件要求的开工日期、完工日期、总工期。根据该工期要求和招标文件提供的标段内工程任务，结合劳动力、机械设备情况，制定施工进度计划。具体内容如下：

① 根据工程进度计划要求，合理划分施工阶段，并对各施工阶段进行分解，突出关键线路、控制节点。在施工中针对各施工阶段的重点和有关条件，制定详细的施工方案，安排好施工顺序，实现流水作业，做到连续均衡施工。做好劳动力、施工机械、材料的综合平衡，确保施工控制节点的实现。

② 根据施工进度计划的要求，按施工总体部署，将施工总进度计划分解成月、周进度计划，使其更为明确、具体。

③ 按专业工种分解施工任务，确定完成日期，同专业、同工种的施工任务由项目经理部统一调度，不同专业或不同工种之间的任务，在下达施工任务时要强调两工种之间的相互衔接和配合，确定交接日期。加强施工作业层管理，强调计划的严肃性，确保各道工序按期完成，为实现总进度计划打下坚实基础。

④ 加强日常管理，检查当天生产进度情况，及时解决施工中出现的问题，搞好生产调配及协调工作，确保周、月计划完成。

2) 确保工期的技术组织措施

其主要包括技术人员及管理人员保证，劳动力保证，工程材料保证，施工机械保证，具体施工措施；计划管理的保证措施等，具体内容如下：

① 技术人员及管理人员保障

项目部应选取施工经验丰富、技术熟练的技术人员，为优质、高效完成本工程提供坚实的技术保障。

② 劳动力保证

根据施工进度计划，分阶段配置主要劳动力，以满足关键线路控制的要求和进度计划目标的要求，同时优化劳动力配置（包括工人技术等级、体能素质、思想素质等方面）。

③ 工程材料保证

材料供应部门应根据工程总体进度计划编制"材料供应计划"，提前准备好工程所需各种材料，确保施工工过程中的各种材料供应。

④ 施工机械保证

a. 工程施工过程中要确保各专业施工机械按时进场施工，并能满足工程施工要求。

b. 加强对工程机械的检修保养，保证机械设备无故障运转，提高施工设备的利用率和完好率。

⑤ 具体施工措施

在工程施工中应用项目管理软件，对整个工程的施工进行项目分解，将每一个阶段目标分解，责任落实到个人，制定工程施工日计划，并将工程施工日计划、周计划下发到所有施工班组，加强工程计划管理。

⑥ 加强计划管理

a. 强调各施工队伍之间的协调配合，共同完成任务。当工程进度受到客观因素影响时，应增加计划的跟踪修订工作，随着计划的修订，保证资源的供应，以确保总工期的实现。

b. 根据总体计划要求，相关部门应做好材料检验和过程检验及不合格产品控制等工作，以防止因返工而影响进度，并采取预防措施，以保证工程顺利进行。

⑦ 创造良好的施工环境

与业主、监理、设计、当地政府建立良好的关系，为顺利施工打下基础。

2. 质量保证措施

工程质量是企业的生存之本，也是关系到国家民生的大事，因此进行全方位的施工质量控制，提高项目全员的质量意识是十分必要的。

(1) 具体质量目标

主要包括工程交验合格率、分项工程优良率、合同履约率、顾客满意度等。

(2) 具体质量保证措施

1) 组织机构保证：项目部设立质量管理机构，各施工队设立基层质量管理组，成员包括各施工队技术负责人，专职、兼职质检人员等。

2) 思想教育保证：对项目成员进行质量教育，强化质量意识。

3) 工作保证：建立技术负责制，同时建立技术人员的岗位责任制，健全技术责任奖罚制度，做好施工技术组织安排。

4) 施工保证措施

① 施工准备阶段：包括准备施工图纸、新工艺的工艺流程及工艺要求、施工的质量评定标准，劳动力准备、材料准备、机械设备准备等。

② 施工实施阶段：主要包括把住材料采购关，抓好过程控制关，做好施工工艺关。

③ 施工过程监督及检查：强化以项目质量检查工程师为核心的工程质量检查系统，建立工序交接制度，实行工序质量考核负责制，与监理工程师共同把好质量关。

3. 安全保证措施

工程施工存在着很多不安全的因素，为了施工人员的安全和工程的顺利进行，必须建立安全管理体系，采取安全保证措施。

（1）安全保证体系

① 建立安全生产体系，落实安全生产责任制。

② 确定安全管理目标和安全防范要点。

（2）加强施工现场安全教育

重点对专职安全员、安全监督员、班组长及从事特种作业的起重工、爆破工、电工、焊接工、机械工、机动车辆驾驶员进行安全培训和考核。

（3）施工现场安全技术措施

① 施工现场的布置要符合防火、防盗、防爆、防雷电等安全规定。

② 现场生产、生活区设定足够的消防水源和消防设施网点。

③ 现场道路坚实、平整、畅通，危险地点应悬挂安全标牌和安全宣传标语。

④ 各类房屋、库棚、料场等的消防安全距离符合规定。

⑤ 爆破施工及其材料（炸药、雷管、导火索等）的运输、贮存、发放等必须符合现行《爆破安全规程》GB 6722—2011 的规定。

⑥ 进入现场的人员必须按规定佩戴好安全防护用品。针对各工种的特点按时配发劳保用品。

4. 文明施工及环境保护措施

做好环境保护工作，这是国家法律的规定，也是企业的行为准则，是文明施工的具体体现，也是施工现场管理达标考评的一项重要指标，必须采取现代化的管理措施，全员参与，共同努力做好这项工作。

（1）文明施工措施

主要包括建立文明施工管理机构，落实文明施工责任制，制定文明施工的各项具体措施。

（2）环境保护措施

主要包括规范施工现场场容，减少施工噪声对周围居民的影响，处理好各种施工废弃物等。

本教学单元小结

本教学单元主要介绍了市政工程施工组织设计的概念、类型以及内容。重点介绍了施工组织设计中的施工方案、施工进度计划、资源需求计划、平面布置图等主要内容。市政施工组织设计就是对工程建设项目在整个施工全过程的构思设想和具体的安排,即从人力、资金、材料、机械、施工方法等五个主要方面进行科学合理的安排。其目的是使工程建设达到速度快、质量好、效益高的目标。

思考题与习题

1. 市政施工组织设计的类型及内容包括哪些?
2. 阐述施工总体部署主要内容。
3. 阐述施工方法、施工机械选择的原则。
4. 阐述施工进度计划的编制方法。
5. 阐述施工平面布置图的设计原则。
6. 阐述施工总平面图的设计步骤和内容。

主要参考文献

[1] 中华人民共和国住房和城乡建设部．建设工程项目管理规范 GB/T 50326—2017 [S]．北京：中国建筑工业出版社，2017.

[2] 林文剑．市政工程项目管理（第二版）[M]．北京：中国建筑工业出版社，2012.

[3] 秦礼光，吴薇，陆海军，等．市政工程项目经理一本通 [M]．北京：中国建筑工业出版社，2013.

[4] 全国一级建造师执业资格考试用书编写委员会．建设工程项目管理 [M]．北京：中国建筑工业出版社，2018.

[5] 全国一级建造师执业资格考试用书编写委员会．市政公用工程管理与实务 [M]．北京：中国建筑工业出版社，2018.

[6] 全国一级建造师执业资格考试用书编写委员会．公路工程管理与实务 [M]．北京：中国建筑工业出版社，2018.

[7] 盖卫东．市政与园林绿化工程项目管理与成本核算 [M]．哈尔滨：哈尔滨工业大学出版社，2014.

[8] 宋伟，刘岗．工程项目管理 [M]．北京：科学出版社，2012.

[9] 王祖和．项目质量管理 [M]．北京：机械工业出版社，2004.

[10] 韩福荣．现代质量管理学 [M]．北京：机械工业出版社，2004.

[11] 顾勇新，吴获，刘宾．施工项目质量控制 [M]．北京：中国建筑工业出版社，2003.

[12] 张军辉，张世杰，李湘炎，等．工程项目质量管理 [M]．北京：中国建筑工业出版社，2014.

[13] 李君．建设工程项目质量管理及案例 [M]．北京：中国电力出版社，2012.

[14] 李三民．建筑工程施工项目质量与安全管理 [M]．北京：机械工业出版社，2007.

[15] 杨青．工程项目质量管理 [M]．北京：机械工业出版社，2014.

[16] 戚振强．建设工程项目质量管理 [M]．北京：机械工业出版社，2004.

[17] 顾慰藉．建设项目质量监控 [M]．北京：中国建筑工业出版社，2004.

[18] 张毅．工程建设质量监督 [M]．上海：同济大学出版社，2003.

[19] 陈华卫．公路工程施工组织设计 [M]．北京：人民交通出版社，2011.

[20] 李士轩．市政工程施工技术资料手册 [M]．北京：中国建筑工业出版，2001.

[21] 厄尔道夫．物资管理学 [M]．杭州：浙江教育出版社，1993.

[22] 陈传德．公路建造师手册 [M]．北京：人民交通出版社，2005.

[23] 夏华强．工业企业物资管理 [M]．长沙：湖南科学技术出版社，2002.

[24] 田金信．建筑企业管理学 [M]．北京：中国建筑工业出版社，2004.

[25] 刘伊生．建筑企业管理 [M]．北京：北方交通大学出版社，2003.

[26] 赵顺副．项目法施工管理使用手册（第二版）[M]．北京：中国建筑出版社，2003.